We

Das deutsch-⹂ ...kanische Kuestenland und die vorgelagerten Inseln

Werth, Emil

Das deutsch-ostafrikanische Kuestenland und die vorgelagerten Inseln

Inktank publishing, 2018

www.inktank-publishing.com

ISBN/EAN: 9783747791219

All rights reserved

DAS
DEUTSCH-OSTAFRIKANISCHE
KÜSTENLAND
UND DIE ·
VORGELAGERTEN INSELN

VON

DR. E. WERTH

VON DER
DEUTSCHEN KOLONIALGESELLSCHAFT
GEKRÖNTE PREISSCHRIFT

ZWEI BÄNDE MIT 36 TAFELN, 3 FARBIGEN
KARTEN UND 36 TEXT-FIGUREN
BAND II

DIETRICH REIMER (ERNST VOHSEN)
BERLIN 1915

INHALT DES ZWEITEN BANDES.

III

IV

TAFELVERZEICHNIS DES ZWEITEN BANDES

VERZEICHNIS DER TEXTFIGUREN ZUM ZWEITEN BANDE

V

VERZEICHNIS DER KARTEN.

VI

DRUCKFEHLERVERZEICHNIS.

BAND II.

Seite 11 Zeile 10 v. o. ließ ihres, ihrer statt seines, seiner

„   18 u. 148, Zeile 12 v. u. und 7 v. o. ließ Nianjani statt Nyangani

„   45, 51 u. 136, Zeile 20, 8 u. 4 v. o. ließ Magogoni statt Magagoni

„   57 Zeile 13 v. o. ließ Kiomboni statt Kiombeni

„   65   „   13 v. u.   „   Tormondo statt Tarmondo

„   87   „   14 v. o.   „   Namgaru statt Nangaru

„   91   „   3 v. u.   „   Höhlenbildung statt Höhenbildung

„   115   „   10 v. o.   „   Die statt Di

„   127   „   13 v. u.   „   Mikindani statt Mikidani

„   133   „   7 v. u.   „   jenseits statt enseits

„   142   „   3 v. o.   „   Pujini statt Pujuni

„   164   „   15 v. u.   „   eigenen statt eigen

„   188   „   16 v. o.   „   Réunion statt Réumion

„   217   „   17 v. o.   „   wahrnehmen statt wahrnehme

VI. Kapitel.
EINZELDARSTELLUNG
des deutschostafrikanischen Küstengebietes und der
vorgelagerten Inseln.

I. Einleitung.

Eine Gliederung des deutsch-ostafrikanischen Küstenstriches in
natürliche Landschaften zum Zwecke einer eingehenderen Einzel-
betrachtung läßt sich in verschiedener Weise vornehmen. In klimatischer Beziehung unterscheidet sich das nördliche Küstenland nicht
unwesentlich vom südlichen. Eine Grenze zwischen den in beiden
herrschenden Klimatypen würde ungefähr durch den Rufiji-Unter-
lauf gegeben sein. Doch verschiebt sich diese Grenze nicht unerheblich
im Laufe der Jahre mit dem für unser Gebiet so charakteristischen
großen Wechsel in der Menge und Verteilung der Niederschläge sowie
auch der Äußerungen der anderen klimatischen Elemente, so daß sich eine
Einteilung der Küste mit Rücksicht auf das Klima nur in Form einer Dreiteilung mit Einschiebung einer breiten mittleren Übergangszone praktisch
durchführen ließe. Die nördlichen und südlichen Grenzen dieser Mittel-
zone festzulegen, wäre allerdings wiederum mit Schwierigkeiten verknüpft.

Die Vegetationsformationen zeigen innerhalb des schmalen
Küstenstreifens eine zu große Abhängigkeit von der Bodenunterlage,
als daß sie — wenigstens nach unseren bisherigen Kenntnissen — eine
schärfere Abgrenzung der angedeuteten Klimazonen unterstützen könnten.
Nach der floristischen Eigenart der Pflanzenwelt unseres Gebietes
konnten wir den nördlichen Sansibar-Küstenbezirk und den südlichen
Moçambique-Küstenbezirk unterscheiden, deren Grenze bei Kilwa
liegt. In ähnlicher Weise läßt sich auch die Tierwelt des deutsch-ostafrikanischen Küstengebietes nach ihren faunistischen Beziehungen in eine
nördliche Somal- und eine südliche Moçambique-Provinz gliedern,
deren Grenze aber wiederum nicht mit der Trennungslinie der floristischen
Bezirke zusammenfällt. Die Bevölkerung des deutsch-ostafrikanischen
Küstengebietes zeigt ein so einheitliches Gepräge ihrer Oberschicht, daß
eine weitere Teilung des Gebietes auf Grund ethnischer Momente untunlich erscheint.

Besser gelingt eine Gliederung des Küstenlandes in Einzellandschaften
vorwiegend auf Grund der unmittelbaren morphologischen Be-

ziehungen zwischen der landfesten Küste und dem angrenzenden Meeresteil. Die Festlandsküste unseres Gebietes wird abwechselnd von Tief- und
Flachsee begrenzt, und damit geht ein auffallender Wechsel in der Gliederung und Einzelgestaltung der betreffenden Küstenlinie einher. Da wo der
Kontinentalabfall nahe an die Küste herantritt, wo also der Meeresboden
dicht unter Land zu erheblichen Tiefen sich absenkt, zeigt die Küste in
der Regel eine starke Gliederung in Buchten und Halbinseln, und Reihen
von Inseln und Riffen ziehen vielerorts der Küste parallel, nahe derselben
hin; der Festlandssaum selbst ist von einem fortlaufenden Küstenriff eingefaßt. So ist die Küste des Festlandes an dem tiefen Pembakanal
gestaltet und wieder im Süden etwa von Kilwa bis zum Rowuma und
weiter. Aber auch das kurze Küstenstück der Gegend von Daressalam,
etwa zwischen Ras Ukutani und Ras Pembamnasi, zeigt ähnlichen Charakter,
wenn auch in minder ausgesprochenem Maße. Die übrigen Küstenstrecken
des Festlandes unseres Gebietes, d. h. die den Sansibar- wie den Mafia-
Kanal auf der Westseite begleitenden Küstenlinien, sind wenig gegliedert,
entbehren der tiefen Buchten und des fortlaufenden Saumriffes; die an
diesen Strecken mündenden größeren Flüsse bilden, im Gegensatz zu
denen der übrigen Küste, deutliche Deltas.

Es ergibt sich so eine Gliederung in fünf Küstenabschnitte, von denen
jedoch die mittleren drei wegen des geringen Ausmaßes und minder aus-
geprägten Charakters des in der Mitte dieser liegenden Daressalamer
Küstenstriches unschwer in einen Abschnitt vereinigt werden können,
allerdings unter Hervorhebung der Dreiteilung als Untergliederung.

Die der Küste vorgelagerten vollständig vom Meer umspülten größeren
Inseln sind als solche genügend als natürliche Landschaften charakterisiert.
Sie unterscheiden sich untereinander wieder in mehrfacher Beziehung.
Pemba wiederholt durch seine Lage am tiefen Pembakanale die Eigenart
der gegenüberliegenden Festlandsküste, die Sansibar und Mafia fehlt,
welche wiederum dadurch von einander abweichen, daß ersteres durch
die große Beteiligung altquartärer und tertiärer Schichten an seinem
Aufbau eine ganz andere Höhengliederung und Vegetationsbedeckung
erfährt. So stellen die Inseln je für sich, mehr noch als die Festlands-
küstenstrecken, abgeschlossene, auch in Flora und Fauna ihre Eigenart
zeigende, natürliche kleine Landschaften und geographische Einheiten dar.

Im Ganzen ist damit der in diesem Kapitel gegebenen Darstellung der
Einzellandschaften des deutsch-ostafrikanischen Küstengebietes und der
vorgelagerten Inseln die folgende Einteilung zu Grunde gelegt:

1. Die Nord- oder Tanga-Küste, von der Mündung des Umba
bis zu der des Pangani.

2. Die Mittelküste, vom Pangani bis zum Matandu.

2

a) Festlandsküste des Sansibar-Kanals,
b) Daressalamer Küste,
c) Festlandsküste des Mafia-Kanals.
3. Die Südküste, von der Matandu-Mündung bis zum Kap Delgado.
4. Die Insel Mafia.
5. Die Insel Sansibar.
6. Die Insel Pemba.

Dabei fällt die Nordgrenze der Mittelküste mit der Nordgrenze der faunistischen Moçambique-Provinz, die Südgrenze derselben Küste mit der Südgrenze des floristischen Sansibar-Bezirkes zusammen. Der südliche Unterabschnitt der Mittelküste würde etwa der Übergangszone zwischen der nördlichen und südlichen Klimaprovinz in seiner Ausdehnung gleichkommen. Durch besondere, in mehrfacher Beziehung sich geltend machende Eigenheiten ist innerhalb dieses letztgenannten Küstenstriches das große Rufiji-Delta als eine gut abgeschlossene natürliche Teillandschaft noch besonders hervorzuheben.[1]

[1] Wichtigste Literatur:
Amtliche Jahresberichte über die Deutschen Schutzgebiete 1912/13 usw.
Baumann, Usambara und seine Nachbargebiete. Berlin 1891.
Baumann, Der Sansibar-Archipel. Leipzig 1896–1899.
Bornhardt, Zur Geologie und Oberflächengestaltung von Deutsch-Ostafrika. Berlin 1900.
Burton, Zanzibar; City, Island, and Coast, London 1872.
Fitzgerald, Travels in the Coastlands of Brit. East Africa, and the Islands of Zanzibar and Pemba. London 1898.
Fitzner, Deutsches Kolonial-Handbuch, Bd. 1. 1901.
Fonck, Deutsch-Ostafrika. Berlin 1908.
Handbuch der Ostküste Afrikas. Berlin 1912.
Handbuch für Deutsch-Ostafrika. Berlin 1914.
Hassert, Deutschlands Kolonien. Berlin 1910.
Karstedt, Deutsch-Ostafrika und seine Nachbargebiete. Berlin 1914.
Lyne, Zanzibar in contemporary times. London 1905.
Meyer, Hans, Das Deutsche Kolonialreich, Leipzig und Wien 1909.
Reichard, Deutsch-Ostafrika, Leizig 1892.
Schmidt, K. W., Sansibar, ein ostafrikanisches Kulturbild. Leipzig 1888.
Schmidt, R., Geschichte des Araberaufstandes in Ostafrika. Frankfurt a. O. 1892.
Stuhlmann, Zur Kulturgeschichte von Ostafrika. Berlin 1909.
Von der Deckens Reisen in Ostafrika. Leipzig und Heidelberg 1869 ff.

II. Die Nord- oder Tanga-Küste.

Allgemeines.

Die »Tanga-Küste«, zwischen Jassini, an oder nahe der Umba-Mündung an der deutsch-englischen Grenze, und Pangani an der Mündung des Panganiflusses bildet die westliche Begrenzung des etwa

1*

3

50 km breiten Pemba-Kanals, dessen Ostufer die stark gegliederte Westküste der Insel Pemba ist. Der Pemba-Kanal, dessen bedeutende Tiefen (bis über 800 m) ihn als einen Grabenbruch (vergl. Kapitel 1) erscheinen lassen, wird von den von Norden kommenden, nach Sansibar oder den südlicheren Küstenplätzen Deutsch-Ostafrikas bestimmten Schiffen allgemein zur Durchfahrt benutzt. Da vor der Pemba-Insel die Riffe nicht weit in die See hinaus vorgeschoben erscheinen, ist die Ostseite des Kanals für die Schiffahrt die günstigere, wenngleich die Westseite, wo oft klares Wetter herrscht, während das regenreiche Pemba häufig ganz in Wolken eingehüllt ist, bessere Landmarken abgibt.

Die Meeresströmung (vgl. die Karte Fig. 1 auf S. 7 im 1. Bande dieses Werkes) im Pemba-Kanal geht vorwiegend nach Nordwest und Nord bis Nordnordost. Der nördliche Strom wird jedoch im Norden des Kanals nahe an der Insel durch den südwärts setzenden Flutstrom aufgehoben oder gar überwunden, durch den Ebbestrom aber verstärkt. Im südlichen Teil des Kanals geht der Strom stets nordwärts; es hat sich hier eine Beeinflussung durch die Gezeitenströmung nicht nachweisen lassen. In der Mitte des Fahrwassers setzt der Strom im Südwest-Monsun mit 2 bis 4 Seemeilen, im Nordost-Monsun mit 0 bis 2 Seemeilen Geschwindigkeit nordnordwestwärts.

Die Westküste des Pemba-Kanals, d. i. also die Tangaküste, wird in ihrer ganzen Länge von einem Riffgürtel begleitet, der in Form eines Barrierriffes wenige Durchfahrten zeigt und nach außen fast senkrecht auf 200 bis 300 m Wassertiefe abfällt (vergl. den letzten Abschnitt des 1. Kapitels im 1. Bande). In dem von diesem Riff abgetrennten Kanal treten noch eine Reihe einzelner Riffflecken und -Gruppen auf. Außerdem ist im nördlichen, breiteren Teile des Kanals der Innenküste eine Reihe niedriger Korallenkalkinseln und -Halbinseln vorgelagert, die nach außen meist auf lange Erstreckungen von unterwaschenen Steilabstürzen begrenzt sind und südlich der Tanga-Bucht mit der Yambe-Insel auf das jetzt nahe unter Land verlaufende Außenriff überspringen.

Zwischen bezw. hinter diesen Inseln und Halbinseln wie Riffen greifen etliche Buchten und Kanäle mehr oder weniger tief in das Land ein. Die Tangaküste bildet, abgesehen von ihrem südlichsten Teil, ein vortreffliches Beispiel zur Illustrierung der hinter den harten Kalkplatten der Inseln und Halbinseln stattgehabten Ausräumung der weicheren, sandigen Schichten der niedrigen Küstenterrassen, die mir für die Bildung der ostafrikanischen Wall- (Barrier-) Riffe von eminenter Bedeutung zu sein scheint. Daß diese Ausräumung nicht bei dem heutigen Meeresstande stattgefunden haben kann, zeigt – wie auf der neuen Karte von »Usambara und Küsten-

4

gebiet« in 1 : 100000 auch besonders schön zu sehen ist — die überall
statthabende umgekehrte Wirkung in gegenwärtiger Zeit: Die Kanäle
hinter den Kalktafeln und das Innere der Buchten ist mit Mangrowegehölz
erfüllt, ebenso macht sich diese Vegetation im Schutze der Inseln und
Riffe breit: also überall deutlicher Landzuwachs in gegenwärtiger Zeit,
ganz abgesehen davon, daß auch die Tiefe der Buchten an vielen Stellen
ihre Entstehung (durch Meereswirkungen) bei dem jetzigen Wasserspiegel
ausschließt.

Diese Ausräumung hat auch eine Reihe von geeigneten Hafenbuchten
geschaffen, von denen an der Tanga-Küste die B u c h t v o n M o a, die
M a n z a - B u c h t, die B u c h t v o n K w a l e, diejenige von T a n g a und
die M t a n g a t a - B a i zu nennen sind, die für die wirtschaftliche Entwicklung der Küste von erheblicher Bedeutung gewesen sind.

Das Land einwärts des zerstückelten Korallenkalkstreifens, zu den Seiten
der tieferen Buchten wie weiter ins Binnenland hinein, stellt zumeist ein
mehr oder weniger ebenes, terrassen- oder plateauförmiges, stufen-
weise ansteigendes Gelände dar, das den j u n g e n K ü s t e n t e r r a s s e n
(die niedrigeren Stufen) und der »M i k i n d a n i - S t u f e« zuzurechnen
ist und aus oft rot gefärbten Lehmen, sandigen Lehmen und lehmigen
Sanden, wenigstens oberflächlich, besteht. Im Sockel dieser Gebilde,
an den Stufenrändern und vornehmlich in den Taleinschnitten der
Küstenflüsse treten ältere Schichten von Kalk, Sandstein und Tonschiefer
der K a r o o - und J u r a f o r m a t i o n hervor, wie solche auch in einzelnen
Erhebungen, K i r i m b a -, K i l u l u - B e r g, über das Plateau- und Terrassenland aufragen.

Ein besonderes Gepräge erhält aber die Tangaküste durch die Nähe
des im unmittelbaren Hinterlande bis über 1000 m Meereshöhe aufragenden U s a m b a r a - G e b i r g e s, das von einschneidender Bedeutung für die klimatischen Verhältnisse und für die wirtschaftliche Entwicklung dieses Küstenstreifens ist. Vorgelagert den Gebirgsinseln von
H a n d e i (= Ost-Usambara), M l i n g a und M h i n d u l o ragen zahlreiche
einzelne Gneisberge, wie der T o n g w e, der N g a l a n i, der K u z e, der
Mlungui u. a. als I n s e l b e r g e über das küstennahe, bis ca. 300 m Meereshöhe ansteigende Plateauland auf.

Die im einzelnen stark wechselnden klimatischen Verhältnisse der
Tangaküste gewähren, wohl im wesentlichen bedingt durch den Schutz
des nahen Gebirges gegen Beeinflussung durch das trockene Binnenland,
wenigstens der Mitte dieses Küstenstriches (mit der Beobachtungsstation
Tanga), die größte überhaupt an der deutsch-ostafrikanischen Küste
beobachtete Regenmenge. Dieses prägt sich auch in der natürlichen Ve-

5

getationsdecke des Geländes deutlich aus. Überaus reich ist das Hinterland von Tanga, vom Sigifluß im Süden bis zum Kombe im Norden, an Waldparzellen, die z. T. wenigstens als ansehnlicher, von Lianen durchrankter Hochwald bezeichnet werden.[1] Eine nähere botanische Untersuchung mag entscheiden, ob dieser in seiner ganzen Ausdehnung, wie die beiliegende Vegetationskarte es vorläufig annimmt, dem allgemeinen Küstenwalde oder -Buschwalde zuzurechnen ist oder vielleicht zum Teil wirklichen tropischen Regenwald darstellt. Der größere Teil des Terrassen- und Plateaulandes der Tangaküste wird aber von Busch- (vornehmlich auf dem Kalkboden der Inseln und Halbinseln) und Baumsteppen-Vegetation, mit zahllosen vielverästelten Dumpalmen, bedeckt, soweit nicht die Felder und Kokospflanzungen der Eingeborenen oder die neueren Plantagenanlagen die natürlichen Vegetationsformationen verdrängt haben.

Infolge der vorgelagerten Halbinseln und Inseln haben die im Schutze derselben sich ansiedelnden Mangrowe-Gehölze an der Tangaküste eine umfangreiche Ausdehnung. Selbst auf dem Karange-Riff, vor der Mtangata-Bucht, haben sich, geschützt vor der von der abliegenden Außenkante desselben gebrochenen Meereswelle, die Mangrowebäume entwickelt. Dieses Vorkommen, wie auch das am Kigirini-Kanal (südlich von Moa) und hinter der Kirui-Insel, beweist wie an vielen anderen Stellen des deutsch-ostafrikanischen Küstengebietes, daß die halophil-amphibische Wald- und Gebüschformation der Mangrowe keineswegs, wie immer wieder behauptet wird, an das brackige Wasser der Flußmündungen gebunden ist, sondern ebenso gut im reinen Seewasser gedeiht.

Die dunkelfarbigen Bewohner der Tangaküste sind meist Swahili und swahilisierte Angehörige der Küstenstämme, die hier allgemein noch als »Watu wa mrima« bezeichnet werden. Nach Baumann[2] lassen sich zwei durch Jahrhunderte getrennte Swahilieinwanderungen unterscheiden. Die ältesten Bewohner der Tangaküste sind die »vor undenklichen Zeiten« aus Lamu hergewanderten Wajomba, die sich als nahe Verwandte der Wahadimu und Watumbatu von Sansibar ansehen. Sie selbst nennen sich, wie so vielfach die Swahili, Schirazi; doch hat sich der Name Wajomba — ursprünglich eigentlich ein Spottname — an der ganzen Küste eingebürgert. Ziemlich rein sind die Wajomba — ihnen wird die Gründung von Tanga und Mtangata zugeschrieben — noch in der Vorstadt Chumbageni von Tanga, am reinsten in Kwale erhalten. Auch die wenigen

---

[1] Bornhardt: Zur Geologie und Oberflächengestaltung in Deutsch-Ostafrika. S. 422.
[2] Baumann, O.: Usambara und seine Nachbargebiete. Berlin 1891. S. 23.

6

Bewohner der Kirui-Insel werden wohl ziemlich reine Wajomba sein. In Mkokwani (Tanga) sind sie stark mit Digo-Elementen durchsetzt; in Mtangata, wo zwei Stämme geschieden werden, die Makameuma und die Wasegele, sind erstere unreine Wajomba, letztere aber Wabondëi. Äußerlich swahilisierte Wabondëi sind auch die Pangani-Neger. Die Wajomba sprechen den ziemlich stark mit Digo-Elementen versetzten Tanga-Dialekt des Kiswahili.

Eine wohl nur wenig spätere, ebenfalls von der Lamuküste kommende Einwanderung bilden die »Wawumba« von Wassin und Wanga gleich nördlich der deutsch-ostafrikanischen Grenze. Eine ganz junge, vor ca. 75 Jahren erfolgte Swahili-Einwanderung aber stellen eine Anzahl Wagunya-Familien dar, die sich in Nianjani, südöstlich von Tanga, und einzeln an anderen Küstenplätzen ansiedelten. Von Nianjani aus gründeten sie später die Niederlassung Yambe auf der gleichnamigen Insel. Die Wagunya sollen mit Somali und Arabern gemischt sein; infolge einer Hungersnot verließen diejenigen der Tangaküste ihre Heimat auf der Insel Patta.

Sehr jung ist auch die aus einigen Dörfern an der Küste nördlich der Pangani-Mündung bestehende Niederlassung von Watumbatu.

Unter der schwarzen einheimischen (nicht Sklaven-) Bevölkerung der Tangaküste sind schließlich die Wassegeju von Wichtigkeit; sie sind der einzige unmittelbar an der Küste Deutsch-Ostafrikas wohnende Volksstamm, der den sogenannten metamorphischen (d. h. durch Hamiten beeinflußten) Bantu angehört. Über ihn ist im völkerkundlichen Abschnitte des ersten Bandes schon das Nötige mitgeteilt worden (vergl. dort S. 226). Die Wassegeju wohnen in einigen Küstenplätzen südöstlich von Tanga und in dem Gebiet zwischen Kwale und Moa einschließlich der Halbinsel Boma. Sie gliedern sich in eine nördliche Gruppe, die Makamadi, deren Hauptdörfer Gomani (auf Boma), Moa, Ndumi und Wambani sind, und die Waboma mit den Hauptniederlassungen Mansa, Boma, Kitschalikani, Chongoliani, Mvumi, Nianjani. Die Wassegeju werden in der Geschichte Mombassas und Malindis (zuerst 1589) wiederholt als Bewohner der Malindigegend genannt, wo sie jetzt aber gänzlich verdrängt zu sein scheinen. Wann sie sich an der Tangaküste niedergelassen haben, ist nicht festzustellen. Nach der Tradition derselben waren die von ihnen besetzten Striche an der Tangaküste früher auch von den Wajomba bewohnt. Äußerlich unterscheiden sich die Wassegeju kaum von den anderen Küstennegern; ihre Sprache ist an der Küste stark mit Kiswahili versetzt. Zu den metamorphischen Bantu gehören auch die Wadigo, die vom Umba bis zur Mtangatabucht im Vor-

7

lande des Gebirges und der nördlich des letzteren gelegenen Nyika-Steppe wohnen und mit ihren Wohnungen bis nahe an die Küste herankommen.

Ein großer Teil der Negerbevölkerung besteht auch an der Tangaküste aus Sklaven, die sich aus verschiedenen Stämmen des Binnenlandes rekrutieren und meist in Händen der Araber, weniger der Swahili sich befinden. Den Swahili nahestehend sind die überall, so auch an der Tangaküste vertretenen Angasija oder Komorenser; sie sind namentlich in den größeren Orten, zumal Pangani, zu treffen.

Oman-Araber leben als Shambenbesitzer, wohl in einer Zahl von etlichen Hunderten, an der Tangaküste, zahlreich in Tanga selbst, ferner in Pangani, Mtangata usw. Hadramautaraber (»Schihiri«) und wenige »Beludschen« sind gleichfalls in den größeren Ortschaften wohnhaft. Daß schließlich die indischen Kaufleute, mohammedanische sowohl wie heidnische, hier wie überall in unserem Gebiet nicht fehlen, braucht nur der Vollständigkeit wegen bei der Aufzählung der farbigen Bevölkerungselemente erwähnt zu werden.

Heute steht in wirtschaftlicher Hinsicht, zumal an der Tangaküste, der Europäer an erster Stelle, dessen Plantagen von Kokospalmen, Sisal, Kautschuk und Baumwolle weite Strecken des Küstensaumes einnehmen. Daneben gedeihen die Felder und Palmgärten der Eingeborenen. Die Hauptgetreidepflanze der Neger der Tangaküste ist der Mais; ferner wird Sorghum gebaut und wenig Reis, Hülsenfrüchte und Maniok; Sesam wird als Handelsgewächs gezogen. Eine große Rolle spielt die Kokospalme, deren Haine die Steilabfälle der Küstenterrasse an der See krönen und einen besonderen Schmuck des Landschaftsbildes gewähren. Neben den Kokos breiten sich die dunklen Laubkronen der Mangobäume aus, deren Früchte neben denen der nicht besonders zahlreich gepflanzten Bananen, neben Orangen und Zitronen von Wichtigkeit sind. Auch Kürbisse und Tomaten, Pfeffer u. a. werden von den Eingeborenen angebaut.

Von großer Wichtigkeit ist die Fischerei für die Bewohner des nördlichen Teiles der deutsch-ostafrikanischen Küste. Besonders die Wajomba betreiben mit großem Eifer den Fischfang mit Reusen und Netzen. Nebst Fischen werden Krebse, Seeigel, Tintenfische und Muscheln gefangen bezw. gesammelt.

Einzelbeschreibung.

Die nördlichste Ansiedlung der deutsch-ostafrikanischen Küste ist das hart an der englischen Grenze, an dem die Kirui-Insel abtrennenden

Kirui-Kanal und einem Mündungsarm des Umba gelegene Dorf Jassini. Dessen Einwohner stellen in den zahlreichen Mangrowearmen des Gebietes Reusen auf, in die bei eintretender Ebbe die Fische getrieben werden. Südlich der Umba-Mündung erstreckt sich in einer Ausdehnung von 10 km nach Süden die Korallenkalkinsel Kirui, mit steilen, von einem Sandstreifen eingefaßten Wänden gegen die offene See abfallend. Sie ist mit dichtem Busch, mit Baobabs und anderen Bäumen bewachsen und auf der geschützten Nord- und Westseite von Mangrowen umgürtet. Die Insel trägt vier Dörfer: Kendwa und Kirui auf der inneren Seite, Kigomeni und Bayayi an der Außenküste. Diese werden von Wajomba bewohnt, die Sorghumfelder und wenige Kokospalmen besitzen und in ausgedehntem Maße Fischfang betreiben. Die Insel Kirui hat kein Süßwasser; das müssen die Bewohner täglich in Einbäumen vom Festlande herüberholen.

Der Kirui-Kanal ist nur zur Flutzeit für Kanoes zu passieren und im mittleren Teile sehr eng durch die dichte Bewachsung mit Mangrowegehölz. Die Gezeitenströmung im Kanal ist im nördlichen Teil immer entgegengesetzt der im südlichen.

Auf der Innenseite des Kirui-Kanals, an der Festlandsküste, die auf sandigem Boden mit Busch und Dumpalmen bestanden, aber in ausgedehntestem Maße heute der Kultur unterworfen ist, breitet sich im Norden der Distrikt Kiburule mit mehreren Ansiedelungen aus, im Süden liegen verschiedene kleine Dörfer mit ausgedehnten Feldern und Kokospflanzungen. Das Hauptgebiet dieses Küstenstreifens nimmt jedoch die von der Moa-Bucht über Mtotohovu bis Jassini sich ausdehnende Sisal- und Kokospflanzung der Deutsch-ostafrikanischen Gesellschaft ein, auf der über 150000 Palmen stehen.

Die Bucht von Moa, die zwischen der Kirui-Insel im Norden und der Halbinsel Boma im Süden in das Land eingreift, ist der nördlichste Hafen unserer Küste. Nach Norden geht die Bucht allmählich in den Kirui-Kanal, im Westen in den Kidjirini-Kanal über, in bezw. vor dessen Mündung die Mangrowe-Inseln Gulio und Gozini liegen. Wenig nördlich der Mündung des Kidjirini-Kanals liegt der Hauptort Moa, mit etwa 600 Einwohnern vom Stamme der Wassegeju, am Westufer der Bai, hart am Strande. Vor dem Orte, der an der West- und Südseite mit einer Steinmauer, an der Nordseite mit einem Pallisadenzaun umgeben ist, gegen die See aber offen daliegt, befindet sich eine Anlegestelle für Dhaus. Am Strande steht das Zollhaus, das einzige Steingebäude des Dorfes, das bei seiner niedrigen Lage, unmittelbar an den Mangrowebeständen der Bucht, für Europäer sehr ungesund erscheint. Auch das Trinkwasser in Moa soll schlecht sein. Landeinwärts

9

schließen sich Felder und Kokospalmen an den Ort an. Auch beginnt hier die schon erwähnte Pflanzung der Deutschostafrikanischen Gesellschaft, deren Leitung sich in Moa befindet.

Moa ist der Marktplatz für die Umgebung; mehrere indische Kaufleute sitzen am Ort. Sie kaufen das von den Wadigo aus dem Hinderlande gebrachte Getreide (Hirse) und von den Moanern gebauten Sesam; sie verkaufen die üblichen europäischen Erzeugnisse. Die schwarzen Einwohner Moas betreiben außerdem Fischfang, dessen Ergebnis z. T. am Ort an die Leute aus dem Hinterlande verkauft wird.

Die bei Hochwasser sehr umfangreich erscheinende Moa-Bucht ist gleichwohl zum größten Teil von Korallenriffen erfüllt und nur in einer schmalen Rinne für kleinere Dampfer zugänglich. Die Südküste der Bai wird bis auf den äußersten Teil am Felskap Kilifi von einem umfangreichen Mangrowe-Dickicht gebildet. Wenig westlich des genannten Kaps liegt die Ortschaft Gomani mit etwa 50 Rechteckhütten. Das Dorf hat keinen Brunnen; bei Regenwetter wird das von den Dächern ablaufende Wasser in Töpfen aufgefangen, sonst wird es in Einbäumen von Moa geholt. Auf dem steinigen Korallenboden haben die Einwohner ihre Felder und am Dorf einige Kokospalmen. Gomani ist nach der Tradition der Wassegeju (Gruppe Makamadi) der zuerst bei Einwanderung des Volksstammes gegründete Ort, weswegen er noch als Begräbnisplatz der Häuptlinge und anderer angesehener Personen gilt.

Von Gomani führt ein steiniger Pfad durch das dichte, dornige Gestrüpp der Boma-Halbinsel (Taf. 9, unten) nach Mansa, das auf dem schmalen niedrigen Isthmus zwischen dem Kidjirini-Kriek im Norden und dem Manza-Kriek im Süden liegt, der die genannte Kalk-Halbinsel mit dem Festlande verbindet. Der Ort liegt hart am Nordende des südlichen der genannten Krieks, durch den bei Hochwasser die größten Dhaus bis zu ihm hinauffahren können. Er hat 800–1000 Einwohner, Wassegeju, die in regellos angeordneten Lehmhütten wohnen, und etwa 12 indische Händler in größeren Häusern. Wie die meisten Orte der Gegend ist Mansa von einer Steinmauer umgeben. Es wurde nach Baumann gegen Mitte des vorigen Jahrhunderts von den jetzigen Bewohnern besiedelt, während vorher Wajomba-Niederlassungen an derselben Stelle bestanden haben sollen.

Mansa hat beträchtlichen Dhau- und Handelsverkehr und ist der Ausfuhrplatz der stärkst bevölkerten Wadigo-Gebiete. Sorghum vor allem, wenig Reis, Kopra und Kautschuk bilden die Produkte. Umfangreiche Kokospflanzungen dehnen sich zwischen den Feldern landeinwärts von Mansa weit nach Süden und Norden aus.

10

Östlich von Mansa erstreckt sich die große, sich nach Süden zuspitzende schon genannte Halbinsel Boma, in ihrem nördlichen Teil auch Gomani-Halbinsel genannt. Sie besteht aus einer durchschnittlich etwa 10 m über Hochwasser liegenden Tafel gehobenen Korallenkalkes, die zum größten Teil mit einer dichten Busch-Vegetation bedeckt ist. Der Korallenfels fällt an der Außenseite in steilen Kliffs ab, während die Ufer auf der Innenseite von Mangrowesumpf eingefaßt sind. Die ganz flache Mkadini-Bucht greift als einzige auf der Seeseite in die Halbinsel ein.

Trotz seines steinigen Charakters und seiner stacheligen Buschwildnis ist die Halbinsel nicht unbewohnt. Ungefähr in der Mitte der Längserstreckung liegt am inneren Ufer, d. h. an der Mansa-Bucht, das Dorf Boma, welches für die älteste Ansiedlung der Waboma-Gruppe der Wassegeju gilt. Boma gleicht einem Wadigo-Dorf; seine ca. 50 Hütten mit Makuti-(Kokosblatt)Wänden sind von einem Stangenzaun umgeben. Boma spielt für die Waboma dieselbe Rolle wie Gomani für die Makamadi, und in der Nähe des Ortes befindet sich das Häuptlingsbegräbnis der Waboma, das aus mehrere Meter hohen Haufen von Korallenkalkgesteinen besteht, unter welche die Jumbe beerdigt sind. Bei Boma, das außer dem Landungsplatz an der Mansa-Bucht noch einen solchen an der Außenküste der Halbinsel hat, befindet sich die nicht sehr umfangreiche Kokos- und Kautschukpflanzung des Herrn G. v. Byern.

Östlich von Boma liegen (auf der Halbinsel) die Dörfer Kichakamiba und Sibutuni, weiter nördlich Nkombani und Daluni. Die Eingeborenen der Halbinsel Boma pflanzen hauptsächlich Maniok.

Die Halbinsel wird, wie gesagt, durch den nördlichen, bei Niedrigwasser zum größten Teil trockenen, Kijirini-Kriek und den südlichen, bis auf das nördlichste Stück weit breiteren und offeneren Mansa-Kriek oder die Mansa-Bucht fast'ganz vom Festlande abgetrennt. Die Mansa-Bucht reicht südlich bis zur Insel Kwale und greift im Südwesten als Mkumbi-Bucht (Mto Mandussi), das untergetauchte Mündungsgebiet der Flüsse Ndoyo, Kombe und Mlinyi, in nordwestlicher Richtung weit in das Festland ein. Südlich dieser Seitenbucht liegt an der Festlandsküste das Dorf Monga; etwa 1½ km östlich desselben befindet sich der beste Ankerplatz in der Mansa-Bai. Die 650 m breite Einfahrt zwischen Ras Mnazini auf Kwale und Ras Mawewawile (Südspitze von Boma) ist nicht schwierig; die Bucht bietet nach allen Seiten Schutz und gute Wassertiefe; sie ist, abgesehen von dem bei Niedrigwasser das Landen mit Booten erschwerenden, flachen Strande, ein vortrefflicher Hafen.[1]

[1] Handbuch der Ostküste Afrikas, 1912, S. 256.

II

Die Festlandsküste an der eigentlichen Mansa-Bucht zeigt überall flachen, von Mangrowen eingefaßten Strand. Bei Springtide geraten an mehreren Orten Strecken Landes unter Wasser. Hinter dem Mangrowegehölzgürtel steigt im übrigen das Land an und ist mit Busch- und B a u m - g r a s s t e p p e bedeckt, soweit nicht, in der Nähe der Dörfer, Kokospalmen, Mangobäume und die Felder der Eingeborenen sich ausdehnen. Von den Ansiedelungen auf der Innenseite der Mansa-Bucht seien Z i g a y a und D a w a l a n i als die größten genannt. Nördlich von Mansa, also auf der Innenseite des Kigirini-Krieks, liegen K i g i r i n i , in der Nähe des südlichen Kriekrandes, mit Mauer umgeben, V u o , P e t u g u z a u. a. Westlich dieser Ortschaften steigt das Land allmählich zum K i r i m b a und waldbedeckten K i l u l u - B e r g e (278 m) empor, den einzigen höheren Geländeaufragungen in unmittelbarer Nähe der Küste.

An der Mündung der Mandussi-Bucht in die Mansa-Bai liegt auf der Südseite K i c h a l i k a n i , ein von einer Steinmauer eingefaßtes Wassegeju-Dorf, in sumpfiger Umgebung, von Kokospalmen überragt. Die Bucht ist aufwärts mit kleinen Dhaus bei Flut befahrbar bis zu dem auf hoher Uferrampe an der K o m b e - Mündung gelegenen Wadigo-Dorf D o d a . Hier wie in Kichalikani sind indische Kaufleute ansässig. In Doda kaufen diese, Agenten der indischen Häuser in Mansa, vorwiegend Getreide ein. Zwischen Doda und Mansa führt ein direkter Weg (Barabara) an den südlichen Ausläufern der Kirimba-Erhebung entlang durch niedriges Land mit verstreuten Dörfern der W a d i g o , durch Dumpalmensteppe, Maniokfelder, Kokos- und Mangohaine.

Südlich von K i c h a l i k a n i liegen an der palmenbestandenen Küste das schon genannte M o n g a und W e r u , ansehnliche Wassegeju-Dörfer mit Mauerbefestigung, die südlichsten Ansiedelungen der Waboma dieser Gegend. Weiter nach Süden gelangt man bald in die ausgedehnten Kokospflanzungen von K w a l e . Dieser vielleicht 1000 Einwohner — nach Baumann wohl die reinsten Swahili der Tangaküste — zählende Ort ist von einer viereckigen Steinmauer umgeben und macht mit seinen hübschen, oft ansehnlichen Lehmhütten mit schattigen Veranden und den sauberen, mit Palmen bepflanzten Straßen und Plätzen einen vorzüglichen Eindruck. Die Bewohner Kwales sind vorwiegend mit Fischfang beschäftigt; ihre Beute verhandeln sie gegen Feldfrüchte an die Wadigo des Hinterlandes.

Kwale liegt der Westspitze der gleichnamigen unbewohnten Insel gegenüber. Diese, in der südlichen Fortsetzung der Boma-Halbinsel gelegen, bildet wie letztere ein gehobenes Korallenriff, das 6 m über Hochwasser aufragt und mit dichtem Busch bedeckt ist. Die Ostküste der Insel besteht aus einem steil abfallenden Kalkkliff, während die Binnenseiten mit Mangrowe umgürtet sind. Die Nordostecke der Insel Kwale wird von mehreren auf dem Riffe verstreuten Klippen gebildet, deren nördlichste das Ras Mnasini ist.

Südwestlich der Kwale-Insel liegt die Kwale-Bucht, deren an 300 m breite Einfahrt zwischen der Südspitze der genannten und der Nordküste der Ulenge-Insel, bezw. zwischen den diese Punkte umfassenden submarinen Riffen sich befindet und frei von Untiefen ist. Die Bucht selbst bildet die unter den Meeresspiegel gesunkene Talmündung des Msimbasi-Flusses und ist von Mangrowe-Ufern und seichtem Wasser umsäumt. Sie bildet einen geschützten Ankerplatz nördlich von der Insel Ulenge. Hinter dem Mangrowegürtel liegen mehrere Dörfer an den Ufern der Bucht, die ohne besondere Handelsbedeutung sind. Chongoliani im Süden hat ca. ein halbes Tausend Wassegeju-Einwohner und starke, aber verfallene Befestigungen. Der Msimbasi ist bei Flut mit großen Booten bis Mtimbuani befahrbar, einem auf der Plateauhöhe liegenden Wassegeju-Dorfe, dem sich wenig nördlich eine von Wadigo bewohnte, gleichnamige Ansiedlung anschließt. Das Hinterland der Kwale-Bucht ist flach und sandig bis zum Plateaurande, auf dessen Höhe sich welliges, teils offenes, teils bewaldetes, in ziemlichem Umfange jedoch bebautes Land ausdehnt.

Die Insel Ulenge, auf deren Nordostspitze ein Leuchtturm steht, flankiert die Nordseite der Einfahrt in die wichtigste Hafenbucht der Tangaküste, die Bucht von Tanga selbst. Die Insel liegt auf dem Küstenriff, das zwischen Ulenge und dem Festlande bei Springniedrigwasser trocken fällt, und besteht wiederum, wie Kirui, Boma und Kwale, aus festem Fels, vielfach von Mangrowen umsäumt. Auf Ulenge liegt ein (jetzt leider aufgegebenes) Sanatorium.

Die Tanga-Bucht ist das untergetauchte Mündungsgebiet der Flüsse Sigi und Mkulumusi. Sie ist im Hintergrunde flach und von breiten Mangrowestreifen umrahmt. Auch das Nordufer, wo die Kokospflanzung der Westdeutschen Handels- und Plantagengesellschaft, Putini, sich befindet, ist flach und schwer zugänglich. Die Süd- und Südostteile der Bucht sind dagegen von hohen, durch die steil abfallende, hier 15 m hohe, unterste Küstenterrasse gebildeten Ufern umsäumt und bieten bei geschützter Lage gegen alle Winde genügenden Platz und hinreichende Wassertiefe für viele Schiffe. So ist die Bucht einer der besten Häfen von Deutsch-Ostafrika und nicht zum wenigsten Ursache der schnellen Entwickelung der Stadt. An der Südseite der Bucht auf der Terrasse gelegen, halb verborgen in Hainen von Kokospalmen und Mangobäumen, ist Tanga der wirtschaftliche Mittelpunkt nicht nur für die nördliche deutsch-ost-

13

afrikanische Küste, sondern auch für das große und älteste, wesentlich durch die Nähe des Usambaragebirges bedingte Plantagengebiet geworden.

Die Einfahrt in die Bucht von Tanga geschieht zumeist zwischen den, Fungu Nyama- und Niule-Riff genannten Teilen des äußeren Wallriffes hindurch, wo genügende Wassertiefen auch für die größten Schiffe vorhanden sind, und dann durch die innere Einfahrt zwischen Ras Chongoliani und dem felsigen Ras Kasone.

Burton[1] leitet den Namen Tanga von dem Kiswahiliworte tanga (= das Segel) ab, dem die Form der Bucht gleichen soll. Baumann[2] hebt demgegenüber mit Recht hervor, daß der Name zunächst nur der kleinen Insel in der Tanga-Bucht zukomme, und glaubt mit mehr Recht das Kibondëiwort tanga = draußen heranziehen zu sollen, »weil das Inselchen für die Wabondei, die ältesten Bewohner des Festlandes, doch jedenfalls ‚draußen' lag.« Der Zeitpunkt der Gründung der Stadt ist nicht anzugeben, doch hat sie zweifellos schon im alten persisch-arabischen Reiche Kilwa eine Bedeutung gehabt. Dieser »Schirazi«-Zeit ist die aus massivem Gemäuer bestehende Ruine zuzurechnen, welche »umrankt von zahlreichen Schlingern, umklammert von Baumwurzeln und tief beschattet vom Laubdach« auf der Tanga-Insel noch erhalten ist und eine alte Moschee mit eingestürztem Dache erkennen läßt.[3] Daneben befindet sich auch noch ein alter, schön gemauerter Brunnen.

Im 15. Jahrhundert kam die Tangaküste unter die Herrschaft der aufblühenden Stadt Mombasa und fiel mit ihr an die Portugiesen, an welche sich die Erinnerung noch lebhaft im Gedächtnis der Bevölkerung erhalten hat. 1630 traten die Scheichs von Mtangata (Montagane) und Tanga auf Seite des aufständischen Sultans Jussuf von Mombas und ließen alle Portugiesen des Gebietes umbringen.[4] Im Jahre 1728 wurden die Portugiesen endlich aus dem Gebiet von Mombasa, wozu damals auch die Tangaküste gehörte, verjagt, und im selben Jahre ging eine aus Vertretern der Städte Mombasa, Wassin, Tanga und Mtangata bestehende Deputation nach Maskat und erbat den Schutz des Imams, welcher darauf von der Küste Besitz ergriff. 1739 wurde Mohammed bin Osman el Msurui Gouverneur des Imams in Mombasa. Seine Nachkommen machten sich bald so gut wie unabhängig und regierten selbständig; sie hatten u. a. in Tanga Statthalter (Valis). Dies dauerte lange Zeit, bis weit

---

[1] Burton: Zanzibar, II. S. 115.

[2] Baumann: Usambara. S. 87.

[3] Baumann: Usambara. S. 99.

[4] Bei dieser Begebenheit wird Tanga zum ersten Mal ausdrücklich erwähnt (nach Guillain's Documents sur l'Afrique Orientale, Paris 1856; zitiert nach Baumann).

14

in den Anfang des vorigen Jahrhunderts. Als dann Seyd Said bin Sultan Imam von Maskat wurde und energisch seine Herrschaft wiederherzustellen anfing, riefen die Msara von Mombasa in ihrer Bedrängnis die Hilfe eines anwesenden englischen Kriegsschiffes unter Kapitän Owen an. Dieser hißte darauf im Februar 1824 in Mombasa die englische Flagge und stellte diese Stadt wie die ganze Küste von Malindi bis zum Pangani unter englischen Schutz; letzterer wurde jedoch bald von der englischen Regierung für nichtig erklärt. Nachdem 1837 endlich die Msara nach harten Kämpfen unterlegen waren, kam die Tangaküste unter die Herrschaft Seyd Saids, der inzwischen seine Residenz nach Sansibar verlegt hatte. Tanga wurde Sitz eines Vali des Sultans, der auch einen indischen Zolleinnehmer und einen Beludschen-Jemadar in der Stadt hatte.

Aus dieser Zeit datiert die Einwanderung der Oman-Araber und Inder in Tanga. Beide ließen sich von vornherein nicht auf der Insel, sondern am Orte der heutigen Stadt nieder, wo die ersteren ihre ausgedehnten Pflanzungen anlegen, letztere mit den Bewohnern des Hinterlandes Handelsbeziehungen anknüpfen konnten. Das alte Tanga auf der Insel, das 1854 nach Krapf noch stark bewohnt war, verfiel schnell und 1857 traf Burton nur noch wenige Hütten und eine viereckige Guereza (Fort) an.

Die Verlegung der Stadt an die Festlandsküste erleichterte den Zuzug der Bevölkerung aus dem Hinterlande, besonders aus Digo, so daß die Einwohnerzahl Tangas rasch stieg und 1857 4—5000 betrug.[1] Die Stadt war Ausgangspunkt der bedeutenden Elfenbein- und Sklavenkarawanen nach dem Massailande und dem Viktoria-See. Der gute Hafen und die durch das reiche Hinterland ermöglichte leichte Verproviantierung der großen europäischen Schiffe machten Tanga zu einem besuchten Platz für die letzteren. So wurde Tanga auch gern und oft von den englischen, gegen die Sklaventransportschiffe kreuzenden Kriegsschiffen aufgesucht. Infolge dieser ständigen Kontrolle und der fast vollständigen Unterbindung des Sklavenhandels wandte sich der Handel und Karawanenverkehr von Tanga ab. Die Araber, die viele Sklaven als Arbeiter für ihre Plantagen benötigten, verlegten ihre Sitze nach anderen Orten, namentlich Pangani, dessen seichter Hafen von größeren Seeschiffen nicht aufgesucht werden kann. Seitdem verlor Tanga schnell an Bedeutung, bis es unter deutschem Regiment von neuem sehr energisch und schnell aufblühte. Beim Aufstande 1888 hatte sich Tanga verhältnismäßig ruhig verhalten.

Die Stadt Tanga, wie Daressalam mit eigener Stadtverwaltung, hat jetzt annähernd 6000 Einwohner, meist Neger, einige Dutzend Araber und Inder und (1912/13) 298 Europäer. Die Stadt ist Sitz des Bezirksamts, hat

[1] Nach Burton: Sansibar, II, S. 116.

ein Bezirksgericht, ein Bauamt, Postamt, ein Hauptzollamt, zugleich Hafen-
amt, und ist Ausgangspunkt der Usambara - Eisenbahn. Die Dampfer der
Deutschen Ostafrika-Linie laufen Tanga regelmäßig an. Der Verkehr im
Hafen von Tanga betrug im Jahre 1910 insgesamt 207 große Schiffe mit
597 411 Register-Tonnen, wovon 151 deutsche Dampfer mit 456 009 Reg.-
Tonnen waren; die betreffenden Zahlen sind für

$$1911: 207, 534\,046; 162, 501\,738$$
$$1912: 236, 613\,656; 182, 590\,286$$
$$1913: 229, 707\,616; 195, 695\,000.[1]$$

Dazu kommen noch zahlreiche einheimische Segler. Das Löschen und
Laden der Dampfschiffe geschieht mit Leichtern, für die eine Kaianlage
mit Halbportalkran von 2,5 Tonnen Tragkraft und ein Handdrehkran von
20 Tonnen Tragkraft den bisherigen Hafenanlagen neuerlich zugefügt
worden sind. Im Jahre 1912 wurden in Tanga Waren im Werte von
11 994 085 Mk. eingeführt, die Ausfuhr hatte im gleichen Jahre einen Wert
von 13 326 830 Mk. Der Gesamthandel belief sich demnach auf 25 320 915
Mk., während derjenige vom Jahre vorher 19 744 951 Mk. ausmachte, was
eine Zunahme des Handels um 5 575 964 Mk. für das letzte Berichtsjahr (1912)
bedeutet.[2] In Tonnen betrug der Güterverkehr über den Hafen von Tanga:

	Einfuhr	Ausfuhr	Zusammen
1912	29 312	15 998	45 310
1913	24 478	16 892	41 370

Tanga beherbergt ungefähr ein Dutzend größerer europäischer Handelshäuser und daneben eine ganze Reihe kleinerer Geschäfte von Europäern
und Farbigen.

Tanga ist Station der »Evangelischen Missionsgesellschaft für Deutsch-
Ostafrika« und der katholischen »Kongregation der Väter vom Heiligen
Geist«. Auch eine Regierungsschule für farbige Kinder befindet sich in Tanga.

Die heutige Stadt Tanga dehnt sich mit ihren breiten, graden, mit
schattenden Bäumen bepflanzten Straßen im Bogen um das Ufer der
Bucht aus; landeinwärts schließt sich die ausgedehnte Eingeborenenstadt
an. Vorn an der Uferrampe erheben sich die Gebäude der katholischen
Mission, das Bezirksamt, die Boma der Schutztruppe, das Zollamt, das
große Hospital u. a. Auf dem mit dekorativen tropischen Pflanzen und einem
Musikpavillon ausgestatteten, landeinwärts gelegenen Bismarckplatz erhebt sich ein Bismarckdenkmal. Ein anderes Denkmal, auf der Höhe
der Uferrampe, ist dem Andenken der im Araberaufstande gefallenen
Marinemannschaften errichtet. Eine doppelte Mole mit den Ladegleisen

---

[1] Handbuch für Deutsch-Ostafrika, Berlin 1914.
[2] Amtliche Jahresberichte über die deutschen Schutzgebiete, 1912/13, Statist. Teil. S. 176.

16

Dhau vor Daressalam.
Nach einer von Geh. Rat Hans Meyer zur Verfügung gestellten Photographie.

Der Pangani nahe seiner Mündung; jenseits des Flusses die höhere Terrassenstufe.
Nach einer von Geh. Rat Hans Meyer zur Verfügung gestellten Photographie.

Tafel 25

der Usambarabahn geht weit in das Wasser des Hafens hinaus. Über die Bedeutung der Bahn für Tanga und die dieser durch den Weiterbau derselben sicher erblühende Zukunft wird im Wirtschaftskapitel dieses Buches das Nötige gesagt werden.

Die Umgebung Tangas und der Bucht ist ein Hauptgebiet des Plantagenbaues an dem nördlichen Küstenstriche. Hauptsächlich werden Sisal und Kokospalmen kultiviert, von einzelnen Pflanzern wie von großen Gesellschaften. So hat die Westdeutsche Handels- und Plantagengesellschaft in der Pflanzung Amboni, nördlich vom Sigi, Sisal, zwischen dem Sigi und Mkulumusi, in der ausgedehnten Kiomoni-Plantage, Sisal und Kokospalmen in Kultur. Die Deutsch-Ostafrikanische Gesellschaft hat in Tanga eine Baumwollentkernungsanlage errichtet. Besonders umfangreich ist im Tangagebiet der Sisal-Agavenbau. Pflanzenfasern kamen in Tanga 1911 zur Ausfuhr für 3 148 167 Mk., d. i. über die Hälfte der Gesamtausfuhr über die deutsch-ostafrikanische Küste. Ausgedehnte Kokospalmenbestände finden sich bei Tanga noch aus der älteren, arabischen Zeit. Auch Maniok-Kautschuk wird auf mehreren Plantagen bei Tanga kultiviert, ferner werden Teakholz, Pfeffer u. a. unter europäischer Leitung in der Tangaer Gegend angebaut.

In der Tangabucht liegt die kleine, schon erwähnte, in ihrem östlichen Teil aus Korallenfels bestehende Tanga-Insel, die die ehemalige Stadt trug; sie ist heute Quarantänestation. In die Tanga-Bucht münden der Sigi im Norden und der Mkulumusi im Süden. Die Mündungen stellen flache, von Wasserarmen durchzogene Mangrowesümpfe dar. An der Sigimündung befindet sich eine Barre, die nur bei Flut von Booten und ganz kleinen Dampfern passiert werden kann. Auf der Terrasse nördlich der Sigi-Mündung liegen die Ortschaften Mvuni, mit Wassegeju-, und Mahengo, mit Wajomba-Bevölkerung. Bei Amboni, etwa 6 km oberhalb der Mündung, hört die Schiffbarkeit des Sigi für Dhaus auf, und nur mit Kanoes ist der Fluß noch etwas weiter aufwärts zu befahren.

Der Ort Amboni liegt auf dem linken Ufer des Flusses, der hier aus dem Gebiet des Jurakalkes heraustritt, dessen horizontal geschichtete weiße Bänke ihn oberhalb in steilen Wänden begleiten; auf dem schmalen Ufersaume erhebt sich hochstämmiger Wald. Die Grenze des Jurakalkes gegen die niedrige Küstenterrasse wird durch einen 15−20 m hohen, scharf ausgesprochenen Steilrand gebildet, an welchem die massigen Jurakalke ausgehen. Darüber dehnt sich eine schrattenförmig zerfressene Hochfläche aus, in die sich der Sigi und Mkulumusi ziemlich enge Täler erodiert haben. An der Stelle, wo der Sigi diese in die flach gelagerten dickbankigen Kalke eingenagte Talenge verläßt, um in das von

2 Werth, Deutsch-Ostafrika, Band II.

17

lehmig-sandigen Bildungen bedeckte niedrige Küstengebiet einzutreten, kommen in der Talsohle die S c h w e f e l t h e r m e n v o n A m b o n i zu Tage. Sie stimmen bei einer Temperatur von 37⁰ in auffallender Weise mit den weltberühmten kochsalzhaltigen Schwefelthermen von Aachen überein und sind daher schon in ausgedehntem Maße gegen Syphilis, Lähmungen, chronischen Rheumatismus, Neurose u. a. in Anwendung gekommen und haben zur Gründung des S c h w e f e l b a d e s A m b o n i geführt. In einer etwa 80 m langen Strecke am linken Flußufer entspringt eine ganze Reihe der Quellen, teils innerhalb des Flußbettes, teils am Fuße des Hanges. Das Hervortreten der Quellen gerade am unteren Ende des Taleinschnittes läßt die Vermutung aufkommen, daß hier am Rand- abfalle des Jurakalkes gegen die Küstenterrasse eine Verwerfung vorliegt.[1]

Der Mkulumusi zeigt wenig oberhalb seines Austrittes aus dem Jurakalke eine besonders enge Talstrecke, auf welcher die Felswände nicht selten 15–20 m hoch senkrecht abfallen. Der Kalk ist von vielfachen Spalten durchsetzt, die teilweise zu geräumigen Höhlen, den S i g a - oder K a i s e r Wilhelm-Höhlen erweitert worden sind, deren schon im ersten Kapitel (S. 56 des 1. Bandes) gedacht wurde und die zahlreiche Fledermäuse beherbergen.

Das Gelände südlich vom Mkulumusi-Flusse ist leichtgewellt und mit lichter Dumpalmensteppe bedeckt, die von einzelnen dichten Buschwald- gruppen unterbrochen wird. Nach der Küste zu mehren sich die Kokos- haine und Felder der hier in zahlreichen kleinen Dörfern wohnenden Eingeborenen. Die Küste südwärts von Tanga trägt dichte Kokosan- pflanzungen, in denen einige Siedelungen liegen. Im Schutze der Insel Y a m b e dehnen sich umfangreiche Mangrowebestände aus. Hier liegt an einem für Dhaus befahrbaren Seewasserarm das große Dorf N y a n - g a n i. Es ist eine ausgedehnte, von Mauer und Pfosten umgebene Siede- lung, deren Einwohnerzahl Baumann (1891) auf 2000 schätzte. Der Ort wird von Wassegeju und einer größeren Zahl aus Lamu zugewanderter W a g u n y a bewohnt. Einige indische Händler besitzen Steinhäuser im Ort.

Die I n s e l Y a m b e stellt ein niedriges Korallenkalkplateau dar, dessen Gebüsch zahlreiche Zwergantilopen beherbergt und von Dumpalmen und Adansonien überragt wird. Sie erhebt sich auf dem gleichnamigen, ziemlich umfangreichen Riff, das in der Fortsetzung der Kwale- und Ulenge-Insel gelegen, aber auch durch einen felsigen Rücken mit 4,5 und 5,5 m Wassertiefe mit dem dem äußeren Barrierriff angehörigen N i u l e - R i f f verbunden ist. In der Mitte der nördlichen Hälfte der Insel liegt das

---

[1] B o r n h a r d t: Zur Oberflächengestaltung und Geologie Deutsch-Ostafrikas. Berlin 1900. S. 428, 431, 480.

18

Dörfchen Yambe, dessen Bewohner, durchweg Wagunya, ihr Wasser vom Festlande herüberholen müssen. Sie ziehen Mais, Maniok, Sesam u. a. auf der Insel und betreiben Viehzucht und Fischerei. Vor dem Nordende Yambes liegt eine Reihe kleiner Klippeninseln.

Dem südlichen Teil der Yambe-Insel gegenüber, durch die seichte, von Riffen erfüllte und daher von kleinen Fahrzeugen nur bei Hochwasser benutzbare Wasserstraße von ihr getrennt, liegt das Ras Njamaku, am Nordende der Mwambani-Einbuchtung der Festlandsküste. Einwärts dieses Kaps, von ihm wieder durch einen, bei Flut für Boote befahrbaren Mangrowe-Kriek getrennt, ist das in mehrfacher Beziehung interessante Dorf Ndumi auf der Uferhöhe gelegen. Es ist von Wassegeju bewohnt und mit einer stark verfallenen, durch ihre Form bemerkenswerten Mauerbefestigung umgeben. Diese ist nach Baumann die älteste der ganzen Küste und soll auf die Yurabi, die vor der gegenwärtigen in Omân herrschende Dynastie, zurückzuführen sein. Nach Burton ist die Mauer gegen die Mitte des vorvorigen Jahrhunderts errichtet. In dem ärmlichen Dorfe ist eine Moscheeruine mit einer im Charakter an altarabische Schriftart erinnernden Inschrift vorhanden.[1]

Weiter südlich liegt am offenen Strande, von Kokospalmen überragt, Mwambani mit einem an Siedelungen und Eingeborenenkulturen reichen Hinterlande. Weiterhin greifen mehrere unregelmäßige kleine Buchten, die untergetauchten Mündungen einiger kleiner, von dem steppenbewachsenen Plateaulande herabkommender Wasserläufe, wenig tief in die Küste ein, sind aber wie der ganze Außenstrand dieser Gegend im Schutze des Karange-Riffes von ausgedehnten Mangrowe-Waldungen verbarrikadiert, aus denen das Ras Kisangani als etwas höheres Land aufragt.

Auch die nun folgende große Mtangata-Bucht wird auf ihrer Nordseite von Mangrowegehölz umsäumt; sie zieht sich als ertrunkene Mündung des Mgombeni-Flusses in südwestlicher Richtung weit in das Land hinein, ist aber sehr seicht und vielfach bei Niedrigwasser trocken und von Mangrowen erfüllt. Die Mtangata-Bai kann nur von Dhaus besucht werden, die Produkte der Eingeborenen-Kulturen (Kopra, Sorghum) einnehmen.

Mtangata, der heutige Name für den ganzen Distrikt, leitet sich offenbar von der alten Stadt dieses Namens her, von der Ruinenreste (Taf. 24, oben) sich auf der Uferrampe oberhalb des heutigen Tongoni finden. Sie dürften der ältesten größeren Ansiedelung an der Tangaküste angehören und identisch mit dem schon 1528 als bedeutender Ort genannten

---

[1] Baumann: Usambara. S. 105.

2*

Montagane der Portugiesen sein. Es sind hier, von hohen Adansonien umgeben und von Vegetation umrankt, eine massiv aus Madreporenkalk erbaute Moschee mit sechskantigen Säulen und eine Anzahl Gräber mit hohen vierkantigen Säulen am Kopfende (Taf. 24) erhalten, von deren einem Burton eine persische Inschrift erwarb und nach London sandte.[1]

Das genannte Tongoni, der heutige Hauptort des Distriktes, liegt am Westufer nahe dem Ausgange der Mtangata-Bucht. Es hat etwa die Größe von Moa und besteht aus Lehmhütten und einigen Steinhäusern. Ein Zollposten befindet sich auf der Südseite der Bucht. Nördlich von Tongoni, auf der Höhe der obersten Küstenterrasse, ist die Kautschuk-pflanzung des Herrn Wolters.

Tongoni gegenüber liegt das große Dorf Tambarani mit zahlreichen Arabern. Weiter östlich gelangt man gegen Ras Mtangata zu (von dem aus ostwärts ein bei Niedrigwasser trocken fallendes Riff sich fast 2 Seemeilen gegen das Karange-Riff erstreckt) nach dem inmitten prächtiger Kokoshaine gelegenen Moarongo, vielleicht dem größten Orte des Mtangatadistriktes.

Im Hintergrunde der Mtangata-Bucht besitzt das leicht ansteigende Land bis zu dem Steppengebiet, das das Küstenland von Bondëi trennt, guten roten Boden, der zahlreiche Felder trägt, in denen kleine, zumeist von Sklavennegern bewohnte Dörfer liegen.

Von der Mtangata- bis zur Pangani-Bucht ist die Küste in scharfem Unterschied zu dem ganzen bisher betrachteten Küstenstrich gänzlich ungegliedert. Sie besteht auf weite Erstreckungen aus Korallenfels und bricht zumeist in steilen Ufern, wohl häufig mit vorgelagertem sandigen Strandlande, gegen die See ab. Ein einziger Fluß, der Koreni, mündet wenig südlich der Mitte dieser Küstenstrecke in die See. Weithin tritt die wildwachsende Vegetation bis an die unmittelbare Küste heran, an anderen Stellen sind Kokos- und andere Kulturen vorhanden. Ungefähr in der Mitte dieses Küstenstriches aber erstreckt sich die große Pflanzung der Sisal-Agaven-Gesellschaft von Kigombe bis zur Koreni-Mündung. Kigombe hat nach Baumann etwa ein halbes Tausend Einwohner, die ein Gemisch von Wabondëi, Swahili und Wassegeju darstellen. Gleich südlich Kigombe springt der Korallenkalkabfall in die See vor und bildet ein kleines Kap. Auf der Binnenseite der Kigombe-Plantage liegt, von Dumpalmensteppe umgeben, der Yëui-Sumpf, in dem zahlreiche Fluß-pferde hausen.

Südlich der Koreni-Mündung, an der das Dorf Dahali mit swahili-sierter Bondeibevölkerung liegt, ist die Küste auf eine lange Erstreckung

[1] Burton: Sansibar, Vol. II. S. 134/135.

20

von dem Mangrowewalde Kokokuu eingefaßt. Auf dieser ganzen Strecke ist auf der neuen Karte von Usambara und Küstengebiet (1:100000) kein Ort an der Küste angegeben. Baumann erwähnt dagegen drei von Watumbatu bewohnte Dörfer. In einem derselben, Mnarani, sollen eine alte Moschee und eine vierkantige, den Grabkolonnen von Mtangata gleichende Säule (Mnara), also augenscheinlich Überreste schirazischer Bauten, sich befinden.

Die ganze Küstenstrecke zwischen der Mtangata- und der Pangani-Bucht ist von einem Saumriff eingefaßt und wird in ungefähr 6 km Abstand von dem äußeren Wallriffe begleitet, das Wassertiefen von 10—30 m einschließt. Auf dem nördlichsten Teilriffe desselben erhebt sich eine kleine Sandinsel, Fungu-Tongone, mit einer Fischerhütte.

Südlich des Koreni-Flusses tritt der Abfall der höchsten Küstenterrasse von ca. 40 m Meereshöhe ziemlich nahe an die Küste heran; auf der Höhe finden sich zahlreiche Siedelungen und Felder. Im Süden bricht das Plateau dann plötzlich in einem ostwestlich verlaufenden Steilhange ab, der mit dichter Vegetation bestanden ist und die ausgedehnte Pangani-Niederung, an der Mündung des Flusses, im Norden begrenzt.

Die Pangani-Bai ist der unter den Meeresspiegel geratene Talausgang des Panganiflusses (vergl. Taf. 25, unten). Durch die starke Sedimentführung des weit aus dem Hinterlande kommenden großen Flusses hat die Zuschüttung des untertauchenden Tales das Eindringen der See fast vollkommen verhindert, und die weit geöffnete Meeresbucht greift nur ganz wenig in das Land ein; bei einer Breite von 5 km hat sie nur eine Tiefe (Länge) von dreien. Zufolge des gleichen Umstandes ist die Bucht auch seicht, und durch eine Sandbarre versperrt, so daß nur kleine Dampfer und Dhaus bei Hochwasser in dieselbe einfahren können; die großen Schiffe dagegen müssen außerhalb Anker werfen, wo ihnen die Außenriffe (Barrierriff) einigen Schutz gewähren. In der Bucht steht überdies stets erhebliche Dünung, namentlich auf der Barre, wenn Wind und Strom entgegengesetzte Richtung haben. Hierdurch entsteht eine große Gefahr für die zwischen der Stadt und den draußen verankerten Dampfern verkehrenden Boote. Alles in allem sind die Hafenverhältnisse von Pangani ebenso schlechte wie diejenigen Tangas vorzügliche sind, so daß auch abgesehen davon, daß letzterer Ort Ausgangspunkt der Usambarabahn ist, er unter den heutigen Verhältnissen einen nicht unbedeutenden wirtschaftlichen Vorsprung genießt. Daß dieses nicht immer so gewesen ist, haben wir bei der Geschichte Tangas schon gesehen. Einst begünstigte die schwere Zugänglichkeit Panganis vom Meere her, die den den Sklavenhandel überwachenden Kriegsschiffen ein Ein- und Aus-

21

laufen nicht erlaubte, den Aufschwung der Stadt, in der sich zahlreiche
Araber angesiedelt hatten, und welche der Hauptausgangspunkt für die
nach dem Massailand und dem Viktoria-See gehenden großen Handelskarawanen war. Diese brachten u. a. zahlreiche Sklaven nach der Küste
zurück, die von den Arabern auf ihren großen Plantagen benutzt oder
weiter nach Pemba, Sansibar usw. verkauft wurden.

Diese Verhältnisse machen es begreiflich, daß gerade Pangani in dem
nach Hissung der deutschen Flagge 1888 ausbrechenden großen Küstenaufstande eine so hervorragende Rolle spielte. Schon wenige Tage nach
der Aufrichtung der Flagge durch die Deutsch-Ostafrikanische Gesellschaft in Pangani mußte die deutsche Marine eingreifen. Es trat darauf
zwar scheinbar Ruhe ein; die dem Bezirkschef von Zelewski zu Hilfe
geschickten 50 Irregulären der Sultanstruppe brachten jedoch die aufständischen Gemüter wieder in Glut, und die drei Beamten der Deutsch-
Ostafrikanischen Gesellschaft wurden so lange in ihrem Hause gefangen
gehalten, bis sie noch rechtzeitig durch das Eingreifen des Generals
Matthews des Sultans von Sansibar befreit und nach Sansibar in Sicherheit
gebracht werden konnten. In Pangani herrschte volle Anarchie. Buschiri
bin Salim, der spätere Führer des ganzen Aufstandes im Norden
Deutsch-Ostafrikas, war das Oberhaupt der eigentlichen Araberpartei.
Daneben gab es eine zweite Partei unter Führung des Komorensers
Saïdi Abeja, der später, als Buschiri weiter im Süden bei Bagamojo
zu tun hatte, in Pangani mehr in den Vordergrund trat. Nach den schweren
Niederlagen der Aufständischen an anderen Orten bildete sich in Pangani
zwar auch eine Friedenspartei; diese gelangte jedoch zu keinem durch-
schlagenden Einfluß, da die Panganileute im allgemeinen von der Unein-
nehmbarkeit ihrer Stadt überzeugt waren. Nichtsdestoweniger wurde
Pangani im Juli 1889 von der Wißmannschen Schutztruppe im Verein mit
der deutschen Marine ohne erhebliche Schwierigkeiten eingenommen;
Saïdi Abeja, der Führer der Aufständischen, fiel im Kampfe; überhaupt
hatten die Panganileute große Verluste. Mit dieser Einnahme der Stadt
und der definitiven Einrichtung der deutschen Verwaltung beginnt dann
die bis heute anhaltende ruhige Entwickelung Panganis.

Aus der älteren Geschichte der Stadt ist nicht viel zu berichten; Pangani
wird erst sehr spät genannt. Unter den Msara von Mombassa muß der
Ort noch ganz unbedeutend gewesen sein, da diese keinen Akida dort
hatten, sondern die Panganimündung von Mtangata aus verwalten ließen.
Erst unter Saïd bin Sultan bekam Pangani einen Statthalter. Die Stadt
stand aber zu dieser Zeit daneben unter der Abhängigkeit der Könige
von Usambara und hatte so jahrelang zwei Souveräne. Dies änderte sich

erst mit dem Tode des alten Kimueri von Usambara und dem
Verfall seiner Macht während der Herrschaft Seyd Bargasch von Sansibar.
Zu Zeiten dieses Sultans nahm Pangani seinen größten Aufschwung.
Burton traf 1857 in Pangani erst wenige Araber an und sah das heute
mit Kokos und Zuckerrohr bepflanzte Gelände als dichte, bis an den Ort
heranreichende Dschungel; 1874 hatte (nach dem »Africa Pilot«) Pangani
ca. 2000, gegen 1890 nach Baumann[1] mindestens 4000 Einwohner.

Heute dürfte die Stadt nach dem abermaligen Rückgang infolge Auf-
blühens von Tanga nicht weit über 5000 Seelen zählen, darunter vielleicht
ein Dutzend Europäer. Der Dampferverkehr vor Pangani betrug 1913:
75 Schiffe mit zusammen 27 752 Registertonnen. Die Einfuhr belief sich
1912 auf 1 002 184 Mk., die Ausfuhr auf 1 922 826 Mk.; der Gesamthandel hat
mit 2 925 010 um 713 319 Mk. gegen 1911 (2 211 691 Mk.) zugenommen.
Hauptexportartikel waren Pflanzenfasern (Sisal) mit 1 746 171 Mk. (Denkschrift 1912/13. S. 174 und 176).

Pangani ist Bezirksamtssitz, hat ein Zollamt II. Klasse, Post- und Tele-
graphenagentur, eine Regierungsschule für Farbige. In der Stadt gibt es
zwei größere deutsche Handelsfirmen. Die Stadt liegt an dem linken Ufer
der etwa 315 m breiten und 3 bis 4,5 m tiefen Flußmündung auf einem
niedrigen, relativ schmalen, mit Kokospalmen bestandenen, durch die
Wechselwirkung von Flußanschwemmung und Meeresbrandung entstandenen Sandstreifen, der die innere flache Küste der Bucht bildet und
diese von den Mangrowesümpfen flußaufwärts trennt. Dhaus laden
und löschen im Flusse, und kleine Schiffe können unmittelbar an einer
festen Kaimauer an der Strandstraße anlegen, an welcher die Regierungsgebäude − darunter das schmucke mit zwei Türmen flankierte Zollge-
bäude −, Hotels, Geschäfts- und Wohnhäuser von Europäern und Indern
(siehe Taf. 26, oben), Hospital, Markthalle usw. gelegen sind. Pangani
macht mit seinen etwa 250 meist mit flachen Dächern versehenen Steinhäusern mehr als andere Orte an der deutsch-ostafrikanischen Küste den
Eindruck einer Araberstadt und erinnert in dieser Beziehung an Sansibar.
Zwischen den Steinhäusern liegen die vielen Negerhütten Panganis verstreut. Und im Norden schließen sich an die eigentliche Stadt zahlreiche
unter Kokos und Mangos gelegene Hüttenkomplexe der Negerbevölkerung
an. Im ganzen weist Pangani mit seinen engen, winkeligen Straßen und
Gäßchen kein besonders erfreuliches Aussehen auf, zumal da bei der tiefen
Lage der Stadt nach heftigem Regen und Steigen des Flußspiegels der
Boden derselben leicht zum Morast werden kann. Auch aus diesem
Grunde ist Pangani, das ohnehin durch seine sich weit den Fluß entlang

[1] Usambara. S. 111.

23

ziehenden, umfangreichen Mangrowesümpfe den Malariamücken die denkbar günstigste Brutgelegenheit bietet, für Europäer nicht besonders gesund.

Neben den Europäern spielen die indischen Kaufleute die Hauptrolle in Pangani; die Araber, als Schambenbesitzer, treten dagegen zurück; der Anbau von Zuckerrohr spielt am unteren Pangani noch immer eine ziemliche Rolle, und die Stadt hat vier Rohrmühlen. Europäerpflanzungen finden sich auf der Plateauhöhe im Norden (Kautschukplantage B o o z a) und im Nordwesten, wo die sehr ausgedehnte Plantage der »Deutschen Agaven-Gesellschaft« B u s c h i r i h o f sich befindet. Unterhalb derselben hat am hohen Ufer der ersten Flußschleife oberhalb der Mündung die Gesellschaft eine große Hanffabrik errichtet.

Infolge des Umstandes, daß die höhere Küstenterrasse an der Pangani-mündung bis unmittelbar an die Meeresbucht herantritt, ist die Lage der Stadt, von der See aus gesehen, eine recht prächtige und malerische. Bei der Einfahrt in die Bucht liegt links R a s K i k o g w e mit seinem steilen Felsufer und den Affenbrotbäumen auf seiner Höhe; etwas weiter nach dem Fluß zu schließt sich R a s M u h e s a an mit einem in weißer Farbe schimmerndem Wartturm. Darüber erhebt sich der dicht bewachsene Abfall der Hochterrasse, die in steiler Böschung sich gegen den glitzernden Wasserspiegel der Flußmündung hinabsenkt. Am anderen Ufer, z. T. in üppigem Palmenwalde versteckt, bezeichnet ein weißer Fleck die Häuser der Stadt Pangani. Weiter ragt über den dunklen Palmen in duftiger Ferne der domförmige Gipfel des Tongwe-Berges auf.[1]

Die Pangani-Bucht wird auf beiden Seiten von den felsigen, 15 m hohen Kliffabstürzen der unteren Küstenterrasse eingefaßt, an die im Norden sich der gerade verlaufende Sandstrand der Innenseite der Bucht anschließt. Der Fluß ist bei seiner Mündung auf die rechte (Süd-) Seite gedrängt und grenzt hier fast unmittelbar an die höhere Terrasse von B w e n i, deren rötlicher Steilabfall nur von einem schmalen Sandstreifen umsäumt ist. Etwa 6 km vor dem Ausgange der Panganibucht zieht sich das A u ß e n r i f f vor der Küste entlang, dessen höchste Stelle, M w a m b a M a w e, bei halber Ebbe gewöhnlich durch die darauf stehende Brandung gekennzeichnet ist.

Die Schiffahrt auf dem Panganifluß (Taf. 25, unten), der oberhalb der Mündung bald seine mächtige Breite verliert, ist ohne große Bedeutung und tritt gegen die Landverbindungen Panganis mit dem Hinterlande, namentlich dem viel Getreide produzierenden U s e g u h a in den Hinter-

---

[1] O. M e i n e c k e: Ostafrikanische Städtebilder. II. Pangani. Westermanns Illustrierte Monats-hefte. Juli 1897. S. 425 ff.

24

Inderstraße in Pangani.
Nach einer von Geh. Rat Hans Meyer zur Verfügung gestellten Photographie von Lohmeyer.

Bagamojo, Straße in der Negerstadt.
Nach Photographie von C. Vincenti-Daressalam.

Tafel 26

37

grund. Die Eingeborenen bringen die Landeserzeugnisse hauptsächlich auf Flößen, die aus dem leichten Holz der Raphia-Palme hergestellt sind, den Fluß herunter. Die Wasserführung des Panganiflusses ist von der Jahreszeit abhängig; Fahrzeuge von höchstens 1 m Tiefgang können selbst in der Trockenzeit bei Hochwasser bis C h o g w e fahren; weiter flußauf bis 2 km unterhalb der M a r g a r e t e n - F ä l l e, bei Austritt des Pangani aus dem Gneislande, können sie immer gelangen. Im Juni ist der Wasserstand am höchsten und im Januar am niedrigsten. Die Gezeiten machen sich im Fluß bis etwa 22 Seemeilen oberhalb der Mündung bemerkbar; 6 Seemeilen oberhalb der Mündung enden die den Fluß besonders auf der Südseite begleitenden Mangrowesümpfe, und die Ufer sind bebaut, namentlich mit Zuckerrohr. Viele Pflanzungen werden bei Springtide überflutet. Die Hauptplätze am unteren Pangani sind P o m b w e, an der zweiten nach Nord ausbiegenden Schleife des Flusses, wo wöchentlicher Markt ist und indische Lagerhäuser sich finden, und C h o g w e an der dritten Flußmündung, wo der Weg zur Plantage L e w a in Bondei abgeht. Oberhalb Pombwe wächst die Ölpalme am Fluß, der, von Niederungen eingefaßt, zwischen hügeligem Steppenlande dahinfließt. Krokodile sind im Fluß noch häufig, während die Flußpferde sich vor der Jagdlust der Europäer stark zurückgezogen haben.[1]

III. Die Mittelküste.

Allgemeines.

W enig südlich der Panganimündung wendet sich der Steilabfall des Kontinentalschelfs, der bis dahin die Festlandsküste in geringem Abstande begleitet hatte, im Bogen ostwärts der Nordspitze der Insel Sansibar zu, um auf deren Ostseite weiter zu ziehen. In gleichem Maße mit der Entfernung des Steilabfalls von der Küste löst sich das bis dahin ziemlich einheitliche »Außenriff« (Barrierriff) in eine Anzahl unregelmäßig gelagerter »Flachseeriffe« auf, die zwischen der Pangani- und der M s s a n - g a s s i -Mündung das flache Küstenwasser erfüllen. Erst in der Gegend von D a r e s s a l a m tritt der von der Südspitze Sansibars in südwestlicher Richtung herüberziehende Steilabfall wieder dicht an die Festlandsküste heran und begleitet diese bis zum R a s M w a m b a m k u.

Diese von dem seichten Wasser des Sansibar-Kanals bespülte Festlandsküste, die von der Panganimündung bis Daressalam eine ungefähre Länge von 185 km hat, fällt so sanft gegen die geringen Tiefen des Meeres ab, daß bei Ebbe, die hier um 4,5 m gegen Springhochwasser fällt, ein

---

[1] Handbuch der Ostküste Afrikas. 1912. S. 265 ff.

25

ausgedehnter Saum von schlammigem Sande vor dem Strande freigelegt wird. Dieser Küstenstrich ist im Gegensatz zu der bisher betrachteten Tangaküste fast vollkommen ungegliedert. Es fehlt nicht nur das äußere Barrierriff, auch die innere Kette der gehobenen und als Inseln oder Halbinseln vom Festlande abgeschnürten Korallenkalke ist nicht vorhanden, wie auch ein die Küste unmittelbar umsäumendes (Fels-) Riff auf dieser Strecke nur in einzelnen Rudimenten entwickelt ist. Abgesehen von dem seichten Mündungskriek des Mssangassi vermissen wir auch die für die Tangaküste so charakteristischen Hafenbuchten. So ist der der Insel Sansibar gegenüberliegende Festlandssaum die unaufgeschlossenste Küstenstrecke von ganz Deutsch-Ostafrika. Und wenn an ihr trotzdem einige Orte eine größere wirtschaftliche Bedeutung haben erlangen können, so verdanken sie dieses nur ihrer Lage gegenüber der Stadt Sansibar, dem langjährigen Emporium und Handelszentrum für ganz Ostafrika, nicht irgend welchen natürlichen Vorzügen ihrer eigenen unmittelbaren Umgebung.

Der diese Küstenstrecke von der Pangani-Bucht bis zu derjenigen von Daressalam begleitende und zwischen ihr und der Insel Sansibar sich ausbreitende Meeresarm, der Sansibar-Kanal, hat eine gekrümmte Gestalt und 20 Seemeilen mittlere Breite. Die beiderseitigen Küsten des Kanals laufen in den großen Zügen ungefähr parallel. Der engste Teil des Kanals befindet sich zwischen dem Ras Fumba und dem Ras Luale, östlich von Bagamojo, und ist 16,5 Seemeilen breit. Die größte Länge des Kanals vom Ras Dege an der Südeinfahrt bis zur Panganimündung im Norden beträgt etwa 95 Seemeilen. Das Fahrwasser des Sansibar-Kanals wird von beiden Seiten aus durch Riffe stark eingeengt; abgesehen von zwei Punkten, wo es auf nur vier Seemeilen Breite zusammenschrumpft, bleiben die äußersten Untiefen jedoch noch ca. 12 Seemeilen von einander entfernt. Während auf der Seite der Insel Sansibar das Wasser im allgemeinen klar ist und daher die Riffe deutlich zu sehen sind, ist auf der Festlandsseite das Wasser des Kanals vielfach durch den von den Flüssen mitgeführten Schlick verfärbt. Die Meeresströmung im Sansibar-Kanal ist veränderlich; sie geht im tiefen Fahrwasser beständig nach Norden, aber zwischen den Riffen und Inseln wird sie durch die Gezeiten abgelenkt. Zumal bei Springtide überwinden während des Nordostmonsuns die Gezeiten in allen kleinen Kanälen und Häfen die nördliche Strömung. Der Flutstrom setzt im nördlichen Teil des Kanals nach Süden, im südlichen Teil in umgekehrter Richtung; der Ebbestrom geht umgekehrt von der Mitte des Kanals nach Nord und Süd.

26

Der den Sansibar-Kanal begleitende buchtenlose Teil der Mittelküste Deutsch-Ostafrikas ist die am wenigsten erforschte Küstenstrecke der Kolonie. Der Strand ist mit Ausnahme von der sich unmittelbar an die Panganibucht anschließenden, 2^1/2 Seemeilen langen felsigen Uferstrecke fast durchweg sandig. Hinter dem sandigen Strandlande erhebt sich die niedrige Küstenterrasse, die allmählich ansteigend an das 90 bis 150 m hohe, wohl zweifellos der Mikindanistufe angehörende Hügelland stößt, das weiterhin stellenweise zu größeren Höhen sich erhebt oder von älterem Gebirge (wahrscheinlich durchweg Gneis) in Gestalt von Inselbergen durch- und überragt wird. Eine markante Erhebung dieser Art ist der weithin sichtbare und an seinem charakteristischen Doppelgipfel leicht kenntliche Genda-Genda, gut 30 km landeinwärts] am Chogera, dem Nebenfluß des Mssungassi gelegen. Sein nördlicher Gipfel ist 580, der südliche 700 m hoch. Ähnliche Erhebungen finden sich weiter . südlich z. B. in der Gegend der Missionsstation Mandera auf beiten Seiten des Wami.

Außer einer großen Zahl kleiner, nur das Terrassenland der Küste durchziehender Bäche sind als größere Wasserläufe der schon genannte Mssangassi, der 8 km nördlich von Sadani mündende Mligasi, der südöstlich von Bagamojo bei Mbweni das Meer erreichende Mpiji, die alle drei aus dem unmittelbaren Hinterlande von Useguha und Usaramo kommen und meist nur in der Regenzeit Wasser führen, und schließlich die beiden großen ständig fließenden Flüsse Wami und Kingani oder Ruwu zu erwähnen. Der Wami kommt mit seinen Zuflüssen vom Ussagara und Nguru-Hochlande und ist die Hauptentwässerungsader dieser Gebirge; an seiner Mündung bildet er ein ziemlich ausgedehntes Deltaflachland, das sich jedoch nicht in die See vorschiebt. Der Ruwu entwässert mit seinen Zuflüssen das Uluguru-Gebirge und hat, nordwestlich von Bagamojo, eine wenig umfangreiche Deltamündung.

In klimatischer Beziehung ist die Sansibar gegenüberliegende Festlandsküste, einesteils wohl infolge ihrer Lage im Regenschatten dieser Insel, teils aber, weil das trockene Gebiet des Hinterlandes hier unvermittelter als sonst an die Küstenzone heranreicht und diese beeinflußt, der niederschlagsärmste Küstenstrich Deutsch-Ostafrikas nördlich vom Rufiji. Die Vegetation trägt daher auf weite Erstreckung steppenartigen Charakter, und Buschwald wie Steppenwald scheinen auf die höheren, weiter zurückliegenden Erhebungen beschränkt zu sein. Trotzdem erfreuen sich die größeren Plätze dieser Küstenstrecke, namentlich Sadani, keiner gesunden Lage. Die großen Flüsse schaffen lokal die Bedingungen für ausgedehnte Sumpfformationen, die der Entwickelung

27

der Malaria-Überträger Vorschub leisten. An den Deltas ist die Küste von umfangreichen Mangrowesümpfen gesäumt, während weiter landeinwärts die für die Flußanschwemmungen charakteristischen, von periodischen Überflutungen abhängige Hochgrasflur entwickelt ist (siehe Tafel 16, unten).

Die relative Trockenheit des Klimas und der damit einhergehende xerophile, offene Vegetationscharakter mögen auch die Ursache sein, daß in Useguha noch häufiger die großen Herdentiere der Steppe bis an die Küstenzone heran vorkommen, wo wir sie sonst im allgemeinen vermissen.[1]

Das wichtigste B e v ö l k e r u n g s e l e m e n t des Küstenstriches am Sansibar-Kanal sind die W a s e g u a , welche das Gebiet zwischen dem Pangani und dem Wami bewohnen. An der unmittelbaren Küste, zumal an den größeren Plätzen, sind sie ziemlich swahilisiert und mit Swahili gemischt, unterscheiden sich aber auch sonst äußerlich wenig von den anderen Küstenleuten. Sie betreiben Jagd und Fischerei und in ausgedehntem Maße Ackerbau, besonders auf Mais und Sorghum, von dem sie bedeutende Mengen nach Sadani und Pangani zum Verkauf bringen. Zu beiden Seiten des W a m i - Unterlaufes bis an den K i n g a n i in unmittelbarer Küstennähe, landeinwärts bis an den Rand des Gneisgebietes reichend, sitzt der kleine, sprachlich den W a s a r a m o , sonst aber mehr den Wasegua ähnelnde Volksstamm der W a d o ë (der einzigen in Deutsch-Ostafrika bekannten, aber heute wohl nicht mehr ausübenden, Anthropophagen[2]), deren Anteil an der Bevölkerung des Terrassenlandes und des Strandes an der bezeichneten, kurzen Küstenstrecke wohl nicht gering ist. An den unteren Kingani (Ruvu) stößt südlich von Udoë (dem Lande der Wadoë) die kleine Landschaft U k w e r e , die von den nicht bis an die Küste heranreichenden W a k w e r e bewohnt wird.[3]

*　　*　　*

Wie gesagt, tritt der submarine Steilabfall des Kontinents von der Südspitze Sansibars her in der Gegend von Daressalam wieder dicht an die Festlandsküste heran und begleitet ihn in einer Entfernung von 3 bis 9 km bis zum R a s M u a m b a m k u , dem östlichsten Punkte der Festlandsküste Deutsch-Ostafrikas nördlich von Kilwa. Der dicht unter Land entlang ziehende Kontinentalabfall begleitet eine Küste, die wesentlich in ihrem Charakter von demjenigen der Küstenstrecke westlich von der Insel

---

[1] H. F o n c k : Deutsch-Ostafrika. Berlin 1908. S. 262.

[2] Amtliche Jahresber. 1912/13.

[3] O. B a u m a n n : Usambara, S. 23, 269 bis 274. – F. S t u h l m a n n : Bericht über eine Reise im Hinterland von Bagamojo, in Ukami und Uluguru. Mitteilungen aus den Deutschen Schutzgebieten, Bd. 7, 1894. S. 282 bis 296 (spez. S. 285).

28

Sansibar abweicht und im Norden schon mit der Annäherung des Abfalls
an die Küste, etwa am Ras Kiromoni, südöstlich von Mbweni, beginnt
und bis zum Ras Pembamnasi, etwas südlich vom genannten Mwam-
bamku-Kap anhält. Die Küste ist auf dieser Strecke von einem Saumriff
eingefaßt; sie wird, wenigstens in der nördlichen Hälfte, von Riffen und
Felsinseln in einigem Abstande begleitet und vielfach selbst von Korallenkalk gebildet, der mit unterwaschenem Kliffufer schroff abbricht: alles
Merkmale, die auf der Küstenstrecke südlich vom Pangani bis über Bagamojo hinaus so gut wie ganz vermißt wurden.

Als weitere Besonderheit finden wir an dieser Daressalamer Küstenstrecke zum erstenmal wieder eines jener als verzweigte Meeresbuchten
in Erscheinung tretenden ertrunkenen Talsysteme in der Hafenbucht von
Daressalam wieder (Taf. 27, oben), ein zwar isoliertes, aber typisches
Beispiel. Diesem natürlichen Hafen verdankt die Stadt Daressalam direkt
und indirekt ihre heutige große wirtschaftliche Bedeutung.

Die angegebenen Züge, welche den kurzen Küstenstrich zwischen Ras
Kiromoni nordwestlich und Ras Pembamnasi südöstlich von Daressalam
charakterisieren, berechtigen dazu, diese Strecke des Festlandssaumes von
den nördlich und südlich daranstoßenden, den Sansibar- bezw. Mafia-
Kanal begleitenden, abzugliedern und als besondere natürliche Landschaft
getrennt zu behandeln. Nur die relative Kürze dieser den Typus der
Nord- (Tanga-) wie Süd-Küste der deutsch-ostafrikanischen Kolonie
wiederholenden Küstenlinie mag ihre nicht vollkommen getrennte Behandlung an dieser Stelle tunlich und praktisch erscheinen lassen.

Wie der Nordküste die Insel Pemba, so liegt der Daressalamer Küste,
durch einen bis über 500 m Tiefe erreichenden Meeresteil getrennt, die
von der niedrigen, von einem Riffkranze umgebenen und für die Schiffahrt
gefährlichen Sand- und Kalkinsel Fungu-Kizimkazi (Latham-Insel)
gekrönte Untiefe gegenüber. Die Meeresströmung vor der Daressalamer
Küste läuft im tiefen Wasser im ganzen Jahre nordwärts bis nordwestwärts.
Die Gezeitenströme sind in der Nähe von Daressalam veränderlich; der
Flutstrom setzt meist nordwestwärts, der Ebbestrom umgekehrt; aber
zwischen den Inseln und Riffen kommt häufiger entgegengesetzter Strom
vor. In einer Entfernung von 6 Seemeilen von der Küste geht der Strom
im Südwestmonsun immer nordwestwärts mit einer Geschwindigkeit von
1 bis 3 Seemeilen. Im Nordostmonsun setzt der Flutstrom ebenfalls nordwestwärts, der Ebbestrom südostwärts; innerhalb der Insel Bonyoyo finden
sich dann aber entgegengesetzte Stromrichtungen.

Der südöstliche Teil der Daressalamer Küste ist ziemlich ungegliedert
und wird nur von wenigen und kleineren Bächen durchschnitten; am

29

nordwestlichen Teil münden neben anderen der Msinga und Kissinga in die Daressalamer Hafenbucht und der Msimbasi nördlich der Stadt, denen die Hauptentwässerung des im Hinterlande von Daressalam gelegenen Teiles des Hügel- und Berglandes von Usaramo zufällt. Diesen hauptsächlich aus Mikindanischichten aufgebauten Höhen ist gegen die Küste ein in mehrere Stufen gegliedertes Terrassenland von wechselnder Breite vorgelagert. Dieses trägt in großer Ausdehnung die charakteristische Küsten-Busch- und Baumsteppenvegetation, stellenweise aber auch, wie das höhere Hügel- und Bergland, hohen, dichten Busch oder Buschwald.

Die Bewohner der Daressalamer Küste gehören zum Stamme der Wasaramo, die sich fast über die ganze Landschaft zwischen dem Ruwu-Kingani und dem Rufiyi-Tale ausdehnen und sich durch die viereckige Form ihrer Hütten, durch die bei ihnen weit ins Land hinein gehende Kultur der indischen Fruchtbäume (Mango, Kokos, Orange etc.), durch Grabformen, die an semitische erinnern, u. a. an die Küste anschließen. An und in der Nähe der Küste sind sie ziemlich swahilisiert oder durch reine Swahili vertreten. Die geschlossenen Siedelungen an der Küste stehen teils unter Jumben (ursprünglich aus Schiraz eingewanderte Leute), teils unter Arabern.[1]

*
* *

Die dritte, südlichste und längste Teilstrecke der Mittelküste wiederholt in vieler Beziehung den Charakter der Festlandsküste am Sansibar-Kanal. Sie begrenzt, gegenüber der Insel Mafia, auf der Westseite den Mafia-Kanal, der zwar nicht so einheitlich und geschlossen erscheint wie der Kanal zwischen Sansibar und dem Kontinent, aber mit jenem doch auf der ganzen Strecke zwischen Ras Pembamnasi im Norden und der Mantandu-Mündung im Süden? den Charakter der Flachsee gemeinsam hat. Denn der submarine Steilabfall wendet sich von Ras Mwambamku südostwärts gegen die Nordspitze Mafias und von hier, zunächst dicht unter der Ostküste der Insel verlaufend, in südwestlicher Richtung weiter, um sich bei Kilwa wieder der Festlandsküste zu nähern.

Erheblich stärker als im Sansibar-Kanal ist in demjenigen von Mafia die Flachsee von Riffen und Inseln erfüllt, die nur im Südosten, zwischen der Okuza- und Süd-Fandyowe-Insel, dicht am Abfalle zur Tiefsee, eine reihenförmige Anordnung zeigen, sonst aber gänzlich regellos verteilt sind. Während daher zwischen Pangani und Mbweni am Sansibar-Kanal

---

[1] F. Stuhlmann: Forschungsreisen in Usaramo. Mitteil. a. d. Deutschen Schutzgebieten. Bd. 7, 1894, S. 225 bis 252 (Bevölkerung: S. 228 bis 251).

30

kaum ein Inselchen der Festlandsküste vorgelagert erschien, sind solche für die Küstenstrecke zwischen Ras Pembamnasi und der Mantandu-Mündung direkt bezeichnend; sie sind zwischen Nord-Fandyowe im Norden und Süd-Fandyowe im Süden in Mehrzahl vorhanden und zum Teil von einiger Ausdehnung und bewohnt.

Die Küste selbst erfährt auf dieser Strecke durch das große Delta-gebiet des Rufiji wiederum eine Dreiteilung. Der nördliche und süd-liche Teil sind ähnlich. Ein Saumriff fehlt, ebenso felsige Kliffs. Die Küste hat auf lange Erstreckungen den Charakter der Mangrowe-Küste, die mit Strecken sandigen Strandlandes wechselt. Erweiterte Flußmündungen kleineren Umfanges sind häufig, doch diese sind seicht und kaum be-fahrbar und dürften daher nicht sowohl als ertrunkene Talstücke denn vielmehr als durch die Gezeitenströme erodierte Astuare aufzufassen sein. Im übrigen ist die Küste ziemlich ungegliedert und entbehrt größerer Halbinseln und Vorsprünge. Ein nennenswerter Hafen ist daher auch an der ganzen Küste nicht vorhanden, und kein einziger Küstenplatz hat es zu größerer Bedeutung gebracht. Ein Moment, welches s. Zt. für die Entwickelung von Bagamojo und Sadani maßgebend gewesen ist, fehlt hier; Mafia hat infolge seiner entfernteren Lage vom Ursprungsgebiet der semitischen Invasion und seiner minderen Bodenqualität wegen nicht die Rolle Sansibars spielen können.

Nördlich wie südlich vom Rufiji-Delta wird das Küstenland von einem ca. 5 bis 15 km breiten Streifen gehobener Strandterrasse mit sandigem oder lehmigsandigem Boden gebildet, der Buschsteppenvegetation trägt. Dahinter erhebt sich, weit landeinwärts reichend, ein Hügel- und Bergland, das im Norden mäßigere Höhen und sanftere Formen zeigt und zumeist aus jüngeren Schichten der Mikindanistufe aufgebaut erscheint, im Süden (Matumbi-Berge) aber ein stark zerschnittenes Gebirge mit kamm-förmigen Rücken aus harten jurassischen Gesteinen bildet. Die Matumbi-berge liegen der Küste so nahe, daß zur Ausbildung größerer fließender Gewässer kein Raum vorhanden ist. Nördlich vom Rufiji mündet, ungefähr in der Mitte des dortigen Küstenstriches, gegenüber der Insel Kwale, der Luhute, welcher von dem zentralen Berglande Usaramos kommt, die äußeren Teile des Hügellandes durchbricht und daher einen etwas längeren Lauf hat.

Aber auch dieser ist wie alle übrigen Bäche und Flüßchen der Küste am Mafia-Kanal winzig gegenüber dem Rufiji, dem größten Flusse Deutsch-Ostafrikas, dessen Einzugsgebiet ca. ein Viertel der ganzen Kolonie umfaßt, und der ganz Uhehe, Ubena, Ussanga, Mahenge, einen großen Teil des Wangonihochlandes, von Ussagara, von Ujansi und

Ukimbu entwässert.[1] Von dem Mündungsdelta dieses Flusses wird das mittlere und größte Drittel der Festlandsküste gegenüber Mafia gebildet und erhält durch dieses seinen weiter unten näher geschilderten Charakter. Als ausgedehntes, von unzähligen Wasserrinnen durchfurchtes Alluvialland greift das Delta, sich landeinwärts zuspitzend und als breite Talsohle fortsetzend, in das Hügel- und Bergland des küstennahen Gebietes hinein, während das Terrassenland, das von der Küste her den inneren Rand des Deltas begleitet, zu Seiten des Tales in Form einer Talterrassenstufe landeinwärts zieht.

Wie für die Topographie, so ist vor allem das große Deltagebiet auch bestimmend für die Vegetation des von ihm gebildeten Küstenstriches. Sumpf- und Alluvial-Vegetation treten hier in einer Ausdehnung auf, wie an keiner anderen Stelle der deutsch-ostafrikanischen Küste. Von besonderer Bedeutung aber, zumal auch in wirtschaftlicher Beziehung, sind die riesigen Mangrowebestände des Deltas, die alle anderen an unserer gesamten Küste weit übertreffen und von Alters her eine ergiebige Quelle von Bau- und Brennholz für weite Ländergebiete gewesen sind. Sie sind es auch, die zusammen mit dem für verschiedene Kulturen geeigneten Alluvialboden des inneren Deltagebietes maßgebend waren für die Entwickelung M o h o r o s (Taf. 31, unten), dem einzigen Platze an der ganzen Küstenstrecke des Mafia-Kanals, der eine etwas größere Bedeutung gewonnen hat.

In klimatischer Beziehung bildet die eben behandelte Küstenstrecke das Übergangsgebiet von dem nördlichen Klimatypus des deutsch-ostafrikanischen Küstenlandes mit zwei ausgesprochenen Regenzeiten zu dem südlichen Typus mit nur e i n e r regenreichen Periode im Jahre. Während Daressalam noch eine deutliche Unterbrechung der Frühjahrs- und Herbstregenzeit durch einen heißen und trockenen Hochsommer aufweist, in Kilwa aber im allgemeinen von Dezember bis April kein Monat erheblich unter 100 mm Regen hat, sind im Rufijigebiet die Verhältnisse je nach den Jahren sehr schwankend. In mehrjährigem Durchschnitt ist eine trockenere Sommerperiode gleich oberhalb des Deltas, wo überhaupt die Regenmengen geringer sind (Jahresregenmenge in Mpanganya 832 mm gegen 1115 mm in Mohoro und 1059 mm in Salale[2]), stärker ausgeprägt als im äußeren, seenahen Deltagebiet, wo im Durchschnitt mehr der südliche Typus hervortritt.

Der größte Teil des Küstenlandes am Mafia-Kanal nördlich vom Rufiji wird von Wa n d e n g e r e k o bewohnt, die im Norden ihres Gebietes an

---

[1] H. M e y e r, Kolonialreich, Bd. 1. S. 142.
[2] Der Pflanzer, Jahrgang VIII, 1912, Anhang: Klima- und Regentafeln.

die Wasaramo stoßen, aber eine von diesen abweichende Sprache haben;[1] sie ahmen in Tracht, Hüttenbau und anderem mehr oder weniger die übrigen Küstenneger nach. Das Gleiche gilt auch für die Wajongo und die wohl aus südwestlicheren Gegenden durch Suluvölker (Mafiti) versprengten Wangindo, die in wenigen Siedelungen näher am Rufiji-Delta und die letzteren auch südlich desselben, an der Küste wohnen, sowie für die das Delta und dessen Grenzgebiete einnehmenden sogen. Warufiji. Reine Swahili-Bevölkerung findet sich nur in wenigen größeren Dörfern und Plätzen an der Küste und im Delta.

Einzelbeschreibung.

Als nördlichster Platz der Festlandsküste am Sansibar-Kanal liegt auf dem rechten Ufer der Pangani-Mündung, der Stadt Pangani gegenüber, das große Dorf Mbueni mit ziemlich reiner Wasegua-Bevölkerung am Fuße des gelbroten, felsigen Steilabfalles der höheren Küstenterrasse, auf deren Höhe sich die Agavenpflanzungen Kikogwe und Mwera ausdehnen. Die untere Küstenterrasse reicht, als felsige, niedrige Kliffküste abbrechend, noch etwa 4^{1}/2 km vom Ras Kikogwe an der Panganimündung südwärts, dem höheren Plateauzuge vorgelagert. Dann folgt Sandstrand bis zum Dorfe Kilinge-Kile im Distrikt Uchongu.

Südöstlich von der Pangani-Mündung liegt da, wo das Außenriff sich aufzulösen beginnt, auf demselben die auffallende kleine Sandinsel Masiwi, mit weithin sichtbaren Casuarinen bewachsen. Auf dem Außenrande des Riffes steht stets schwere Brandung; westlich der Insel ist jedoch guter, in beiden Monsunen besser als in der Panganibucht geschützter Ankerplatz. Die Insel Masiwi wird von Fischern besucht, hat aber kein Wasser. In den Monaten Februar bis Juli kommen die Seeschildkröten auf die Insel, um ihre Eier abzulegen und im Sande zu vergraben.

Auch von Kilinge-Kile südwärts zieht sich längs der ganzen Küste bis zum Ras Machuissi, nördlich von Sadani, ein sandiges Strandland hin, das die Verbindung zwischen den Küstendörfern herstellt. Am Nordufer der Mündung des Mssangassi liegt das Dorf Kipumbwe mit Zollposten. Der Fluß mündet in einer Bucht und soll einige Tagereisen aufwärts befahrbar sein; Mangrowesümpfe umgeben die Flußmündung, deren Barre bei Niedrigwasser vollkommen trocken fällt. Etwa 8 km südlich der Mssangassi-Mündung erhebt sich auf einem Korallenriff dicht vor der Küste, innerhalb der Niedrigwassergrenze, die kleine, 4,6 m hohe, felsige Mssange-Insel. Wiederum 8 km weiter südlich bezw. südsüdwestlich ist an der Küste das Dorf Mkwadja gelegen, wo sich gleichfalls

[1] Baumann, O.: Der Chakwati-See. Petermanns Mitteilungen. 1896, Heft 6.

3 Werth, Deutsch-Ostafrika, Band II.

33

ein Zollposten befindet. Etwa 2 km südlich von dem Dorfe Groß-Bujuni gewährt das wenig vorspringende Ras Machuissi der einförmigen Küstenlinie eine kleine Abwechslung. Dann folgt bald die Mündung des Mligasi, an dessen Südseite der 1889 bei Niederwerfung des Aufstandes als eine der Befestigungen Bana Heris beschossene Ort Uvingi liegt, und 7 km weiter der nördlichste Arm des Wami-Deltas mit der Stadt Sadani auf seinem Südufer.

Sadani hat etwa 1800 Einwohner, darunter ungefähr 20 Weiße. Es ist der wichtigste Küstenplatz zwischen Bagamojo und Pangani, Bezirksnebenstelle und Zollamt II. Klasse. Am Ort ist eine Postanstalt. Durch seine Lage gegenüber Sansibar besaß es früher als Ausgangspunkt eines Teiles des Karawanenverkehrs nach dem Innern eine gewisse Bedeutung. Als aber mit dem Eingreifen der europäischen Mächte der Sklavenhandel schnell zurückging, konnte es neben dem bevorzugteren Bagamojo von dem stark zusammengeschmolzenen Handelsverkehr Sansibars mit dem Binnenlande nicht mehr profitieren und spielte bald keine nennenswerte Rolle mehr. Daß man in Sadani, ähnlich wie wir es bei Pangani schon gesehen haben, der Einführung des deutschen Regimentes energischen Widerstand entgegensetzte, ist nach dem angedeuteten Entwicklungsgange des Ortes nicht zu verwundern. In Useguha lagen die Verhältnisse besonders eigenartig. Die kriegerischen Waseguha hatten sich unter ihrem Sultan Bana Heri fast ganz unabhängig von Sansibar erhalten. Wegen des geringen Handelsumsatzes hatte die Ostafrikanische Gesellschaft bei Übernahme der Küstenverwaltung Sadani zunächst unbesetzt gelassen. Der Zoll wurde hier wie bisher durch Inder erhoben und an die Gesellschaft abgeliefert. Bei Beginn des Aufstandes an der Küste nahm Bana Heri auf Veranlassung Buschiris sofort an den Unternehmungen gegen die Deutschen teil. Als Anfang 1889 der englische Missionar Brooks mit 15 schwarzen Begleitern von den Waseguha auf dem Wege aus dem Innern nach Sadani ermordet und beraubt worden war, wurde die befestigte Stadt von der Marine unter Admiral Deinhard bombardiert. Da die Bewohner zeitig entflohen, war der Erfolg gering, so daß Wißmann beschloß, zusammen mit der Marine die Stadt ganz zu zerstören. Dies geschah denn auch am 6. Juni 1889; doch wurde auch damit die Macht Bana Heris noch nicht gebrochen. Er zog sich in seine starke Buschfeste Mlambula, zwei Stunden von Sadani entfernt, zurück. Diese wurde, nach einem vergeblichen Versuch im Dezember 1889, im Januar 1890 durch ein großes Expeditionskorps unter Wißmann nach mehrstündigem Feuergefecht im Sturm genommen. Bana Heri entkam wiederum und verschanzte sich

34

von neuem. Einer Anfang März darauf mit großer Truppenmacht unternommenen Expedition gelang es, auch diese Befestigungen zu nehmen und damit die Macht des Sultans von Useguha endgültig zu brechen. Dieser zeigte denn auch bald seine Unterwerfung an und kam im April 1890 selbst mit seiner Truppenmacht nach Sadani und fügte sich allen Friedensbedingungen des Reichskommissars.[1]

Einen neuen Aufschwung nahm Sadani, als man vor Jahren mit Erfolg den Versuch unternommen hatte, die schon lange von den Eingeborenen in geringem Umfange zum eigenen Bedarf gebaute Baumwolle mit guter ägyptischer Saat in sorgfältige Kultur zu nehmen und in größeren Flächen anzubauen. Da sich hinter Sadani auf dem Alluvialboden des Wami-Deltas offenbar geeigneter Boden in großer Ausdehnung vorfand, so schien dem Baumwollbau bei Sadani auch eine große Zukunft zu blühen. Nach dem Bericht des Kolonialwirtschaftlichen Komitees[2] waren Ende des Jahres 1908 auch schon ca. 45000 ha Bodenfläche fest belegt und für die Bestellung 1909 mehr als 700 ha zum Anbau vorbereitet. Mehrere deutsche und griechische Unternehmer besitzen Baumwollpflanzungen bei Sadani; so vor allem die »Leipziger Baumwollspinnerei«, die im Großbetrieb mit Dampfpflügen u. a. arbeitet und auch eine Baumwollentkernungsanlage errichtet hat. Diese Gesellschaft hatte allein Ende 1909 an 1200 ha Kulturfläche in Bearbeitung.[3] Der Export von Baumwolle aus Sadani stieg von 3947 Mk. im Jahre 1905 auf 29065 Mk. im Jahre 1906 und 58406 Mk. in 1907. Leider haben sich aber die an den Baumwollbau geknüpften Erwartungen auf die Dauer nicht bestätigt. Die Pflanze hatte in den letzten Jahren sehr unter tierischen und pflanzlichen Feinden zu leiden, besonders die »Kräuselkrankheit« verursachte großen Schaden; ferner vernichteten Dürre und unzeitiger Regen zur Zeit der Kapselreife einen Teil der Ernte. Es ist daher der Baumwollbau nach den schlechten neuerlichen Erfahrungen u. a. auch bei Sadani so gut wie ganz wieder aufgegeben worden.[4]

Die Gesamtausfuhr Sadanis ist im Jahre 1912 mit 77079 Mk. um 106577 Mk. gegen das vorhergehende Jahr (183656 Mk.) wieder zurückgegangen. Die Einfuhr betrug 1912 65518 Mk.; der Gesamthandel mithin 142597 gegen 422117 im Jahre 1911, was einer Abnahme um 279520 Mk.

[1] P. Reichard: Deutsch-Ostafrika. Leipzig 1892. S. 212 ff. – R. Schmidt: Geschichte des Araberaufstandes in Ostafrika. S. 70 ff. und 163 ff.

[2] 1909. Nr. 11. Beihefte zum Tropenpflanzer, Jahrgang XIII. S. 127 ff. Hans Meyer, Kolonialreich, I. S. 104.

[3] K. Supf: Deutsch-koloniale Baumwollunternehmungen. Bericht XII (Frühjahr 1910). Beiheft zum Tropenpflanzer. XIV. Nr. 5.

[4] Denkschrift Ostafrika, 1907/8. S. 40; 1911/12. S. 22.

3*

35

entspricht. Hauptausfuhrartikel waren auch im letzten Berichtsjahre (1912) noch Pflanzenfasern (Baumwolle). Die zweite Rolle im Export Sadanis spielt lebendes Vieh (1912 = 10 223 Mk.), was dadurch bedingt wird, daß die von dieser Stadt nach dem Innern gehende Nordroute seuchenfrei ist.[1]

Wegen der schlechten Hafenverhältnisse wird Sadani schwerlich je unter den gegenwärtigen Verhältnissen eine große Bedeutung gewinnen können. Die Küste ist niedrig mit Sandstrand und davor ein 0,5 Seemeilen breites, trockenfallendes Flach. Die Dampfer müssen daher weit draußen ankern; Waren und Menschen werden in Booten und schließlich noch eine ganze Strecke auf den Schultern der Neger an Land befördert. Nur Dhaus können bei Flut näher heranfahren, um auf den Strand gesetzt bei Ebbe gelöscht zu werden. Im Jahre 1913 ankerten 29 Dampfer mit insgesamt 5715 Reg.-Tonnen vor Sadani. Von der See aus macht der Ort mit seinen Kokospalmen keinen üblen Eindruck, und man sieht ihm seine ungesunde und öde Lage nicht an. Die Mündungsarme des Wami in der Nähe der Stadt sind mit Mangrowengebüsch bestanden. Der Fluß hat zwei Hauptmündungsarme, den nördlichen P a r o k a n j a und den südlichen C h a n j u n g u, die je wieder nahe der Küste sich in mehrere Teilarme spalten. Das ganze Delta umfaßt in der Küstenlinie eine Breite von zirka 15 km. Auch vor den Mündungskanälen des südlichen Armes ist die Küste mit Mangrowen eingefaßt und solche dringen 13 km weit in die Flußmündungen landeinwärts vor. Die Mündungen sind, wenigstens zum Teil, durch Barren, die bei Springtide trocken fallen, versperrt, und Boote können schon nach halber Ebbe nur mit Schwierigkeit einlaufen. Im Chanjungu-Arme können bei Niedrigwasser Ruderboote höchstens 4½ km weit oberhalb der Gabelung in die Teilarme vordringen; doch wird der Fluß weiter aufwärts wieder tiefer.[2] Immerhin ist vom Wami doch nur der kurze untere Lauf von der Mündung bis an die Schnellen beim Austritt des Flusses aus dem Gneislande bei M a n d e r a mit kleinen Fahrzeugen schiffbar.[3] Oberhalb der Mangrowenzone ist das Land am Flusse besiedelt. Zwischen den Deltaarmen dehnen sich sandige Alluvialebenen aus. Flußpferde wie Krokodile sind in großer Zahl im Flusse vorhanden.

Bei Sadani tritt das höhere buschbewachsene Land ziemlich dicht an die Küste heran, und die sanften, einige hundert Meter ansteigenden Hügelwellen gewähren der Stadt, von der See aus gesehen, einen ab-

---

[1] Denkschrift Ostafrika, 1911/12. Statistischer Teil, S. 142 und 144. 1912/13. Statistischer Teil, S. 174 und 176. — H a n s M e y e r: Kolonialreich. S. 104.

[2] Handbuch der Ostküste Afrikas, 1912.

[3] H a n s M e y e r: Das Deutsche Kolonialreich, Bd. 1, S. 167.

36

schließenden Hintergrund. Südlich vom Wami ragt hinter dem hier viel breiteren niedrigen Küstensaume die plateauförmige, mit Buschwald bedeckte U d o ë - Erhebung bis 260 m auf, um auf ihrer Südostseite, in der Fortsetzung der Küstenstrecke Pangani-Sadani, plötzlich steil abzufallen.

Vier Kilometer südöstlich des südlichsten Mündungsarmes des Chanjungu-Wami springt eine niedrige, sandige Landzunge, wohl eine alte Deltaspitze darstellend, das R a s U t o n d w e in die See vor, landeinwärts von Mangrowesumpf begrenzt. Weiterhin zieht sich eine Sandbarre am Strande entlang, die die dahinter liegenden Mangrowesümpfe von der offenen See abschließt. Innerhalb dieses Landstreifens liegt in ungesunder Lage W i n d i, ein Dorf von ca. 1000 Einwohnern, das im Araberaufstande eine Rolle spielte. Weiter südlich sind mehrere kleine Dörfer an den am Strande aufragenden Kokospalmen zu erkennen.

Einige Strandseen bezeichnen die Mündung des K i n g a n i, die zirka 30 km südlich von der des Wami liegt. Vor der Mündung ist eine Barre, die bis 2 Seemeilen von der Küste trocken fällt; unmittelbar innerhalb der Barre ist die Flußmündung 3,6 m tief, die mittlere Breite des Flusses beträgt bis zu 22 km von der Mündung 90 m. Bis zu dieser Entfernung von der See, die bei den zahlreichen Krümmungen des Kingani in der Luftlinie jedoch nur ca. 9 km ausmacht, wird der Fluß meist von dichten Mangrowen eingefaßt, die nur hier und da von kahler Grasebene unterbrochen werden. Weiter oberhalb ist die Talebene des Flusses bis zum steilen Rande der niedrigen Küstenterrasse zur Rechten mit Grasflur bedeckt. Hier beginnen auch die Eingeborenenkulturen von Mais, Maniok, Sorghum, Batate, Bananen und Kokos. An der K i n g w e r e - Fähre, 35 km oberhalb der Mündung, ist der Fluß 36 m breit und etwa 2 km weiter oberhalb wird er von Alluvialwald gesäumt. Zirka 45 km von der Mündung liegt der höchste von der Flut erreichbare Punkt des Flusses. 65 km (auf dem Wasserwege) oberhalb seiner Mündung hat der Kingani bei dem verlassenen Dorfe D u n d a noch 16 m Breite und 1,8 m Tiefe; der Abfall der Küstenterrasse liegt hier hart auf der rechten Talseite des Flusses, der zwischen 2 bis 4 m hohen, steilen, aus fettem, schwarzem Ton bestehenden Ufern dahinfließt, während zur Linken die Talebene, mit hohem Schilfgras bewachsen, sich über drei Kilometer weit ausdehnt und, besonders in der Trockenzeit, von Giraffen, Zebras, Antilopen und anderem Wild aufgesucht wird. Hier auf der linken Talseite des Ruvu-Kingani wird die Alluvialebene von einer über 8 km breiten, fast ebenen und niedrigen (15 – 30 m) Terrassenstufe – offenbar die Fortsetzung der gehobenen Strandterrasse des Küstenlandes in das Flußtal hinein – begleitet, die zumeist mit einer zwischen Buschsteppe und Parklandschaft

37

wechselnden Vegetation bewachsen ist und sich weit flußaufwärts in das Hinterland hinein verfolgen läßt.[1]

Gleich südlich des Mündungsgebietes des Kingani liegt ungefähr in der Mitte einer sandigen, sanft geschwungenen Bucht, zwischen Ras Nungwe und Ras Mbegani, die Stadt Bagamojo. Beide Kaps bestehen aus Mangrowegehölz; ersteres ist noch der Kinganimündung zuzurechnen und wird landeinwärts von einem Strandsee begrenzt, letzteres ist die vor-geschobene Mündung des Njansa-Flüßchens, das von Süden aus dem Hügellande von Usaramo herabkommt.

Die Stadt Bagamojo liegt an der bezeichneten sandigen Bucht in ge-ringer Meereshöhe auf der unteren Strandterrasse, die sich weniger scharf nach dem Meere zu markiert als an anderen Stellen der deutsch-ostafrika-nischen Küste und landeinwärts von mehreren breiten Bodensenken durch-zogen wird. Die Stadt hat etwa 5000 Einwohner, worunter ungefähr 40 Europäer und 550 Inder. Anfang 1908 besaß sie 1136 Stein- und Lehmhäuser. Der am Strande gelegene Stadtteil mit den Regierungs-gebäuden, Geschäftshäusern, Hotels, Warenlagern und dem Hospital macht mit seinen breiten, schönen Straßen einen freundlichen Eindruck, während das Araber- und Inderviertel mit den flachdachigen Steinhäusern, zwischen denen zahlreiche Hütten der Negerbevölkerung verstreut liegen, sich minder vorteilhaft ausnimmt und vielfach recht verfallen ist.[2] Ange-nehmer und sauberer sind schon die reinen Negerquartiere und Lehm-hüttenstraßen (Taf. 26, unten).

Im Nordwesten der Stadt liegt die katholische Mission der »Kongre-gation der Väter vom heiligen Geist«, die, schon 1869 gegründet, die erste christliche Kulturstätte an der ostafrikanischen Küste war und auch für die wirtschaftliche Entwickelung unserer jetzigen Kolonie von großer Bedeutung gewesen ist. Bagamojo ist der Sitz des Bischofs des über die Bezirke Bagamojo, Morogoro, Mpapua, Tanga, Wilhelmstal und Moschi ausgedehnten und dort in 16 Stationen wirkenden Vikariats. Inmitten eines herrlichen Parkes dient ein schloßähnliches Gebäude den Missionaren, ein zweites den Ordensschwestern zur Wohnung; daneben sind eine Kirche, gute, luftige Wohngebäude und Arbeitsstätten, wie Schreinerei und Schlosserei, Schneider- und Schusterwerkstätten usw. für die schwarzen Zöglinge vorhanden. Daran schließen sich Gärten und Pflanzungen; die ganze ausgedehnte und vielseitige Anlage fordert durch ihre Schönheit und Großartigkeit die Bewunderung aller heraus, und keine zweite ähn-liche Schöpfung ist ihr an der ganzen tropischen ostafrikanischen Küste an

---

[1] Handbuch für die Küste von Ostafrika, 1912. S. 275/76. Bornhardt, a. a. O. S. 209 ff.
[2] Hans Meyer: a. a. O. S. 105.

38

die Seite zu stellen. Jeder Europäer, der je mit den »schwarzen Vätern« in Berührung gekommen ist oder in schwerer Krankheit die liebevolle und uneigennützige Pflege der Ordensbrüder oder -Schwestern genossen hat, wird der Mission von Bagamojo jederzeit ein dankbares Andenken bewahren.

Die Mission hatte anfangs mit großen Schwierigkeiten zu kämpfen, zumal bei der Erlangung von Grundbesitz von den arabischen und schwarzen Eigentümern; die Missionare haben aber allmählich durch ihr rechtschaffenes und uneigennütziges Benehmen die Achtung und Zuneigung der Bevölkerung sich in hohem Grade erworben, und nie hat ihr Verhalten schönere Früchte getragen als in dem großen Küstenaufstande Ende der achtziger Jahre des vorigen Jahrhunderts, bei dem die Aufständischen das Gebiet der Mission von Bagamojo stets als neutralen Boden betrachteten.

In Bagamojo war es, wo damals zuerst die Unruhen einen ernsten Charakter annahmen. Als die Deutsch-Ostafrikanische Gesellschaft Mitte August 1888 die Flagge hissen wollte, wurde dies von dem Vali verhindert. Der Vertreter der Gesellschaft rief die Vermittlung des Sultans an, und ein deutsches Kriegsschiff wurde entsandt. Darauf ging am 21. desselben Monats tatsächlich, in Gegenwart einer aufgeregten bewaffneten Volksmenge, die Gesellschaftsflagge neben derjenigen des Sultans hoch; doch blieb es noch ruhig und die Zollerhebung konnte durch Deutsche stattfinden. Am 22. September aber füllte sich die Stadt mit Bewaffneten, die sich in großer Zahl vor dem Hause der Deutsch-Ostafrikanischen Gesellschaft versammelten, aber einen Angriff zunächst nicht wagten. Sie versuchten dann das Boot der Gesellschaft zu zerstören, und als sie hieran gehindert wurden, eröffneten sie ein heftiges Feuer auf das Stationsgebäude. Von diesem aus wurden Notsignale nach dem auf der Reede liegenden deutschen Kriegsschiff »Leipzig« gegeben und die Rebellen zugleich mit Granaten beworfen. Die Aufständischen wurden zurückgeschlagen und von den von der »Leipzig« abgesandten Truppen noch weit über die Stadtgrenze hinaus verfolgt. Sie ließen etwa 100 Tote auf dem Kampfplatze zurück. Der Vorsteher der Station, Herr von Gravenreuth, schritt am 25. September zum Angriff, indem er mit 4 Europäern, 30 Sultanssoldaten, 25 schwarzen Bediensteten und 30 Sklaven des zu den Deutschen haltenden Arabers Said Magram auszog und ein wohlverschanztes Dorf der Aufständischen stürmte, einen vom Feinde besetzten Bachübergang nahm und zur Kinganifähre vordrang, wo die Sultansflagge allein wehte und die Soldaten entflohen oder ermordet waren. Nachdem noch die Schamba eines Arabers am Kingani besetzt war, kehrte man

39

nach Bagamojo zurück. Später wurde noch das zwischen Bagamojo und Sadani an der Küste gelegene Windi in Brand geschossen, da berechtigter Verdacht bestand, daß von diesem Orte aus die Rebellen immer wieder mit Munition versehen wurden.

Dann blieb es in Bagamojo ziemlich ruhig, bis Anfang Dezember B u s c h i r i, der inzwischen von Pangani über Sadani herübergekommen war, einen Sturm auf das Haus der Deutsch-Ostafrikanischen Gesellschaft unternahm. Unter Beihilfe der Mannschaften der »Leipzig« wurden die Leute Buschiris zum Rückzug gezwungen. Sämtliche Hütten Bagamojos gingen bei dem Gefechte in Rauch auf und die Aufständischen erlitten großen Schaden. Am Weihnachtsfest 1888 versuchte Buschiri nochmals einen Angriff auf die Deutschen in Bagamojo; er wurde aber wiederum zurückgeschlagen und bezog in der Nähe der Stadt ein wohlbefestigtes Lager, von dem aus er fortdauernd die Gegend beunruhigte.

Inzwischen erschien Wißmann mit seiner Schutztruppe, und am 8. Mai 1889 wurde mit einer Truppenmacht von zusammen 1000 Mann: Sudanesen, Somalis, Sulus, eine Marineabteilung usw., nach kurzem, aber heftigem Gewehr- und Geschützfeuer die Boma Buschiris im Sturm genommen. Die Feinde hatten über 100 Tote, aber leider war der Rebellenführer selbst, da die Umzingelung des Lagers nicht vollkommen geglückt war, entflohen. Nach diesem Siege aber verschwanden die Rebellen weit und breit aus der Umgegend von Bagamojo. Die Ortschaften besiedelten sich erst langsam wieder, ein geregelter Verkehr kam wieder zu stande, und in und bei Bagamojo war vollständige Ruhe hergestellt. Buschiris Versuche, sich in der Umgebung von Bagamojo zu halten und neue Anhänger zu sammeln, scheiterten, worauf er sich landeinwärts nach Mpapua wandte.[1]

Noch bis gegen Ende der sechziger Jahre des vorigen Jahrhunderts war Bagamojo ein kleiner, kaum genannter Ort mit nur einigen wenigen Steinhäusern. Erst mit S a i d B a r g a s c h' Thronbesteigung beginnt der Aufschwung Bagamojos, dessen Bewohner Anfang der achtziger Jahre des vorigen Jahrhunderts auf 10000 zu schätzen waren. Wie bei Sadani so müssen auch vor Bagamojo die großen Schiffe kilometerweit draußen im offenen Wasser ankern, und nur die wenig tief gehenden Dhaus können näher an die Stadt herankommen, wo sie von den der Küste vorliegenden Sandbänken vor der Brandung einigermaßen geschützt werden und bei Ebbe vom Ufer aus bequem trockenen Fußes entladen werden können.

Zu diesen den Dhauverkehr begünstigenden Verhältnissen einer offenen seichten Reede, die zugleich eine Überwachung von Sklavenschiffen durch

---

[1] P. R e i c h a r d: Deutsch-Ostafrika. Leipzig 1892. S. 124 ff. — R. S c h m i d t: Geschichte des Araberaufstandes. Frankfurt a. O. 1892. S. 56 ff.

die europäischen Kreuzer sehr erschwerten, kommt hinzu, daß Bagamojo Sansibar am nächsten unter allen Küstenorten gelegen ist und von dort daher bei jedem Winde leicht zu erreichen ist. Andererseits gelangt man von Bagamojo aus auch zu vielen der Haupthandelsplätze des Binnenlandes, wie Kilossa, Mpapua, Tabora, Ujiji am schnellsten und leichtesten. Diesen Umständen verdankt die Stadt den enormen Aufschwung, den sie seiner Zeit genommen und der sie in der Zeit der Einrichtung der deutschen Herrschaft in Ostafrika zu dem meistgenannten Platze der ganzen Sansibarküste gemacht hat. Seitdem hat Bagamojo mehr und mehr seine Bedeutung verloren und seinen Rang an das benachbarte, durch einen guten Hafen ausgezeichnete Daressalam abtreten müssen und hat vollends seinen Ruf als Haupthandelsplatz der Küste eingebüßt, als durch die englische Ugandabahn und schließlich durch die deutsche Mittellandbahn der Handel des Binnenlandes nach anderen Plätzen abgelenkt wurde.

Vor 20 Jahren verkehrten zwischen Tabora und Bagamojo jährlich ungefähr 100000 Personen in jeder Richtung, im Jahre 1900 wurden noch ca. 35600 ankommende und 43880 von Bagamojo abgehende Träger gezählt; jetzt dagegen betragen die betreffenden Zahlen nur noch 851 und 193.[1]

Immerhin hat aber auch Bagamojo von dem allgemeinen Emporblühen unserer deutsch-ostafrikanischen Kolonie Nutzen gezogen und hat noch immer einen recht ansehnlichen Schiffs- und Karawanenverkehr. Bagamojo wird von den Küstendampfern der Deutsch-Ostafrika-Linie auf der Reise nach Tanga und nach Daressalam angelaufen; auch die Gouvernementsdampfer besuchen die Stadt regelmäßig, und ein reger Dhauverkehr herrscht mit Sansibar. Im Jahre 1913 besuchten 105 Dampfschiffe mit zusammen 222335 Reg.-Tonnen die Reede von Bagamojo.

Bagamojo ist Sitz eines Bezirksamtes und Zollamtes II. Klasse; es hat eine Postanstalt. In der Stadt befinden sich zwei größere deutsche Handelsniederlassungen und zahlreiche Inder-Geschäfte. Die Wareneinfuhr über Bagamojo betrug im Jahre 1912: 855967 Mk. gegen 1287570 Mk. im Jahre 1911; die Ausfuhr belief sich auf nur 315024 Mk. 1912 gegen 435274 Mk. im Jahre vorher. Der Gesamthandel Bagamojos hat danach 1912 um 551853 Mk. gegen 1911 abgenommen.[2] Die Hauptausfuhr besteht in Kopra. Die Kultur der Kokospalme ist von wachsender Bedeutung für Bagamojo geworden. Die Katholische Mission, die Kommune, sowie Inder und Neger haben Palmenpflanzungen in der Umgebung der Stadt,

[1] Amtlicher Jahresbericht für 1912/13. S. 48.
[2] Amtlicher Jahresbericht über die Deutschen Schutzgebiete, 1911/12. Statistischer Teil. S. 122 bis 145. 1912/13 Statistischer Teil. S. 156 bis 177.

41

die sich, von zahlreichen Mangobäumen durchsetzt, auf der Fläche der
Strandterrasse ausdehnen und deren Bäume nach Tausenden zählen.
Bekannt ist auch die jetzt dem Masor Virji gehörige Pflanzung Kitopeni
westlich von Bagamojo.

Südlich von der Stadt steigt das Gelände von der Strandterrasse allmählich zu leichten Hügelwellen an, die schon ziemlich weit (ca. 30 km)
von der Küste entfernt erst 160 m Meereshöhe erreichen. Das Land wird
von tief eingeschnittenen Bachtälern durchfurcht, die der westlich benachbarten Ruvu-Niederung zustreben, und trägt auf sandigem Boden einen
nicht selten von niedrigen Buschpartieen unterbrochenen Steppenwald.
Die Siedelungen der Eingeborenen sind nirgends zu größeren Ortschaften
zusammengeschlossen, die Hütten liegen vielmehr, immer nur zu wenigen
vereint, zerstreut in den Pflanzungen. Näher bei Bagamojo reihen sich die
Hüttenkomplexe fast ohne Unterbrechung aneinander. Die Eingeborenen
ziehen Maniok, Bohnenstrauch, Mais, wenig Bananen, Reis und Zuckerrohr.
Zahlreiche prächtige Mangobäume überschatten die Siedelungen, und die
Kokospalme nimmt mit der Nähe der Küste an Zahl zu.[1]

Etwa 4 km südöstlich Bagamojo liegt das Dorf Kaule und nicht weit
davon, einwärts von Ras Mbegani, Bumpuyi, das Pambuga der
Portugiesen, wo sich Ruinen aus der Schirazi-Zeit befinden.[2] Östlich von
Ras Mbegani befindet sich die Einfahrt in die 7 km in ungefähr östlicher
Richtung ausgedehnte Mwangolini-Lagune, die durch eine lange
und schmale, mit dichtem Busch bewachsene Landzunge, deren Westspitze
das Ras Luale bildet, von dem offenen Meere abgetrennt wird. Die
Lagune ist bei Niedrigwasser größtenteils trocken, und nur schmale Rinnen
führen zu den an ihrem Ufer gelegenen Dörfern. Von diesen ist Mlin-
gotini, in der Mitte des Südufers überragt von Kokospalmen auf der
steil abfallenden Terrasse gelegen, wohl das größte.

Von der Mwangolini-Lagune aus verläuft die flache, zum Teil mit Dünen
besetzte Küste mit einigen kleinen Einbuchtungen, die die Austrittsstellen
wenig ausgedehnter Achterwasser bilden, südostwärts zur Mündung des
aus dem Plateau- und Hügellande von Usaramo herabkommenden
Mpiji-Flusses, auf dessen Ostseite, 1 bis 2 km weiter, über einem vorspringenden, sandigen Abhange, von großen Mangobäumen überschattet,
das Dorf Mbweni gelegen ist, wo sich ein Zollposten befindet. Hier
finden sich ebenfalls Ruinen (Grabmäler?) aus der alten persisch-
arabischen Kolonisationsperiode.[3]

[1] Bornhardt: Deutsch-Ostafrika. S. 207.
[2] Stuhlmann: Zur Kulturgeschichte von Ostafrika. S. 855.
[3] Stuhlmann: a. a. O. S. 855.

42

Südöstlich vom Mpiji wird die bis dahin recht breite Küstenterrasse immer schmaler, und bei Konduchi, auf 6° 40' S. Br., tritt das mit dichtem Busch oder waldartiger Vegetation bewachsene Hügelland der Mikindani-Stufe bis auf wenige Kilometer an die Küste heran. Auch die Küste selbst nimmt mit der Annäherung an den hier am Südeingange des Sansibar-Kanals wieder näher an das Festland herantretenden Kontinental-steilabfall einen anderen Charakter an. Vom Ras Kiromoni an, etwa mitten zwischen Mbweni und Konduchi, wird die Küste felsig, und Außenriffe und Inseln begleiten in einer Entfernung von 4 bis 5 km fast in Form eines Barrierriffes die Küste.

Fungu Jassin ist das nördlichste, dem Kiromoni-Kap gegenüber-liegende Riff, das nur mit einer kleinen Sandbank bei Hochwasser aus dem Meere aufragt. Weiter südlich erhebt sich, Konduchi gegenüber, auf einem großen Riff die von niedrigen Kliffs eingefaßte Korallenkalkinsel Mbudja; sie ist mit Busch und Bäumen bewachsen, unbewohnt und gelegentlich von Fischern besucht. Südwestlich der Insel findet sich, zwischen ihr und dem dichter unter Land gelegenen Pangavini, ein sandiger Ankergrund mit 18 m Wassertiefe; es ist der sogenannte Konduchi-Hafen. Das Dorf Konduchi, das im Araberaufstande seines Sklavenhandels wegen eine Zerstörung erlitt, liegt nicht weit von der Mündung des Mwera-Flusses. Ein besserer Ankerplatz findet sich innerhalb der langgestreckten, ebenfalls unbewohnten Kalkinsel Bongoyo, die die Verbindung zwischen Mbudja und dem Ras Kankadya herstellt und mit letzterem zusammen die Mssassani-Bucht einschließt. Die beschriebene Riff- und Inselreihe schließt bis 20 und fast 30 m gehende Wassertiefen ein.

Im inneren, seichten, mit Mangrowen gesäumten Winkel der Mssassani-Bucht liegt das gleichnamige Dorf mit reiner Wasuahili-Bevölkerung, die Daressalam auf dem Landwege mit Seefischen versorgt. Die diesen Teil der Bucht abschließende Halbinsel, dessen Spitze das Ras Kankadya bildet, besteht wie die Inseln, in deren Fortsetzung sie liegt, aus Korallenkalk. Die Halbinsel ist mit dichter Vegetation bedeckt und wenig besiedelt. Etwa 7 km südlich vom Ras Kankadya ist beim Dorfe Upanga die er-weiterte, im Innern von Mangrowen erfüllte Mündung des Msimbasi-Baches, dessen Unterlauf eine sumpfige Senke im Rücken der Stadt Daressalam bildet.

Diese letztere liegt auf der Nordwestseite und nahe dem Ausgange einer fast 7 km weit in südlicher Richtung in das Land eingreifenden, am inneren Ende gegabelten Meeresbucht (vergl. Taf. 2, unten u. Taf. 27, oben), die nur durch eine schmale, lange Fahrrinne mit der äußeren See in Verbindung steht. Der äußere nördliche Teil dieser Bucht stellt den Hafen

43

von Daressalam dar, welcher mit 6,5 bis 20 m Wassertiefe den größten Seeschiffen genügt und bei 3 Seemeilen Längenausdehnung einem ganzen Geschwader Raum gewähren kann. Dabei ist der Hafen nicht so groß, daß Seegang in ihm aufkommen könnte, der dem Bootsverkehr hinderlich wäre. Die Hafenbucht ist von steilem Ufer von 6 bis 10 m Höhe umgeben, auf welchem auch die Stadt liegt. Die schmale Einfahrt in die Bucht von Daressalam ist so versteckt, daß man ihrer, von See kommend, erst im letzten Augenblick gewahr wird. Die Küste scheint zunächst vollkommen geschlossen, und nur die im Nordosten abseits vom Zentrum der Stadt gelegenen Gebäude Daressalams, wie das große Hospital (Taf. 28, oben) und der prächtige Gouvernementspalast, sowie die hohen Türme der Missionskirchen sind aus dem Palmenwald heraus zu erkennen. Plötzlich öffnet sich die Küste, und durch eine schmale Rinne fahren wir in das stille Hafenbecken, auf dessen halbkreisförmigem Ufer sich dabei das entzückende Stadtpanorama dem erstaunten Blick immer weiter aufrollt. An die großen Lagerschuppen des Zollamts schließen sich rechts das Bezirksamtsgebäude, die alte Boma, die katholische Kirche, das Kaiserliche Postamt, die evangelische Kirche, dann Villen mit dem Gebäude des Klubs Daressalam und zuletzt die Gebäude der Zentralverwaltung und des Schutztruppenkommandos.

Schon zur Zeit der persisch-arabischen Kolonisation müssen sich in der Gegend des heutigen Daressalam größere Ortschaften befunden haben; denn nach Stuhlmann[1] liegt eine Ruinenstätte aus jener Zeit an der Stelle des heutigen Hospitals von Daressalam und ebenso eine auf der Südseite der Hafenbucht. Das heutige Daressalam war aber noch zur Zeit der Gründung unserer Kolonie ein unbedeutender Ort. Der Sultan Said Madjid von Sansibar hatte, die Vorzüglichkeit des leicht zu verteidigenden Hafens erkennend, den Plan gehabt, allmählich seine Residenz nach Daressalam zu verlegen, da die offene Lage Sansibars ihm bei etwaigen Feindseligkeiten mit den Europäern nicht sicher genug schien. Ein Plan für die Errichtung einer Stadt wurde gemacht und der Bau eines großen Palastes mit Tausenden von Sklaven in Angriff genommen. Doch als Said Madjid 1871 gestorben war, und dessen Nachfolger und Bruder Said Bargasch den Plan fallen ließ, sank Daressalam schnell in Trümmer, und auch die indischen Händler, die sich schon dort niedergelassen und eine Reihe Häuser gebaut hatten, verließen wieder fast alle die Stadt.

Erst mit der Einführung des deutschen Regimentes kam der gute, sichere Hafen wieder zu Ehren, und die Stadt wurde zum Sitz des deutschen Gouvernements erkoren.

[1] a. a. O. S. 855.

44

Zur Zeit des großen Küstenaufstandes drangen die Aufrührer auch bald nach Daressalam vor und griffen (am 31. Dez. 1888 und am 10. Jan. 1889) die Station der Deutsch-Ostafrikanischen Gesellschaft bezw. die evangelische Mission an. Es gelang aber dem damaligen Chef Leue mit Hilfe der Marine den Ort gegen die Rebellen zu behaupten. Am 13. Januar überfielen 150 Araber unter Soliman bin Sef die Missionsstation Pugu, landeinwärts von Daressalam, töteten mehrere Europäer, nahmen andere gefangen, raubten, plünderten und steckten die Gebäude in Brand. Am 25. Januar wiederholten sich die Kämpfe in Daressalam, wobei zwei Matrosen schwer verwundet wurden und der Kapitänleutnant Landfermann infolge eines Sonnenstiches verstarb. Die Rebellen leisteten heftige Gegenwehr, die Stadt gelangte aber auch diesmal nicht in ihre Hände.

Nachdem Wißmann als Reichskommissar nach Ostafrika gekommen war und die Schutztruppe organisiert hatte, mußte auch das noch fortwährend beunruhigte Daressalam mit seiner Umgebung von den Rebellen gesäubert werden. Die Marineabteilung, die bisher als Besatzung der Station gedient hatte, wurde durch eine Schutztruppenabteilung ersetzt. Um Daressalam saßen die Aufständischen in mehreren befestigten Dörfern. Am frühen Morgen des 13. Mai 1889 wurde das Rebellenlager in Magagoni, südöstlich von Daressalam, überfallen und genommen, am 20. Mai dasjenige von Mabibu, westlich von Daressalam mit verstärkter Truppenmacht geplündert und eingeäschert. Die Rebellenführer Seliman bin Sef und Shindu entkamen jedoch, und auch ein Zug nach der Schamba des letzteren endete in dieser Beziehung resultatlos. Ernste Schwierigkeiten und große Ansammlungen der Aufständischen bestanden jedoch um Daressalam nicht mehr, die Jumben der Umgebung wurden aufgefordert, nach der Stadt zu kommen und ihre Unterwerfung anzuzeigen, und im allgemeinen schien die schwarze Bevölkerung die Vertreibung der Araber als eine Wohltat zu empfinden. Nur gegen wenige Dörfer mußte in Zukunft noch vorgegangen werden. So wurde gegen das große und wohlhabende Magagoni, das, besonders durch seine Beludschen-Bevölkerung aufgehetzt, sich auflehnte, nochmals ein Zug unternommen und der Ort von Grund auf zerstört und geplündert. Ferner wurde eine Bestrafung der Ortschaft Ukonga, im Hinterlande von Daressalam, vorgenommen, dessen Häuptling Jangajanga vornehmlich die Schuld an der Ermordung der Missionare in Pugu trug, aber seiner Gefangennahme durch die Flucht ins Innere zuvorgekommen war. Dagegen gelang es in der Ortschaft Simbasi durch einen Überfall zwei beim Morde der Pugu-Missionare beteiligte Araber gefangen zu nehmen und zur Verantwortung

45

zu ziehen. Damit waren die von Daressalam aus während des Aufstandes gemachten Unternehmungen beendet, und die Stadt nahm in der Zukunft eine glänzende Entwicklung.

Die großen Vorzüge, die Daressalam durch den guten geschützten Hafen zusammen mit seiner Lage ungefähr in der Mitte der Küstenlinie unserer Kolonie und nicht zu weit von dem alten Verkehrszentrum Sansibar entfernt bot, und die die Veranlassung waren, daß man 1890 den Sitz des Gouvernements nach dort verlegte, haben ihre Wirkung nicht verfehlt und sind vorbestimmend für den großartigen Aufschwung der Stadt gewesen. Sansibar und noch schneller Bagamojo haben von ihrer bisherigen Bedeutung als Schwerpunkte des großen ostafrikanischen Handels und Verkehrs immer mehr eingebüßt, während sich Daressalam von Jahr zu Jahr zusehends entwickelte. Die großen europäischen Firmen haben ihren Hauptsitz von Sansibar nach Daressalam verlegt oder doch alsbald Zweigstellen in dieser Stadt errichtet. Der Verkehr nach dem Innern nahm immer häufiger seinen Ausgangspunkt von dem besseren Hafen Daressalam zu ungunsten des benachbarten Bagamojo.

Einen gänzlichen Umschwung nahmen diese Verhältnisse jedoch erst durch den Bau der »Zentralbahn«, die naturgemäß von dem besten Hafen und der Hauptstadt der Kolonie ihren Anfang nehmen mußte; sie erwirkte der wirtschaftlichen und anderweiten Entwickelung der Stadt ein vorher nicht dagewesenes Tempo und förderte den Aufschwung derselben in ganz enormem Maße. Am 9. Februar 1905 geschah der erste Spatenstich und am 19. Dezember 1907 wurde die Bahn bis Morogoro dem öffentlichen Betriebe übergeben. Die Fortsetzung über Kilossa, Mpapua und Kilimatinde nach Tabora wurde am 1. Juli 1908 begonnen und der volle öffentliche Verkehr bis Tabora (908 km) am 1. Juli 1912 eröffnet. Nach Genehmigung der Verlängerung der Bahn bis Kigoma am Tanganjika-See durch den deutschen Reichstag im Dezember 1911 konnte der Bau unverzüglich weiter gefördert werden und die Gleisspitze erreichte im Februar 1914 den See.

Heute hat Daressalam, der Sitz der Gouvernementsbehörde von Deutsch-Ostafrika, etwa 23 000 Einwohner, darunter ca. 1000 Europäer.[1] Der das nordwestliche Ufer der Hafenbucht umschließende Europäer-Stadtteil hat breite, mit prächtig blühenden Poincianien und duftenden Albizzien-Alleen bepflanzte Straßen und Plätze. An der reizenden Strandpromenade liegt die Mehrzahl der öffentlichen Gebäude, einige große Geschäftslokale, Klubhäuser, Villenwohnungen usw., alle in luftigem

---

[1] Im Berichtsjahre 1912/13 wurden im Stadtbezirk Daressalaam: 967 Europäer (703 männliche und 264 weibliche) und 21 248 Farbige (wovon ca. 4000 vorübergehend anwesende) gezählt.

46

Tropenstil mit weiten Veranden und Säulenhallen. Auch die Kirchen der evangelischen und katholischen Mission erheben sich über der steilen Uferrampe. Ein Kaiser Wilhelm-, ein Bismarck- und ein Wißmann-Denkmal zieren die Stadt. Daressalam hat etwa 330 Steinhäuser für Europäer, Araber und Inder. Daran schließen sich landeinwärts die Negerquartiere mit breiten, sauberen, von palmwedelbedeckten Lehmhütten eingefaßten Straßen. Daressalam erregt als die bei weitem schönste und reinlichste der Hauptstädte an der Küste des tropischen Ostafrika die Bewunderung jedes Fremden.

Daressalam ist der wichtigste Seehandelsplatz der Kolonie, der sich mehr und mehr zu d e m großen ostafrikanischen Marktplatz ausbildet. Etwa ein Dutzend große europäische Handelshäuser beherbergt die Stadt, darunter alte ostafrikanische Firmen, wie O'Swald, Hansing und die Deutsch-Ostafrikanische Gesellschaft. Dazu kommen ca. 4 bis 5 Dutzend indische, arabische und andere farbige Kaufleute. Die Hauptgeschäftsstraße »Unter den Akazien« beherbergt die Geschäftsräume der Deutsch-Ostafrikanischen Bank, der Deutsch-Ostafrika-Linie, die Deutsch-Ostafrikanische Zeitung, die Exportfirma Hansing & Co., die Apotheke, Photographen, Spediteure, Bauunternehmer, Rechtsanwälte usw. (Handbuch für Deutsch-Ostafrika). Im Jahre 1913 verkehrten im Hafen von Daressalam 236 größere Schiffe mit 745 415 Registertonnen, wovon 142 mit 695 243 Registertonnen unter deutscher Flagge fahrende Überseedampfer waren, außerdem noch zahlreiche Dhaus und andere einheimische Segler. Die Deutsch-Ostafrika-Linie läuft auf 24 jährlichen Rundfahrten mit ihren Hauptdampfern ungefähr wöchentlich Daressalam an, während ihre Küstendampfer von Daressalam nach Bagamojo, Kilwa, Lindi, Mikindani etc. den regelmäßigen Anschluß vermitteln.

Die Einfuhr über Daressalam betrug im Jahre 1912 26 936 283 Mk. gegen 23 505 256 Mk. im Jahre 1911, die Ausfuhr 5 384 717 Mk. gegen 3 708 865 Mk. in 1910. Ein- wie Ausfuhr zeigen danach im letzten Berichtsjahre eine Zunahme, die für den Gesamthandel 5 106 879 Mk. beträgt. In Tonnen betrug der Güterverkehr über den Hafen von Daressalam:

	Einfuhr	Ausfuhr	Zusammen
1912	78 678	9840	88 511
1913	68 486	9619	78 204[1]

Der Hauptexportartikel ist Kopra — 860 445 Mk., d. i. mehr als an irgend einem anderen Küstenplatz, verzeichnet die Handelsstatistik an »Ölfrüchte, Pflanzenöle, Pflanzenwachs« für 1912« — neben Holz wie anderen Erzeugnissen der Forstwirtschaft (1 162 095 Mk. in 1912) und tierischen Roh-

---

[1] Handbuch für Ostafrika, Berlin 1914.

47

stoffen (1 351 129 Mk. in 1912). Die Haupteinfuhr besteht in Baumwoll-
stoffen und Reis neben Eisenbahnbedarf.

Die Dampfer werden mit Leichtern gelöscht, zu deren Entladung drei
elektrisch betriebene Transportanlagen von je zwei Tonnen Tragkraft
sowie ein Handlaufkran von 12 Tonnen Tragkraft dienen. Die Flottillen-
werkstatt mit Schiffswasserversorgungsanlage und einem Schwimmdock
für Schiffe bis zu 6 m Tiefgang steht für Schiffsreparaturen zur Verfügung.

In Daressalam, das wie Tanga eigene Stadtverwaltung hat, ist ein
Hauptzollamt, Hafenamt, Post- und Telegraphenamt (mit Fernsprechamt),
Bezirksamt, Bezirksgericht, Obergericht, Bauamt usw.; daselbst ist der
Stab der Schutztruppe stationiert. Es steht hier eine Kompagnie der
Kaiserlichen Schutztruppe, sowie eine Polizeiabteilung von 120 Mann.
In Daressalam befindet sich das Rekrutendepot der Schutztruppe und das
Polizeirekrutendepot. Auf der Halbinsel K u r a s i n i , gegenüber Dares-
salam, ist die Werft und Reparaturwerkstätte der Gouvernementsflottille.
Die Betriebsleitung der Mittellandbahn (Tanganjika-Bahn), deren statt-
licher Bahnhof im Südwesten der Stadt liegt und deren Ladegleise zum
Hafen herablaufen, befindet sich in Daressalam. Das Kolonialwirtschaft-
liche Komitee unterhält daselbst eine Ausstellung landwirtschaftlicher
Maschinen. Der wissenschaftlichen Erforschung der Kolonie dienen verschiedene vortrefflich eingerichtete und geleitete Institute und Anstalten,
so die Hauptwetterwarte, ein maritimes Aquarium, Versuchsgärten (»Bo-
tanischer Garten«) der Kulturabteilung, ein Landesvermessungsamt, ein
koloniales Museum. Der Leitung des Veterinärwesens und derjenigen der
Krankenhäuser, von denen eines (Taf. 28, oben) für Europäer (mit 46
Betten) und eins für Farbige in Daressalam vorhanden ist, liegen neben
ihrer praktischen Betätigung ebenfall wissenschaftliche Aufgaben ob. Eine
Regierungsschule für Europäer[1] und eine ebensolche für Eingeborene
sorgen für die Ausbildung und Erziehung des kolonialen Nachwuchses,
während eine evangelische und eine katholische Mission (Berliner Missionsgesellschaft und St. Benediktus-Missionsgesellschaft) den ethischen Be-
dürfnissen der Bevölkerung Rechnung tragen. Aber auch die Geselligkeit
kommt zu ihrem Recht: Klub, Sports- und andere Vereine, Hotels, Gast-
wirtschaften und Kaffeehäuser, auch Bierbrauerei fehlen in Daressalam
nicht, und zum Besuche von Konzerten und Tanzvergnügungen bietet sich
hinreichend Gelegenheit. Daressalam hat elektrische Beleuchtung, Wasserleitung und andere hygienische Einrichtungen; Rikschas (»Menschen-
droschken«) und Pferde- oder Eselgespanne erleichtern den Verkehr in

[1] Eröffnet im Jahre 1906, zählte 1912 43 Schüler.

48

Hafenbucht von Daressalam.
Nach Photographie von C. Vincenti-Daressalam.

Straßenbild in Daressalam.
Nach Photographie von W. Schulz-Daressalam.

Tafel 27

63

der Stadt, deren Straßenleben (Taf. 27) mit seinem geschäftigen Treiben den schnellen Aufstieg wiederspiegelt, in dem die wirtschaftliche und geistige Zentrale der Kolonie sich noch immer befindet.[1]

Daressalam ist von schönen Kokospflanzungen umgeben, die, von den tiefgrünen Laubmassen der Mangobäume durchsetzt, der Stadt eine angenehme Umrahmung gewähren. Kopra bildet wie gesagt ein wichtiges Exportprodukt für Daressalam, und die Palmenbestände sind in ständiger Ausbreitung begriffen. Die ehemals dem Sultan von Sansibar gehörende Kokospflanzung, unmittelbar westlich von Daressalam, ist jetzt im Besitz der »Deutschostafrikanischen Sultan-Plantagen-Gesellschaft«.

Die Hafenbucht von Daressalam bildet wieder eins der für die ostafrikanische Küste charakteristischen ertrunkenen Talsysteme, die in der Zeit eines früheren tieferen Meeresstandes gebildet wurden. Auf der dem seichten Sansibar-Kanale zugekehrten Küstenstrecke südlich der Pangani-Mündung über Sadani und Bagamojo hinaus sind sie aus den weiter vorn erörterten Gründen nicht zur Ausbildung gelangt. Hier bei Daressalam, wo der Steilabfall des Kontinents mit der 200 m-Tiefenlinie sich der Küste wieder auf 9 km genähert hat, stellt der Kriek von Daressalam wieder ein Beispiel dafür dar. Die Bucht bildet mit ihrer Gabelung am inneren Ende die unmittelbare Fortsetzung der Täler des Msinga- und des Kisinga-Flüßchens und kann nur durch diese heute in sie einmündenden Landgewässer ausgefurcht und erst nachträglich beim Steigen des Meeresspiegels von Seewasser erfüllt, nicht aber durch die vom Meere her wirkenden Kräfte, durch die Meeresbrandung oder die Gezeitenströmung geschaffen worden sein.

In einer mittleren Breite von 800 m erstreckt sich die Bucht, wie schon gesagt, fast 7 km weit in südlicher Richtung landeinwärts, wo der Meeresspiegel fast unmerklich in die breiten Talsohlen der genannten Flüßchen übergeht. Das Übergangsgebiet ist mit Mangrowengehölz bewachsen. Die eigenartige starke Einengung der Daressalamer Hafenbucht an ihrer Ausmündung, wo sie zwischen dem Ost- und dem West-Fähr-Huk kaum noch 300 m Breite hat, ist zweifellos darauf zurückzuführen, daß der im übrigen in die leicht angreifbaren Sande und sandigen Lehme der Terrassenbildungen und Mikindanischichten eingeschnittene Kriek hier am Ausgange die an der Küste entlang verbreiteten gehobenen Korallenkalke durchbricht, die im Ras Chokir auf der nördlichen und im Ras

---

[1] Hans Meyer: Das deutsche Kolonialreich, 1. Band. S. 106 ff. – Handbuch der Ostküste Afrikas, 3. Aufl. 1912. S. 295. – Deutsches Kolonialhandbuch, 12. Ausgabe 1912. Deutsch-Ostafrika. S. 37 etc. – Die deutschen Schutzgebiete. 1911/12. Statist. Teil, S. 122 ff. – H. Fonck: Deutsch-Ostafrika. Berlin 1910. S. 248.

4 Werth, Deutsch-Ostafrika. Band II.

49

Rongoni auf der südlichen Seite der Hafeneinfahrt heute noch in Resten über den Meeresspiegel aufragen.

Die in den Kriek von Daressalam mündenden Flüßchen Msinga und Kisinga bilden zusammen mit dem wenig nördlich von Daressalam mündenden Msimbasi (Siehe Taf. 14) die Hauptentwässerungsadern des das Hinterland von Daressalam bildenden Teiles der Höhen von Usaramo. Im einzelnen stark zerschnitten, lassen diese von weitem gesehen einen plateauartigen Charakter erkennen. Am nächsten treten diese Höhen in den Pugu-Bergen an Daressalam heran. Diese ragen, in einer Entfernung von 18 km westsüdwestlich der Stadt, zu einer Höhe von 250 bis 300 m auf und bilden den nordöstlichsten Teil der ausgedehnten und weiter landeinwärts zu Höhen von 350 bis 400 m ansteigenden Erhebungsmaße, die in südwestlicher Richtung durch die Mitte der Landschaft Usaramo zieht. In ihrem Kerne ältere, der Jura- und Kreideperiode angehörige Gesteine einschließend bestehen diese Höhen, speziell, auch die Daressalam benachbarten Puguberge, im übrigen aus den horizontal gelagerten, meist (wenigstens oberflächlich) rötlich gefärbten, sandigen Lehmen und lehmigen Sanden der »Mikindani-Schichten«. Diese treten auch in der Nähe der Küste, u. a. an den Steilrändern der Daressalamer Hafenbucht, wieder auf, werden hier aber, wie in dem ganzen Gebiete zwischen Daressalam und den Pugu-Bergen, von jüngeren Bildungen sandigen Charakters überlagert. Diese bilden die ebenen Terrassenflächen, welche in der Gegend von Daressalam die Küste in ziemlicher Breite begleiten.[1]

Auch hier lassen sich deutlich zwei Stufen unterscheiden, von denen die eine von 8 bis 10 m am Meeresstrande bis 15 m und mehr landeinwärts ansteigt. Darüber erhebt sich eine zweite Stufe zu 40 bis 50 m Meereshöhe. Der Küstenlinie zunächst, wie am Ras Upanga, Ras Chokir etc. sind, wie schon angedeutet, an den Terrassenbildungen auch gehobene Korallenkalke beteiligt, die infolge ihrer Härte die vorspringenden Kaps bilden. In größerem Umfange bauen diese gehobenen Riffkalke aber die vor dem Hafenausgange von Daressalam gelegenen Inseln auf, die als Fortsetzung der Inselkette erscheinen, wie wir sie vom Ras Kiromoni (zwischen Bagamojo und Daressalam) südwärts bis zum Ras Kankadya schon betrachtet haben.

Die vor dem Hafen von Daressalam liegende Makatumbi-Gruppe, die aus den Inseln Makatumbi und Kendua sowie einer Reihe kleiner Inselchen und Felsen besteht, bietet ein prächtiges Beispiel für die großartige abradierende Kraft der (heutigen) Meeresbrandung. Alle diese

[1] Bornhardt: a. a. O. S. 198.

50

Inseln und Klippen liegen auf demselben submarinen Felsriff und stellen die an den Rändern von der Brandung unterhöhlten Reste einer größeren, ehemals mehr oder weniger zusammenhängenden, über das Meeresniveau aufragenden Kalktafel dar. Auf der Insel Makatumbi steht ein zur Ansteuerung von Daressalam dienender Leuchtturm, auf Kendua liegt die Quarantänestation. Weniger zerrissen als die Makatumbi-Inseln ist die benachbarte, näher unter Land, gegenüber dem früher wiederholt genannten Dorfe M a g a g o n i gelegene K i m b u m b u u - I n s e l.

Diese kleinen Korallenkalkinseln sind mit einer Buschvegetation bewachsen, die reich an stacheligen und dornigen Gewächsen, zumal Kandelaber-Euphorbien, ist; einzelne Baobabs ragen über diesen »Inselbusch« auf. Das Terrassenland der Festlandküste trägt auch bei Daressalam in großer Ausdehnung Buschsteppe, z. T. mit verzweigten Dumpalmen. Bessere Bodenarten sind, zumal auf der höheren Terrasse, mit Buschwald- oder einer ähnlichen Vegetation bedeckt, die als »Sachsenwald«, einem Reservat an der Pugu-Straße, eine gewisse Berühmtheit erlangt hat. Das eigentliche Hügelland der Puguberge ist ebenfalls, soweit es nicht in Kultur genommen ist, mit Buschwald oder mit dichtem, hohem Busch bestanden.

In weitem Umfange ist bei Daressalam und in seinem unmittelbaren Hinterlande die natürliche Vegetation durch Kulturpflanzen verdrängt. Die Besiedelung ist jedoch in der Umgebung der Stadt keineswegs besonders dicht, die einzelnen Dörfer liegen oft weit von einander entfernt und sind durch größere Strecken Steppen- oder Waldlandes von einander getrennt. Einige Siedelungen wurden schon bei der Schilderung der Aufstandsereignisse in Daressalam genannt. Am inneren Ende der Hafenbucht, ca. 7 km südlich von Daressalam, liegt das ziemlich umfangreiche Dorf M t o n i auf den steilen Höhen zu beiden Seiten des linken Zweiges der Bucht. Seine Hütten stehen zerstreut unter Kokos und Mangos; die Früchte der letzteren werden in großer Zahl nach Daressalam zum Verkauf gebracht. Während Mtoni noch von Wasuaheli bewohnt ist, hat das wenig weiter südöstlich, an der Mündung des Msinga in dem östlichen Arm des Hafenkrieks gelegene M k w e m e n i schon teilweise Waseramo-Bevölkerung. Etwa 2 km südlich Daressalam erheben sich auf der linken Uferhöhe des Hafenkrieks die Gebäude der katholischen Mission K u r a s i n i, deren Kirche — älter als diejenigen der Hauptstadt — über das blaue Wasser herübergrüßt.

Südwestlich von Daressalam wird in K i c h w e l e, einem ziemlich geschlossenen, von ausgedehnten Feldern umgebenen Dorfe viel Maniok angebaut. Weiter in ungefähr derselben Richtung, eine gute Stunde von der Stadt entfernt, liegt das Dorf J o m b o, mit Grasdachhütten und reiner
4*

Wasuaheli-Bevölkerung. Eine Station der Mittellandbahn, 14 km von Daressalam, ist M b a r u k u (Mbaruksruh), wo im Jahre 1896 der von den Engländern verfolgte und aus britischem Gebiet nach Deutsch-Ostafrika herübergekommene arabische Häuptling M b a r u k b i n R a s c h i d (Taf. 23), der frühere Wali von G a z i, ein Abkömmling der alten Mombaser Satrapen aus dem streitbaren Geschlechte der Mzara, mit seinen Leuten angesiedelt wurde. Er starb 1911. Die zweite Station der Bahn ist das weiter vorn schon genannte P u g u (21 km), bei welchem Orte sich die Kautschukpflanzung F r i e d r i c h s t a l der »Pflanzungsgesellschaft Pugu« befindet. Nicht weit von Pugu liegt auf beherrschender Höhe die Missionsstation K i s s e r a w e.

Vier km östlich der vorher genannten Insel K i m b u m b u u erheben sich auf einem runden, in der Mitte vertieften und dadurch atollartig geformten Riffe die S s i n d a - I n s e l n, die mit ihren Kalkfelsen 12 bezw. 15 m über das Wasser aufragen, nebst einigen Klippen. Die Festlandsküste bildet zwischen Kimbumbuu und den Ssinda-Inseln eine offene, im Innern von Mangrowesumpf eingefaßte Bucht, in die der K i d e t e - Bach mündet. Das aus ca. 30 Hütten bestehende Dorf M i j i - m w e m a, mit Wasuahili-Bevölkerung und einigen Indern, liegt im westlichen Teile der Bucht. Südlich des Ssindariffes springt das R a s K o r o n j o (oder Kigwe-mtu), eine felsige Landspitze, vor. Von hier bis zu dem ebenso beschaffenen R a s D e g e verläuft die Küste ostwärts und besteht meist aus Sandstrand mit ein oder zwei Felspartien. Auf dieser Strecke ist der große Ort M b o a - m a d y i mit vielleicht 120 bis 150 Häusern und einem Dhauhafen zu nennen. Am Ras Dege biegt die Küste dann aus der mehr oder weniger westöstlichen Richtung plötzlich in südsüdöstliche und später fast südliche Richtung um und wird bis zum R a s M u a m b a m k u in nur 3 bis 5 km Entfernung von der 200 m-Tiefenlinie begleitet. Die Küste besteht hier abwechselnd aus Fels und Sandstrand. Das in der Mitte dieser Strecke gelegene R a s K i m b i d y i stellt ein steiles, niedriges Vorgebirge dar, und das Hügelland tritt hier mit mäßigen Höhen nahe an die Küste heran. Westlich vom Ras Kimbidyi liegt das gleichnamige aus etwa 50 bis 60 Hütten bestehende Dorf.

Wenig weiter südlich springt das R a s K a n s i (mit Leuchtfeuer), bei dem viele Palmyrapalmen auftreten, aus der Küstenlinie heraus. Am R a s M w a m b a m k u streckt sich das die Küste säumende Riff weit nach Südosten vor und schützt so die südlich anschließende B u u n i - B a i. In der Nordwestecke dieser nach Südosten geöffneten Bucht liegt das Dorf B u u n i. Mit dem nun folgenden, die letztgenannte Bai auf der Südseite begrenzenden R a s P e m b a m n a s i, das die Spitze einer weit nach Süden

52

vorragenden breiten Landzunge darstellt, endet der Küstentypus von Daressalam, den wir mit seinen zahlreichen Felsenkaps und dem vielfach vorgelagerten regelmäßigen Riff- und Inselzuge vom Ras Kiromoni bis hierher verfolgen konnten. Der submarine Steilabfall weicht wieder mehr und mehr von der Küste zurück; statt der nahezu wallartig angeordneten Riffe und Inseln treten solche in unregelmäßigen Schwärmen in dem weithin wenig tiefen Wasser auf, und es beginnt die dritte und südlichste Teilstrecke der Mittelküste, der an den Mafia-Kanal angrenzende Festlandssaum.

Das von der Küste zwischen Daressalam und Ras Pembamnasi begrenzte Land zeigt bis 160 m ansteigende Höhen und ist zumeist mit Hyphaene-Buschsteppe, auf den Hügeln auch vielfach mit dichtem Busch bewachsen.

Zwischen Ras Pembamnasi und dem Rufiji-Delta bildet die deutsch-ostafrikanische Küste eine sehr flach geschwungene Bucht, in welcher eine ganze Anzahl von Riffen liegen, die zum Teil von Inseln gekrönt werden. Die meist aus Sandstrand bestehende Küste läuft von Ras Pembamnasi aus um die Shungu-Bucht herum und dann 35 Seemeilen ohne erhebliche Vorsprünge südwestwärts. Dem Sandstrande ist eine bei Niedrigwasser trocken fallende Schlickbank vorgelagert. An dieser Küstenstrecke endet eine ganze Reihe kleinerer und größerer Bäche und Flüßchen, die vielfach stark erweiterte Mündungen haben, in die bei einigen die Dhaus hineinfahren können; doch sind bei Springniedrigwasser alle Mündungsaestuare gesperrt. Diese sind reich an Mangrowegehölz, von denen diejenigen an der Mündung des Shungu (westlich von Ras Pembamnasi) und bei Kissidju (westlich der Kwale-Insel), zum Forstbezirk Daressalam gehörig, im Jahre 1910/11: 11982 fm Holz und 0,275 t Rinde geliefert haben.[1]

An der bezeichneten Küstenstrecke sind zahlreiche Dörfer und das Land ist in der Nähe des Strandes gut bebaut. Dahinter ist die sandige, ebene Terrassenfläche bis zu dem die Küste in einer Entfernung von etwa 10 bis 15 km begleitenden Hügellande mit Dumpalmen-Buschsteppe (Taf. 11), gelegentlich auch mit Buschwald bedeckt. Das Land liefert viel Kautschuk und vor allem Kopal. Eine gewisse Bedeutung als Stapel- und Ausfuhrplatz dieser Waren hat der Ort Kiwmangao (westnordwestlich von der Koma-Insel) mit einer vielleicht 1000 Köpfe zählenden Swahilibevölkerung; über ein Dutzend Inderläden dienen dem Handel mit dem Hinterlande. Kiwmangao, das früher Zollstation war, liegt etwa 1 km vom flachen Strande entfernt um das Ende eines bei Ebbe trocken fallenden Mangrowekrieks und besteht aus Lehmhütten mit Palmwedeldach und einigen

---

[1] »Pflanzer« VIII. 1912. Beiheft Nr. 1.

53

Wellblechhütten; abseits sind einige Mangobäume und Kokospalmen. Auch in Mssindaji weiter südlich, näher der Rufiji-Mündung, sitzen eine Anzahl Inder; sonst sind die Ortschaften an der Küste südlich Kiwmangao von Wajóngo bewohnt, die Mais, Kokos, Mangos u. a. kultivieren. Nördlich von Kiwmangao liegt, der Insel Kwale gegenüber, die Gemarkung und Ortschaft Kissidyu. Hierher kamen nach der Tradition in alter Zeit zwei Schirazi-Brüder und gründeten einen Ort, dessen Ruinen und Gräber heute noch erhalten sind.

Das hinter dem Terrassenlande ziemlich unvermittelt (vergl. Taf. 11) sich erhebende, in diesem Teile des Küstenlandes stark zerschnittene, aus rotbraunem lehmigen Boden (der Mikindanischichten) aufgebaute Hügelland erhebt sich zu Gipfeln zwischen 100 und 200 m Meereshöhe und ist reich an Sumpfbecken und kleinen Seen. Im Norden, etwa 30 km von der Küste entfernt, liegt das große Mansi-Sumpfgebiet mit riesigen Papyrusbeständen. Die Umgebung ist reich an Siedelungen, die – hier auf dem Grenzgebiet der beiden Völkerstämme – teils von Waseramo, teils von Wandengerecko bewohnt werden. Der Mansi-Sumpf wird vom Mbesi entwässert, der als Shungu in der Shungu-Bai das Meer erreicht. Weiter südlich quert der Luhute, welcher mit den meisten seiner Zuflüsse von dem zentralen Plateau- und Berglande Usaramos herabkommt, das ganze Hügel- und Terrassengebiet des unmittelbaren Küstenhinterlandes und mündet gegenüber Kwale bei Kissidyu. Südlich vom Luhute liegt unmittelbar einwärts des äußersten, an die Strandterrasse grenzenden, als Kibunpuni-Berge bezeichneten Hügelrückens der reizende Sakwati-See, der in seiner laubholzbedeckten Hügelumrahmung an die Wasserbecken der holsteinschen Seenlandschaft erinnert. Die in einer Anzahl kleiner Dörfer um den Sakwati wohnenden Eingeborenen betreiben mit Reusen und Netzen Fischfang im See. Auch Flußpferde beherbergt der Sakwati ebenso wie der nur durch eine Hügelschwelle von diesem getrennte, westlicher gelegene kleinere Kiputi-See. Dieser südliche Teil des Hügellandes zwischen Daressalam und dem Rufiji wird nur von Wandengerecko bewohnt.

Das ganze Hügelland ist meist von einem hohen, dichten Busch oder Buschwald bewachsen, doch tritt auf durchlässigen Böden auch buschsteppenartige Vegetation auf. In den feuchten Senkungen sieht man Gruppen der zierlichen Ukindupalme; auch hochstämmiger Alluvialwald ist nicht selten. Das durch fruchtbareren Boden ausgezeichnete Hügelland ist stärker bevölkert als die Terrassenflächen. Die Eingeborenen haben an allen Dörfern Kokospalmen; Mangobäume treten zurück und fehlen vielfach. Die Hauptgetreidefrucht ist Mais, Maniok wird stellenweise ziemlich viel gebaut.

54

Vor der Küste zwischen Ras Pembamnasi und der Rufiji-Mündung liegt, wie gesagt, ein Schwarm von Inseln und Riffen, durch welche die Ozeandünung gebrochen wird. Das vom Lande nach See zu nur ganz allmählich an Tiefe zunehmende, unmittelbare Küstenfahrwasser ist daher ziemlich ruhig und wird von Dhaus gern benutzt. Das nördlichste der Riffe ist das große Ssukuti-Riff, auf der Südseite der Shungu-Bai; eine Korallenbank an seiner Westseite fällt 3 m hoch trocken. Nord-Fandjowe, südlich des Ssukutiriffes gelegen, ist eine flache, wasserlose, mit Casuarinen und Buschvegetation bewachsene Insel.

Südwestlich letzterer, dichter unter Land, der Luhutemündung gegenüber, ist Kwale die größte der hier in Betracht kommenden Inseln. Ihre einen größeren Küstenstrich beherrschende Lage machte sie zur Zollstation geeignet. In ostwestlicher Richtung gestreckt ist sie $2^1/2$ Seemeilen lang, $3/4$ Seemeilen breit und besteht aus gehobenem, in steilen Kliffs gegen die See abfallenden Korallenkalke mit einem flachen, sandigen Vorland im Westen. Hier liegt das Dorf Kwale, in dem sich der Zollposten befindet. Es besteht aus ca. 100 von mächtigen Affenbrotbäumen überragten Hütten, deren Bewohnerschaft, etwa 500 Seelen, sich aus Wandengerecko, Swahili und anderen zusammensetzt. Es sind meist Fischer und Schiffer und als letztere vielfach tüchtige Dhauführer (Nahoza). Ihre Frauen bauen auf dem Korallenplateau Sorghum und anderes. Die Insel hat zwei Brunnen, deren einer — im Dorfe — nur schlechtes salziges Wasser liefert; der andere liegt im Kalklande und führt trinkbares Wasser. Dieser wurde wahrscheinlich schon von den Schirazi angelegt, von denen wohl auch einige Bauten stammen, die am Westende der Insel unweit der Zollstation liegen. Es handelt sich um eine kleine, sehr verfallene Moschee und gut erhaltene Gräber mit zinnenförmigen Mauerumfassungen und einzelnen behauenen Steinen etc.

Um den Steilabfall des Kalkplateaus von Kwale zieht sich ein Mangrowegürtel. Charakteristisch für die Insel sind die gewaltigen Baobabs, die überall über dieselbe aufragen. Kwale liegt auf einem großen Riffe, auf dessen Südostseite, bei Ebbe zu Fuß zu erreichen, die drei Chokaa-Inselchen sich erheben. Sie haben unterhöhlte Felsufer und sind von dichtem Gestrüpp mit Baumeuphorbien und Schlinggewächsen (»Inselbusch«) bedeckt. Früher von den Kwaleleuten bebaut, gelten die Inselchen jetzt als Geistersitz.

Südlich von Kwale liegt, ungefähr gegenüber von Kiwmangao, die kleine felsige Hatambura-Insel, die unbewohnt, wasserlos und mit Gestrüpp und Bäumen bewachsen ist. Die weiter südlich gelegene Insel Koma ist eine mit Buschwerk und Bäumen bewachsene Korallenkalkinsel, die nur an der

55

Nordseite, wo die Dhaus anzulegen pflegen, offenen, sandigen Strand hat. Hier liegt auch das gleichnamige Dorf von ca. 50 Hütten mit Dächern meist aus Dumpalmenblättern, die vom Festland herübergeholt werden. Gutes Trinkwasser findet sich in einem Felsenbrunnen außerhalb des Ortes. Im Nordwesten der Insel liegt im dichten Busch versteckt eine schirazische R u i n e, der Überrest eines massiven Wohngebäudes mit Bruchsteinmauern, behauenen Türen und hübschen Nischen im sarazenischen Stile. Unweit davon sieht man zwei Gräber mit Mauereinfassung. Die Bewohner Komas sind ein Gemisch von Küstenleuten, Einwanderern von Mafia und Sklaven; sie sind meist Seeleute und Fischer. Auf der Insel wird Sorghum (Hirse), Mais, Sesam usw. gezogen. Die Kokospalmen geben nur schlechte Nüsse.

Das Riff, auf dem Koma liegt, reicht von der Nordseite der Insel zwei Seemeilen nordostwärts und trägt auf seinem Außenende einige kleine mit Buschvegetation bedeckte Inselchen, P e m b e - j u u; den äußersten Fels, Kijibwe mtu, spricht die Sage als versteinerte Frau an.[1]

Die nun folgende Küstenstrecke, etwa von 7^0 45' S. Br. bis 8^0 20' S. Br., steht unter dem Einfluß der Mündungsarme des R u f i j i - F l u s s e s, die sich um etwa 20 km aus der übrigen Küstenlinie in die See vorschieben und so den Mafia - Kanal gegenüber der Westspitze der Insel auf 17 km Breite einengen. Vom Dorfe K i k u n g u n i, auf der Nordwestseite der nördlichsten, der K i k u n g a - Mündung, erstreckt sich die Delta-Küste 21 km südostwärts bis zum R a s T w a n a, das den östlichsten, am weitesten vorgeschobenen Punkt des Deltas darstellt; dann biegt sie scharf nach Süden und Südsüdwesten um und verläuft in diesen Richtungen in einer Länge von 66 km bis zum R a s N d u m b o, auf der Südseite der M o h o r o - B a i, des südlichsten Mündungstrichters des Deltas. Auf dieser 87 km langen Küstenstrecke münden 10 große Flußarme, von denen acht stets mit dem R u f i j i in Verbindung stehen, während die zwei übrigen heute tote Salzwasserkrieks darstellen. Die Mündungsarme sind untereinander durch zahlreiche kleinere Wasserarme in ziemlich ausgiebiger Weise mit einander verbunden. Sie dienen bei Hochwasser zur Verbindung der einzelnen Ortschaften miteinander durch Boote, die auf diese Weise die Mündungsbarren vermeiden können. Zum Einfahren in den Rufiji sind die beiden nördlichsten Mündungsarme, die K i k u n y a - und die S s i m b a - U r a n g a - Mündung, die geeignetsten, da sie keine Barren haben.

---

[1] Handbuch der Ostküste Afrikas, 3. Auflage, 1912. S. 300 – 303. B a u m a n n, O.: Die Insel Mafia. Leipzig 1896. S. 32 – 37. – B a u m a n n, O.: Der Chukwati-See. Petermanns Mitteilungen. 1896. Heft 6.

56

Krankenhaus in Daressalam.
Nach einer von Geh. Rat Hans Meyer überlassenen Photographie.

Küste bei Simba-Uranga (mit dem früheren Zollamt), Außenküste des Rufiji-Deltas.
Nach Photographie von C. Vincenti-Daressalam.

Tafel 28

Die wichtigsten Mündungen des Rufiji sind von Nord nach Süd die folgenden: Kikunya-Mündung, die nördlichste und größte, ist in der Einfahrt 2½ Seemeilen breit; sie ist bis etwa 11 Seemeilen aufwärts, d. i. 2 Seemeilen oberhalb des Dorfes Kikunya, tief genug und leicht zu befahren; eine Seemeile unterhalb des genannten Dorfes ist eine Ladestelle für Dhaus. Der Arm steht nicht unmittelbar mit dem Rufiji, sondern nur indirekt durch den folgenden, den Ssimba-Uranga-Arm, in Verbindung. Dieser ist der von den Küstenfahrzeugen, die Mangroweholz für Sansibar etc. laden, am meisten besuchte, und es befand sich früher eine Zollstation an seiner Mündung, an dem von Casuarinen bewachsenen Außenstrande (Taf. 28, unten). Oberhalb der Mündung bleibt der Ssimba-Uranga-Arm 270–360 m breit und hat bis zu seiner Vereinigung mit dem nächstfolgenden Kiombeni, 10 Seemeilen südwestlich der Mündung, 0,5 bis 2 m Wassertiefe. Auf der Nordwestseite steht er durch ein kompliziertes Netz von Wasserrinnen mit dem Kikunya in Verbindung. Gleich innerhalb der Mündung zweigt sich nach Südost von dem Ssimba-Uranga-Arm der Ssuninga ab, der sich 8,5 Seemeilen weiter südwestlich wieder mit ersterem vereinigt. An der äußeren Vereinigung beider Arme liegt das Dorf Ssuninga. Wichtiger ist das weiter oberhalb gelegene Ssalale (10 km von der Küste), bis wohin größere Dampfer gelangen können und wo sich jetzt das Zollamt (III. Klasse) befindet; auch eine Postanstalt ist hier vorhanden sowie eine Forststation, die 1898 errichtet wurde und neben den Stationen von Mssalla und Yaya den Ausgangspunkt für einen geregelten Forstbetrieb in den wertvollen und seit den ältesten Zeiten ausgebeuteten Mangrowebeständen des Deltas, den bedeutendsten der deutsch-ostafrikanischen Küste, bildete. Bis Ssalale fahren die kleinen Küstendampfer der Gouvernementsflottille; hier werden sie für die Fahrt stromaufwärts von dem Heckraddampfer »Tarmondo« abgelöst. Der Schiffsverkehr in Ssalale betrug im Jahre 1913 56 Dampfer mit zusammen 53975 Reg.-Tonnen, der Güterverkehr 1522 Tonnen (Einfuhr 138, Ausfuhr 1184 Tonnen).

Beträchtliche Größe hat auch die südöstlich folgende Kiomboni-Mündung; der Kiomboniarm hat auf einer Strecke von 12 Seemeilen vor seiner Vereinigung mit dem Ssimba-Uranga eine Breite von 360 und eine Tiefe von 0,9 bis 5,6 m. Die bisher genannten Mündungsarme führen nur salziges Wasser und sind bis zu ihrer Vereinigung auf der Binnenseite des Deltas durchweg von Mangrowewald begleitet, wie er höher und üppiger sonst an unserer Küste wohl nicht zu finden ist. Zwei Seemeilen östlich der Kiomboni-Mündung springt das Ras Twana, wie gesagt, der östlichste Punkt des Deltas, aus Mangrowen gebildet, in die See vor. Gleich westlich davon ist der größere Nordausgang des Twana-

57

Armes, der an dem Ort Twana vorüber südwärts zu der nun folgenden Mssala-Mündung führt. Diese teilt sich aufwärts alsbald in den größeren, nördlichen Bumba-Arm und den südlichen Mssalla- oder Nkwarani-Fluß. Hier liegt nicht weit von der Mündung das Dorf Msalla mit Forsthaus und Holzausbeutungsanlage der »Deutsch-Kolonialen Gerb- und Farbstoffgesellschaft«, deren Schlepper Leichter und Dhaus zwischen Ssalale und Mssalla schleppt. Die Msalla-Mündung bildet eine direktere Verbindung der offenen See mit dem Rufiji als die nördlicheren Arme, und der Msalla-Arm führt fast gerade auf den eigentlichen Rufiji zu. Die Mangrowen reichen hier nur 5 Seemeilen von der Mündung landeinwärts, und 7 Seemeilen weiter flußaufwärts wird das Fahrwasser von dichtem Wald gesäumt, in dem Reisfelder angelegt sind; an der Vereinigung mit dem eigentlichen Rufiji beginnt Grasland. Die Msalla-Arme sind erheblich schmaler als die nördlichen, ihre Mündung ist von ausgedehnten Schlick- und Sandbänken umgeben, die 3 Seemeilen weit vom Lande trocken fallen, bei frischem Winde eine beträchtliche Dünung zeigen und bei Springniedrigwasser das Einlaufen von Fahrzeugen unmöglich machen.

Die Kiassi-Mündung vereinigt sich 5 Seemeilen südwestlich von der Einfahrt mit dem 2¹/2 Seemeilen langen Ndahi und bildet landeinwärts den ca. 17 Seemeilen langen Usimbe, der sich bei dem gleichnamigen Dorf wiederum vom Rufiji abzweigt. In der Trockenzeit sind diese Rinnen höchstens bei Springtide mit kleinen Dampfbooten befahrbar. Von der Ndahi-Mündung, die durch den in sie eindringenden Seegang unbrauchbar wird, führt ein schmaler Arm, der Uginga, zur Ngedu-Mündung. Diese und die Yaya-Mündung bilden die beiden Zweigarme des Kipale (Rufiji ya Wake), der bei Muaki den Rufiji verläßt. Drei Seemeilen innerhalb der Einfahrt in die sehr breite Yaya-Mündung, auf deren Nordseite das Dorf Yaya liegt, zweigt der stark mäandrisch gewundene Maringo-Arm ab, der die Verbindung mit dem Mohoro-Flusse darstellt. Dieser steht durch mehrere breite Mündungsarme wieder mit der Mohoro-Bucht und der See in Zusammenhang. Zur Trockenzeit können durch die Yaya-Mündung infolge der Seichtheit ihres oberen Teiles Boote nicht in den Rufiji heraufgelangen.

Der Mohoro-Fluß (Taf. 31, unten) hat zwar noch 14 Seemeilen (in grader Richtung) von der Küste eine Breite von 70 m, ist jedoch so seicht, daß Boote nicht weiter hinauffahren können. Hier liegen zahlreiche Dörfer und Anpflanzungen auf den hohen Ufern des Flusses; der Einfluß der Gezeiten macht sich noch bis zu diesen Siedelungen und weiter hinauf bemerkbar, und Küstenfahrzeuge beleben zu Handelszwecken den Fluß.

58

Siebzehn Seemeilen (= über 20 km) von dem aus Mangrowen gebildeten Ras Pombwe an der Utagite-Mündung flußaufwärts liegt
der Hauptplatz des Deltas, Mohoro. Es war Sitz des Bezirksamtes,
bis dasselbe 1912 nach Utete, oberhalb des Deltas, verlegt wurde. Hier befindet sich das Forstamt Rufiji und ein Zollposten; Post und Telegraph sind
am Ort. Die Lage des kleinen Platzes, an dem etwa ein Dutzend Europäer
weilen, ist recht ungünstig. Der Utagite und Lokotonasi, die beiden
Mündungstrichter des Mohoro-Armes, sind von breiten Sandbarren eingefaßt, und der Grund der von dichtem Mangrowegürtel gesäumten
Mohoro-Bucht fällt bis 2^1/2 Seemeilen von seinem Innern bei Niedrigwasser trocken.[1] Infolge dieser Verhältnisse können die Küstendampfer
nicht in den Mohoro-Arm hineinfahren. Die Waren müssen in die kleinen
Zollkutter umgeladen werden, die bis Pandende (Kituruka) aufwärts
fahren. Nur flachgehende Dhaus können auch bei niedrigem Wasserstand
über die zahlreichen Sandbänke des Flusses bis nach Mohoro hinaufgehen.
Immerhin liegt Mohoro oberhalb des äußeren, sehr ungesunden Mangrowewaldes des Deltas und an der Grenze des wirtschaftlich wertvollen
ausgedehnten Alluvialtieflandes, das in beträchtlicher Breite den Rufiji
aufwärts begleitet. Bei Mohoro finden sich Baumwollpflanzungen der
Deutschen Rufiji-Baumwollgesellschaft und der Doa-Plantagengesellschaft.
Die Deutsch-Ostafrikanische Gesellschaft unterhält eine Baumwollentkernungsanlage daselbst.

Etwa 60 km landeinwärts und oberhalb von Mohoro liegt auf der vom
Rufiji und seinem Zweigarme Samani-Rufiji gebildeten großen Insel
die Baumwollschule und Versuchspflanzung Panganya als Mittelpunkt
der Baumwoll- und anderer Pflanzungen des Rufiji-Unterlaufes, von denen
die Auguste-Viktoria-Pflanzung der Deutschen Rufiji-Baumwollgesellschaft,
die Pflanzungen der Doa-Plantagengesellschaft und die Plantage Schuberthof, wo sich auch eine Entkörnungsanlage befindet, genannt seien; die
Plantage der Rufiji-Pflanzungs-Gesellschaft liegt noch eine gute Strecke
oberhalb Panganya bei Jamingwiri.

Das Alluvialland am unteren Rufiji, oberhalb der Mangrowenzone des
Deltas, das in einer Breite von 8 – 10 km den Flußlauf noch weit hinauf
begleitet und aus feinem, sandig-tonigen Boden besteht, wurde schon
lange seiner Kulturfähigkeit wegen von arabischen Großgrundbesitzern
geschätzt, die vor allem Zuckerrohr am Mohoro-Flusse pflanzten, ver-
arbeiteten und nach Sansibar exportierten. Die Eingeborenenkulturen
durchsetzen vielfach recht dicht die Strauch- und Grasfluren der Fluß-

---

[1] Handbuch der Ostküste Afrikas. 3. Auflage. 1912. S. 314 – 318 (Das Rufiji-Delta). – Prüssing:
Über das Rufiji-Delta. Mitteil. aus den Deutschen Schutzgebieten. Bd. 14, 1901. S. 106 – 113.

59

ebene; die Warufiji bauen hier Mais, Reis, Hirse, Maniok, Bohnenstrauch, Vignabohne (Kunde), Sesam, Zucker, Bananen, Kokos, Mangos,
Papaya (Melonenbaum) etc.; namentlich sieht man ausgedehnte Mais-
felder, und Mais wie Reis, dessen Pflanzungen an den flachen und niedrigen Flußufern im Delta bis an die Mangrowezone heranreichen, werden
von den Indern aufgekauft und in großen Mengen nach anderen Küstenplätzen oder Sansibar abgeführt. Nach den kriegerischen Ereignissen in
den Jahren 1905/06 hat sich mit der fortschreitenden ruhigen Entwicklung
des Rufiji-Bezirkes wieder eine lebhaftere landwirtschaftliche Tätigkeit
der Bevölkerung bemerkbar gemacht.[1]

Neben Zuckerrohr und Reis ist es vor allem die B a u m w o l l e , zu deren
Kultur im Klein- und Großbetriebe ebenfalls das ausgedehnte Alluvialland
am unteren Rufiji ganz besonders geeignet erschien. Durch die große
Rührigkeit und Opferwilligkeit des Kolonialwirtschaftlichen Komitees hat
der Baumwollbau daselbst denn auch einen solchen Umfang angenommen,
daß das Gebiet in dieser Beziehung allen anderen an der ganzen deutsch-
ostafrikanischen Küste voranstehen dürfte. Das Komitee selbst begründete
die später vom Gouvernement übernommene Baumwollschule Panganya,
die namentlich auf die Verbreitung der Baumwollkultur bei den Eingeborenen günstig eingewirkt hat und alle möglichen auf die Gesamtförde-
rung des Baumwollbaues in der Kolonie hinzielende Versuche anstellt,
Baumwollwanderlehrer ausbildet usw. Auch am Rufiji leiden die Baum-
wollpflanzen unter allerlei Krankheiten; doch sind die Folgen davon hier
bisher nicht in so überwältigendem Maße hervorgetreten wie in den nördlicheren Küstenbezirken; auch nach dem letzten amtlichen Bericht ist der
Ernteausfall hier ein guter gewesen. Der ungünstigen Einwirkung von
Dürreperioden auf den Baumwollbau kann in der Rufiji-Ebene durch
künstliche Bewässerung abgeholfen werden.[2]

Wichtig für die wirtschaftliche Entwickelung des Deltagebietes sind die
ungeheuren Mangrowewälder (Taf. 29, oben) der äußeren Brackwasser-
zone gewesen, die ein Gesamtgebiet von ca. 15 700 Hektar umfassen und
seit undenklichen Zeiten bekannt und ausgenutzt worden sind.[3] Arabische
Segler von Bombay, dem Persischen Golf, Südarabien und dem Somaliland kamen zum Rufiji, um dort ihren Bedarf an Bau- und Feuerholz aus

---

[1] »Pflanzer« VIII, 1912. Beiheft Nr. 1. S. 5.

[2] Berichte des Kolonialwirtschaftl. Komitees. 1909; Nr. 11. Verhandlungen der Baumwollbaukommission des Kolonialwirtschaftl. Komitees E. V., wirtschaftl. Ausschuß der Deutschen
Kolonialgesellschaft vom 25. April 1912. Beiheft zum Tropenpflanzer. Jahrgang XVI, Nr. 6,
Juni 1912. – B. Wunder: Erster Jahresbericht der Baumwollstation Mpanganya. Vom
1. IV. 1911 bis 31. III. 1912. Der Pflanzer VIII, 1912. S. 557.

[3] Stuhlmann: Kulturgeschichte Ostafrikas. S. 568 und 569.

60

den Mangrowewaldungen zu schlagen. Schon im ersten Jahrhundert unserer Zeitrechnung lag in dieser Gegend der Handelsort Rapta, und zwischen der Twana- und Kiomboni-Mündung hat man in den neunziger Jahren des vorigen Jahrhunderts mitten im Mangrowewald eine Steinsäule mit einer altchinesischen Schale gefunden, die wohl aus der Schirazizeit zwischen 1000 und 1400 stammen dürfte. Man scheint früher das Holz fast nur vom Rufiji geholt zu haben; der Sultan von Sansibar besaß noch zur Zeit der Gründung der Deutschen Kolonie das Vorrecht einer kostenlosen Feuerholzbeschaffung aus dem Deltagebiet. Im Jahre 1898 wurde vom Gouvernement eine Forstverwaltung im Rufiji-Delta eingerichtet, die jährlich 8 – 10000 fm Holz verkaufte.[1] Im Jahre 1910/11 wurden im fiskalischen Forstbetrieb des Rufiji-Deltas im ganzen 5376 fm Holz geschlagen und zwar:

$$\text{Stammholz 685 St.} \quad 118{,}95 \text{ fm}$$
$$\text{Sonstiges Nutzholz} \quad 1122{,}62 \text{ ,,}$$
$$\text{Brennholz} \quad 4134{,}32 \text{ ,,}$$

Die Nutzung erfolgte wie bisher fast allein in den Mangrowebeständen des Forstreviers Salale und zwar in plenterartigem Betrieb. Der Erlös betrug hier 43673,79$^{1/2}$ Rp., wovon 20746,70 auf staatliche Anstalten und der Rest auf Private mit 22937,09 Rp. entfallen. Dazu kommen 1414,20 fm im Werte von 11251,80 Rp., die unentgeltlich an Eingeborene abgegeben wurden. Die Forststation Salale fertigte in demselben Berichtsjahre 51 Dhaus mit Holzladung ab. Die Gesamtjahreseinnahme des Forstbezirks Rufiji betrug 49391,53$^{1/2}$ Rupie, d. i. eine Steigerung von ca. 5000 Rp. gegen das vorhergehende Jahr. Das Jahr 1910/11 schloß mit einem Überschuß von 25614,34$^{1/2}$ Rp. Leiter der Forstverwaltung des Rufiji-Deltas ist der Kaiserl. Bezirksamtmann, dem an europäischem Personal in der Regel ein Forstassessor und ein bis zwei Förster zur Seite stehen.[2] Außer dem Holz besitzen die Mangrowebäume einen wertvollen Gerbstoff enthaltende Rinde, die im Rufiji-Delta vornehmlich von der schon genannten »Deutsch-Kolonialen Gerb- und Farbstoffgesellschaft m. b. H.« gewonnen und exportiert wird; 1910/11 führte die Gesellschaft 916,62 to Rinde neben 1191,81 fm Holz aus ihrem Pachtgebiet im Bezirk Msalla aus.[3]

Am Einfluß des Mssangasi bei Kipo, etwa 100 km vom Außenrande des Deltas entfernt, verbreitert sich nach abwärts die fruchtbare Talsohle des Rufiji, und bald beginnen auch die Verzweigungen des Flusses, die

---

[1] Graß: Forststatistik für die Waldungen des Rufijideltas etc. Berichte über Land- und Forstwirtschaft in Deutsch-Ostafrika. 1904 – 1906. Bd. II, Heft 3, S. 165 – 194.
[2] »Pflanzer«, Jahrgang VIII, 1912. Beiheft Nr. 1.
[3] »Pflanzer« a. a. O.

61

durch Inselbildung den Eingeborenen Sicherheit gegen die Einfälle feindlicher Stämme gewähren. Die Siedelungen sind daher in großer Zahl an den Wasserarmen und zwischen denselben anzutreffen; sie heben sich durch die bei den Hütten aufragenden herrlichen Laubkronen der Mangobäume, seltener auch durch schlanke Kokospalmen aus der Grasebene hervor. Rund 70 km von der Küste treten die Mbangala-Berge, die nördlichsten Ausläufer des Kichihochlandes dicht an den südlichen Arm des Flusses heran; und hier entspringt bei Nakubila eine heiße Quelle, der auf der Nordseite des Rufijitales Schwefelthermen von 72^0 bei Nyongoni am Südfuß der dortigen Höhen entsprechen, so daß man hier an eine das untere Rufijital in seiner Begrenzung bestimmende tektonische Störung denken möchte. Wenig unterhalb der Nakubila-Quellen befindet sich bei Kipei, wo der Fluß auf ca. 100 m eingeengt ist, eine vielbenutzte Übergangsstelle über den Rufiji.

In der Gemarkung Ndundu, etwa 47 km von der Küste entfernt, beginnt das eigentliche Delta des Rufiji, indem hier die ersten sich abzweigenden Flußarme nach Südost und Nordost ausstrahlen, und zwar führen auf der rechten Talseite verschiedene nicht besonders breite Wasserrinnen zum Mohoro-Arme, diesem wohl nur noch in der Regenzeit Rufijiwasser zuführend, während zur Linken eine allerdings heute nicht mehr in unmittelbarer Verbindung mit dem Hauptstrome stehende Rinne zum Mbumi geht, der weiterhin mit den nördlichsten, großen Mündungsarmen des Deltas, vom Kikunya bis zum Kiomboni, sich vereinigt. Ein wichtiger Knotenpunkt ist weiter abwärts Ruanda für die südlichen und Maye für die nördlichen Deltastrahlen. Zwischen beiden Orten liegt an der Abzweigung des Usimbe-Armes die frühere Bezirksnebenstelle und Sitz der Forstverwaltung des Deltas Usimbe mit gemischter Warufijibevölkerung und indischen Händlern. Zwischen Ndundu und Ruanda, ungefähr in der Mitte, kreuzt bei Mpembeno, in der Gemarkung Kilindi, die Hauptfähre für den Landweg zwischen Daressalam und Kilwa den Fluß und umgeht damit alle breiteren Deltaarme; auch der Küstentelegraph führt hier herüber.

Die Einwirkung von Ebbe und Flut reicht bis wenig oberhalb Ruanda. In den nördlichsten, tiefen und breiten Deltaarmen dringt die Mangrowe-Vegetation bedeutend weiter landeinwärts als in den übrigen. Während daher in dem größeren südlichen Deltaanteil die Mangrowenzone nur etwa 5 bis 15 km Breite besitzt, vergrößert sich letztere im nördlichsten Deltaviertel auf 22 und mehr km. In der Mangrowezone sind nun aber keineswegs die Waldungen über das ganze Deltagebiet ausgedehnt, sie säumen vielmehr nur in einem im Mittel ca. 300 m breiten Gürtel die durch die unzähligen Wasserrinnen gebildeten, im Innern er-

62

höhten Inseln und Inselchen, welche selbst die Dörfer der Eingeborenen mit Kokospalmen, Mangobäumen, Maniokfeldern etc. und dazwischen eingestreut Sträucher und Kräuter der natürlichen Vegetationsformationen tragen. Die Mangrowe-Vegetation geht landeinwärts über in Bestände des riesigen Brackwasserfarns Chrysodium aureum, abwechselnd mit Ukindupalmen (Phoenix reclinata) und anderen Bäumen, zumal Barringtonia; dann folgen Grasflächen mit Binsen, Busch, Schilfbestände und hochstämmiger Alluvialwald (Taf. 16, oben). Schließlich wird die Hochgrasflur mit nur stellenweise zu dichten Gesträuppen zusammenschließenden Sträuchern und charakteristischen, säulenstämmigen Borassuspalmen vorherrschend und bedeckt als sogenannte Grassteppe weithin die Alluvialfläche. Diese Formation grenzt am Rande des Tales unvermittelt an die Busch- und Baumsteppe — mit Kandelaber-Euphorbien und verzweigten Dumpalmen — des das Delta auf der Innenseite umschließenden sandigen Terrassenlandes, das seinerseits wieder als relativ schmaler Saum an das Hügel- und Bergland des Hinterlandes grenzt.

Auf den Altwässern und Seitenarmen des Rufiji und seiner Teilflüsse im Delta wuchert eine dichte Sumpfvegetation schwimmender Pistia, deren losgerissene Pflanzen in ungeheurer Menge den Strom herabtreiben und so zur Verbreitung dieses stark wuchernden Wassergewächses beitragen.

Die Deltawälder und -Fluren des Rufiji beherbergen eine reiche Tierwelt. Die herrlichen schwarzweißen, gemähnten Stummelaffen (Colobus palliatus), Busch- und Riedböcke, Wildschweine u. a. beleben den Wald oder dichten Buschwald; aus den Baumpflanzungen der vielfach hinter dem Mangrowegürtel der Deltainseln versteckten Siedelungen ertönt der Ruf des Komba-Nachtaffen. Im Flusse und auf den Sandbänken tummeln oder sonnen sich die ungeschlachten Flußpferde, die, früh morgens in den Reisfeldern grasend, ungeheuren Schaden anrichten; hier und da taucht der lüstern spähende Kopf eines Krokodils aus dem gelben Wasser auf, gegen welches Raubtier die Eingeborenen am Ufer Geisterhäuschen errichtet haben; auch Reiher und andere Sumpfvögel beleben die Flußlandschaft. Die Menge der Moskiten, die in den Mangrowebeständen und nachts über dem Flußspiegel umherschwärmt, spottet jeder Beschreibung und macht das Delta zu einem der schlimmsten Malariagebiete der ganzen Küste. Paviane, verschiedene Antilopenarten, Perlhühner, Nashornvögel u. a. sind charakteristisch für die das Deltagebiet umgrenzende »Küstensteppe«.[1]

[1] Ziegenhorn: Das Rufiji-Delta. Mitteilungen aus den Deutschen Schutzgebieten. 1896. S. 78–85. — Graß: Forststatistik für die Waldungen des Rufiji-Deltas..... Berichte für Land- und Forstwirtschaft in Deutsch-Ostafrika. 1904–1906. Band II, Heft 3, S. 165–194.

63

Die Bewohner des Rufiji-Deltas und der angrenzenden Alluvialfläche des Fluß-Unterlaufes nennen sich insgesamt W a r u f i j i. Gewöhnlich als eine Mischung aus Elementen verschiedener Küstenstämme: Wasaramo, Wandonde etc., aufgefaßt, schließen sie sich in Tracht, Sitten, Hausbau usw. den anderen mehr oder weniger suahilisierten Bewohnern des Küstenlandes an. Bemerkenswert ist das gelegentliche Vorkommen von Pfahlbauhütten auf feuchtem Grunde im Deltagebiet. Die Warufiji gehen auf der Nordseite des Tales auch auf die Terrassenstufe über, die im übrigen von W a n g i n d o bewohnt wird, die auf derselben auch südlich vom Rufijidelta wieder auftreten. Die größeren Ortschaften des Deltas und seiner Umgrenzung werden von W a s u a h i l i bewohnt, so z. B. das schon genannte S s a l a l e am S s u n i n g a - Arm und das nicht unbedeutende, an einem Zufluß bezw. Nebenarme des K i k u n y a auf der Nordwestseite des Deltas gelegene K i k a l e. An diesen und anderen Plätzen des Deltas sitzen auch I n d e r, die neben Swahilileuten den Handel mit Getreide und anderem in Händen haben.

Die Wasser des Rufiji werden heute, ausgenommen zur Zeit großer Hochfluten, vollständig durch die nördlichen Deltaarme ins Meer gebracht, und die Flußtrübe wird längs der Küste noch weit nach Norden fortgeführt.[1] Gewöhnlich tritt der Fluß im Mai, wenn er die von U h e h e und M a h e n g e herabkommenden Wassermengen nicht mehr bewältigen kann, über seine Ufer und setzt einen Monat lang den ganzen oberen Deltabezirk unter Wasser. Auf den durch diese alljährlichen Überschwemmungen abgelagerten Schlamm ist die große Fruchtbarkeit des Bodens vielerorts im Delta zurückzuführen. Durch die enorme Wasserführung zur Regenzeit unterliegen auch die Betten des Rufiji und seiner Deltaarme jedesmal erheblichen Veränderungen, und Form und Lage der zahlreichen Sandbänke in ihnen sind einem ständigen Wechsel unterworfen. Dies erschwert die Schiffahrt auf dem Flusse außerordentlich und macht sie im Deltagebiet beinahe stets zu einer sehr schwierigen. Der Wasserstand der Flußläufe ist zwischen der kleinen und großen Regenzeit, von November bis Januar, am niedrigsten und ca. 4 bis 5 m tiefer als in der großen Regenzeit, wo im Mai das Wasser hoch genug steht, um einen mittelgroßen Heckraddampfer überall leicht passieren zu lassen. Für den Verkehr jahraus jahrein kommen nur Heckraddampfer von höchstens 3/4 m Tiefgang in Betracht.

Aus allen diesen Gründen ist der Rufiji, wennzwar er der einzige, regelmäßig von einem Dampfer befahrene Fluß des Küstengebietes ist, als Wasserstraße doch von keiner großen Bedeutung. Es kommt hinzu, daß

---

[1] B o r n h a r d t, W.: Zur Oberflächengestaltung und Geologie Deutsch-Ostafrikas, S. 594 – 400.

64

Zollkreuzer im ·Rufiji-Delta; Mangrowen bei Hochwasser.
Nach Photographie.

Kulturgebiet auf Sansibar mit Kokos und Mango,
dazwischen Pflanzen der ursprünglichen natürlichen Formationen.
Nach Photographie.

Tafel 29

die befahrbare Strecke nur bis zu den Panganischnellen, in einer 160 km langen Talstrecke (ca. 240 km Stromlänge) möglich ist. Zur Verbindung des unteren Rufiji bezw. der Küste mit dem mittleren Ulanga zu einer nach den volkswirtschaftlich und klimatisch wertvollen Hochländern von Uhehe und Ungoni gehenden Verkehrsstraße würde eine Eisenbahnstrecke von ca. 100 km notwendig sein, die von den Panganifällen des Rufiji nach Ngahomas Dorf am Ulanga führen müßte. Die durch diese Unterbrechung entstehende Erschwerung des Verkehrs würde möglicherweise jedoch den praktischen Wert des ganzen Weges auf ein Minimum herabsetzen und zugleich die Bedeutung einer durchgehenden Eisenbahn erheblich wachsen lassen. Dies umsomehr, als der Schiffahrt durch die unzähligen Flußkrümmungen, durch die Veränderlichkeit des Flußbettes und der Höhe des Wasserstandes nicht nur, wie gesagt, fast stets erhebliche Schwierigkeiten bereitet werden, sondern dieselbe auch unter Umständen sehr große Störungen und Unterbrechungen erfahren kann. Schließlich ist ein schwer wiegender Umstand auch der, daß eine solche Wasserstraße, ehe sie die klimatisch bevorzugten und daher wohl für Europäer-Ansiedelung im größeren Maßstabe geeigneten Hochländer erreicht, durch die ungesundesten Striche Ostafrikas führt. Alles in allem wird man dem Wasserwege des Rufiji nur eine Bedeutung für den Lokalverkehr, zum Transport für die Plantagengüter seiner Niederung und des nächsten Umlandes, zusprechen wollen.[1] Der Gouvernementsheckraddampfer »Tormondo« besorgt mit mehreren von ihm geschleppten Leichtern heute den Personen- und Warentransport auf dem unteren Rufiji.

Nicht immer werden die Wassermassen des Rufiji auf ihrem Wege zum Meere die nördlichen Mündungsarme in dem Maße wie augenblicklich bevorzugt haben. Die ziemlich symmetrische Ausbildung des Gesamtdeltas ist im Gegenteil nur unter der Voraussetzung zu verstehen, daß zu anderen Zeiten im Verlaufe der Bildung des Deltas auch den übrigen, heute zum Teil verkümmernden Flußarmen eine bedeutendere Rolle zugekommen ist. Ganz andere Abflußverhältnisse muß der Rufiji in viel früherer Zeit zum Meere gehabt haben, als der Meeresspiegel – während der Bildung der zahlreichen, heute als »Krieks« vom Meere überfluteten kleinen Talsysteme des ostafrikanischen Küstenlandes – weiter draußen und tiefer lag. Der submarine Steilabfall läßt zwischen Ras Mwambamku und der Nordspitze Mafias, sowie zwischen dem Südosten dieser Insel und Kilwa-Kivindye, besonders aber auf letzterer Strecke, eine Reihe von Einkerbungen erkennen, die recht gut

---

[1] Meyer, H.: Das Deutsche Kolonialreich. 1. Band. S. 108 – 109, 149 – 152.

5   Werth, Deutsch-Ostafrika. Band II.

65

bei einem um 40 bis 60 m tieferen Meeresspiegel[1] Flußmündungen dargestellt haben können. Besonders weit greift die 50 m-Tiefenlinie südlich der Insel S s o n g o - S s o n g o in der Richtung auf den heutigen Mohoro-Fluß in den Kontinentalschelf hinein. Aber auch im Norden ist durch die gleiche Tiefenlinie in der Fortsetzung der Ssimba-Uranga-Mündung eine Rinne angedeutet. Wir dürfen wohl annehmen, daß zu jener Zeit die Mündung des Rufiji im Verlaufe der Meeresspiegelschwankung seinen Kurs einige Male geändert hat und dadurch nicht wenig zur Ausbildung der seichten Furche beigetragen hat, die heute den M a f i a - Kanal bildet. Über diesen soll weiter unten bei der Behandlung der Insel Mafia noch die Rede sein. Jetzt mag zunächst die Festlandsküste auf der Strecke zwischen der südlichsten Mündung des Rufiji und der D y e n g e r a - Mündung des M a t a n d u nördlich von K i l w a betrachtet werden.

Südlich des Rufiji-Deltas erheben sich aus einem ebenen bis flachwelligen Gelände, bis zu Höhen von über 500 und 600 m ansteigend, die M a t u m b i - B e r g e. Im Norden erstrecken sich dieselben in einzelnen Ausläufern, unter denen der 235 m erreichende, flachgipfelige, dichtbewaldete K i t o p e - B e r g westlich der Mohoro-Bucht bis auf 10 km an die Küste herantritt, bis nahe an das Deltagebiet, während das Bergland sich im Osten zu einem Hügelgelände erniedrigt, das sich wiederum ziemlich allmählich zu einem flachen Küstenvorlande absenkt. Das Matumbigebirge, das sich in nordwestlicher Richtung in den K i t s c h i - B e r g e n fortsetzt, besteht in den Haupterhebungen aus zwei ziemlich nordsüdlich gestreckten Rücken von je ca. 25 km Länge. Die kammförmigen, stark zerfurchten Erhebungen, die sich durch ihre Formen von den übrigen Berg- und Hügelländern des unmittelbaren Küstenhinterlandes Deutsch-Ostafrikas auffallend unterscheiden, verdanken diese Gestaltung den festen, wenig durchlässigen Gesteinsschichten: meist kalkigen Sandsteinen nebst Schiefertonen, oolithischen Kalken etc. des oberen Jura, aus denen sie fast durchweg aufgebaut sind. Im Osten legt sich in Höhen zwischen 250 und 100 m ü. M. auf die jurassischen Kalksandsteine und Schiefertone stellenweise eine Decke von rötlichen bis graubraunen lehmigen Sanden und sandigen Lehmen der »Mikindanischichten«, vor die an der Küste in einer Breite von etwa 10 – 15 km sich ein in mehrere ebene Terrassen abgestuftes, unter 100 m hohes Vorland ausbreitet. An der Basis der Mikindanischichten wie der Terrassendecken treten streckenweise Tone und Mergel hervor, die vielleicht der Kreideformation angehören.

Die in den jurassischen Gesteinsschichten der Matumbiberge reichlich vorkommenden Schiefertone geben einen recht fruchtbaren Boden. Zu-

[1] Vergl. Bornhardt a. a. O. S. 203, 587 u. a.

66

sammen mit der den feuchten Seewinden zugekehrten Lage des Gebirges erzeugt dies eine üppige Vegetation. Diese besteht an den nicht im Anbau befindlichen Stellen aus einem mehr oder weniger hohen Busch oder Buschwald. Unter den Kulturgewächsen spielt der Tabak eine besondere Rolle; er ist bei den Eingeborenen sehr geschätzt und wird weithin verhandelt. Das den Matumbibergen vorgelagerte Hügelland trägt einen lichten, häufig mit Bambusdickichten durchsetzten Laubwald, und das der Küste entlangziehende Terrassenland ist auf lehmig-sandigem Boden mit sehr lichtem Walde bezw. mit Busch- oder Baumsteppe bewachsen; auf tonigen Böden des Küstenlandes kommt jedoch nur ein dürftiges, niedriges Buschwerk fort.

Das Hügelland und die Terrassenstufen sind im allgemeinen gut besiedelt. Auf dem sandigen Boden der letzteren gedeiht die Kokospalme sehr gut, und sie findet sich bei allen Dörfern, wie ebenso auch Mangobäume.[1] Neben den Eingeborenenkulturen trägt der Küstenstrich bei S s a m a n g a jetzt auch Baumwollpflanzungen europäischer Unternehmer (Deutsches Kolonial-Handbuch 1912).

Die Küste selbst zieht sich, im einzelnen ziemlich unregelmäßig verlaufend und zahlreiche Einbuchtungen und Vorsprünge bildend, vom R a s N d u m b o, auf der Südseite der Mohoro-Bucht, südsüdostwärts bis zur Mündung des D y e n g e r a - M a t a n d u, nordwestlich von K i l w a - K i v i n d y e. Diese ganze Küstenstrecke ist von einem breiten Streifen seichten Grundes aus Sand und Schlick eingefaßt, und ein Saumriff ist nicht vorhanden. Gleich südlich von dem aus Mangrowen gebildeten Ndumbo-Kap liegt das schon genannte größte Dorf dieses Küstenstriches S s a m a n g a z. T. auf einer durch einen Mangrowearm abgetrennten Insel. Im Beginn des letzten Aufstandes im Süden Deutsch-Ostafrikas wurde der Ort im Juli 1905 niedergebrannt, die Aufständischen plünderten die Inderläden, und ein weißer Ansiedler wurde getötet.[2] Vier Kilometer südlich von Ssamanga ist auf dem Südufer der zu einem Kriek erweiterten Mündung des K i p u a l a das Dorf S s a m a n g a - F u n g u gelegen, wenig einwärts der vorspringenden, von hohen Mangrowen bewachsenen Landzunge des Ras Ssamanga-Fungu auf der Südseite des Krieks.

Wie der Kipuala, so führen auch die anderen von den Matumbibergen und seinen Vorhügeln nach der See herabfließenden Bäche stets Wasser, und ihre Mündungen sind zumeist zu kleinen Krieks erweitert: so auch beim K i p e r e r e nördlich, und dem M t o M p i a n i südlich vom R a s W a n g o, das nach Osten sich in ein submarines Riff, Fungu Wango, ver-

---

[1] B o r n h a r d t : Deutsch-Ostafrika. S. 369 – 375.
[2] H. F o n c k : Deutsch-Ostafrika. S. 40.

5*

längert. Sieben km westnordwestlich von diesem Kap liegt die Ortschaft Mtingi mit der Baumwollplantage der »Baumwollpflanzungs-Gesellschaft Kilwa«. Südlich von der Mpiani-Mündung beginnt beim Dorfe Mpiani Sandstrand, während bis dahin die Küste mit Mangrowen eingefaßt ist, hinter denen die Dörfer meist versteckt liegen, und von sumpfigem Gelände begleitet wird. Bei Springflut dringt die See in das vielfach sehr niedrige Land ein und überschwemmt es weithin.

Der Matandu, der die Grenze zwischen der Mittel- und der Südküste Deutsch-Ostafrikas bilden mag, hat ebenfalls eine wohl unter Mithilfe des beim Gezeitenwechsel ein- und ausströmenden Seewassers entstandene, erweiterte Mündung, die von der Küstenbevölkerung Dyengera genannt wird. Diese ist durch eine bei Springniedrigwasser trocken fallende Bank gesperrt, der von Flußpferden belebte Fluß aber bis 9 Seemeilen oberhalb derselben befahrbar.[1]

Die eben besprochene Küstenstrecke zwischen Kilwa und dem Rufiji-Delta besitzt keinerlei besseren Hafen, und die Schiffahrt an derselben ist überdies durch die zahlreichen vorgelagerten Riffe sehr erschwert, die nur bei günstiger Sonnenbeleuchtung und nicht zu hohem Wasserstande gut zu erkennen sind. Der Schwarm dieser Flachseeriffe, die zum Teil von Inseln gekrönt sind, beginnt schon am südlichen Teil des Rufiji-Deltas und erstreckt sich seewärts bis an den submarinen Steilabfall, dem entlang die Riffe in der Verlängerung derjenigen auf der Ostseite Mafias eine fortlaufende Kette bilden. Das nördlichste Glied derselben trägt die kleine sandige, mit Casuarinen bestandene Okuza-Insel. Es folgt weiter südlich Nyuni, eine kleine Kalk- und Sandinsel mit Gebüsch und wenigen Bäumen. Das südlichste, 6 Seemeilen lange Riff der Außenkette trägt auf seinem nördlichen Teil die baumbewachsene felsige Insel Süd-Fandyowe mit Leuchtturm. 3½ Seemeilen nordwestlich hiervon ist die ansehnliche Insel Ssongo-Ssongo mit einigen kleineren auf einem gemeinsamen Riff gelegen. Sie wird als Songo schon in der älteren Geschichte Ostafrikas genannt, und eine ganz verfallene schirazische Moscheeruine befindet sich ungefähr in der Mitte der Südwestseite nahe am Strande der Insel. Ssongo-Ssongo besteht zum größten Teil aus buschbedecktem Korallenkalk, ist langgestreckt in südost-nordwestlicher Richtung und hat felsige Südwest- und sandige Nordostküste; der nördliche Teil der Insel ist sandig und trägt Buschvegetation mit Dumpalmen. Im Kalklande in der Mitte der Insel befindet sich als einzige Wasserstelle derselben ein natürlicher Felsenbrunnen.

Ssongo-Ssongo ist die einzige bewohnte, mit Kokospalmen bestandene

[1] Handbuch der Ostküste Afrikas. 1912. S. 321 – 322.

Insel zwischen Mafia und Kilwa. Das Hauptdorf M a w e n i liegt im
Korallenkalklande im Innern der Insel; weitere Siedelungen sind K i s u n i,
M a k o n d e n i und P e m b e n i auf der Südostseite am sandigen Strande
zwischen Casuarinen, Kokos und Papayabäumen. An der Nordwestspitze
ist die kleine Fischer-Ansiedelung F u n g u n i, mit Kokospalmen. Nicht
weit davon, bei Ebbe durch eine trocken fallende Sandbank mit der
Hauptinsel verbunden, liegt das kleine, mit Gestrüpp und Casuarinen bewachsene Sandinselchen P u m b a v u, während auf der Südostseite Ssongo-
Ssongos die K i r u a n i - F e l s e n sich erheben. Schließlich sei noch die
kleine mit Affenbrotbäumen bestandene Insel S s i m a y a genannt, im
nördlichsten Teil des Riffschwarmes, östlich vom Ras Pombwe (am südlichsten Teil des Rufiji-Deltas).[1] Die näher an Mafia gelegenen Inseln
und Inselchen sollen weiter unten zusammen mit der großen Hauptinsel behandelt werden.

IV. Die Südküste.

Allgemeines.

In der Gegend von K i l w a - K i w i n d y e erreicht der kontinentale Steilabfall wieder die Nähe der Festlandsküste, und es beginnt der dritte
und südlichste natürliche Küstenabschnitt unserer Kolonie, der in vieler
Beziehung dem nördlichsten, der Tanga-Küste, gleicht. Zwar fehlt der
Südküste ein fortlaufendes Außen-(Barrier-)Riff, doch finden sich kürzere
Strecken, die den Charakter eines solchen tragen: so gleich im Norden
die 23 km lange Reihe von Riffen und Untiefen, die vor der von Kilwa in
südöstlicher Richtung sich erstreckenden Halbinsel hinzieht und im Süden
hakenförmig mit dieser verbunden ist. Einer in Form und Ausdehnung
ganz ähnlichen Bildung begegnen wir dann weiterhin ganz im Süden, nördlich von der R o w u m a - Mündung, in den die M n a s i - B a i umfassenden
Riffen, Inseln sowie der Halbinsel von Msimbati. Dadurch aber, daß hier
die Riffe von Landmassen überragt werden, bildet die Mnasi-Bai mit ihrer
Umfassung den Übergang zu der Küstenkonfiguration in der Gegend des
Kilwa-Kissiwani-Hafens, die wiederum auffallend an die zwischen der
Boma-Halbinsel und der Insel Yambe gelegene Strecke der Tangaküste
erinnert. Die als ertrunkene Talstücke erkannten Hafenbuchten finden sich
entsprechend der fast dreimal so großen Längsausdehnung der Südküste
in noch größerer Zahl und schönerer Ausbildung als an der Tangaküste;
der M a w u d y i - K r i e k bei Kilwa-Kissiwani, der K i s w e r e - H a f e n,

---

[1] Handbuch der Ostküste Afrikas. 3. Auflage. 1912. S. 318–323. — B a u m a n n, O.: Die
Insel Mafia. S. 31 und 32.

69

die Lindi-Bucht, die Ssudi- und die Mikindani-Bai sind die bemerkenswertesten und wichtigsten von ihnen.

Der Meeresboden fällt vor der Südküste auf relativ geringe Entfernung
zu Tiefen zwischen zwei und drei Tausend Meter ab. Der Steilrand des
Kontinents tritt daher stellenweise außerordentlich dicht an den Strand
heran, so auf nur 2 km und weniger südlich von Kilwa-Kissiwani bis zum
Kiswere-Hafen, und greift selbst in einige Buchten, namentlich in die
Lindi- und in die Mikindani-Bucht, tief hinein.[1] Die ganze Südküste ist
(mit Ausnahme einer kurzen Strecke bei Kilwa-Kiwindye) daher auch
wieder, wie wir es immer bei der Nähe des submarinen Steilabfalls in
unserem Gebiete beobachten können, von einem fortlaufenden Saumriff
eingefaßt.

Die Küstenströmung an dieser Südstrecke verläuft nicht mehr allein
nördlich und parallel der Küste, wie weiter im Norden. Es machen
sich vielmehr hier schon andere Richtungen bemerkbar, die sich schließlich je nach dem herrschenden Monsun in der Nähe oder nördlich von
Kap Delgado an der Südgrenze unserer Kolonie in südwestliche
Richtung umkehren. Wir befinden uns hier eben schon an bezw. in der
Nähe der Teilung des von Osten her auf die Küste setzenden Armes des
Südäquatorialstromes in den nördlichen und südlichen Ast. Dementsprechend setzt auch in der Nähe des Landes der Flutstrom (bei Südwest-
monsun) von der Nähe der Ssudi-Bai aus einerseits nordwestlich bis
nördlich, andererseits aber nach Ostsüdosten der Küste entlang (siehe das
Kärtchen auf Seite 7 des 1. Bandes).

Charakteristisch für das unmittelbare Hinterland der deutsch-ostafrikanischen Küste südlich vom Matandu ist eine Zone von Plateauhöhen, die
auf 20 – 30 km an die Küste herantreten und vornehmlich aus den annähernd horizontal gelagerten, nach neueren Untersuchungen[2] der oberen
Abteilung der unteren Kreide angehörenden »Makondeschichten« aufgebaut werden. Sie steigen vom Norden nach Süden, von 250 m
über 400 und 500 bis zirka 800 m allmählich oder stufenförmig an
und setzen sich auch jenseits des Rowuma auf portugiesischem Gebiet
noch fort. Das Gesamt-Plateauland ist durch größere und kleinere
Flußtäler in einzelne Teilstücke zerlegt – das Kiturika-Plateau
beiderseits des Mawudyi, Mbalawala und Ngarama nördlich vom Mbemkuru, Likonde, Noto, Rondo usw. zwischen
Mbemkuru und Lukuledi, Makonde zwischen diesem und dem

---

[1] Siehe Profil Fig. 10 auf S. 44 des 1. Bandes und das dort im Text dazu Gesagte.
[2] Wissenschaftliche Ergebnisse der Tendaguru-Expedition. Archiv für Biontologie, Band 3,
Heft 1 – 3 (1914).

70

Rowuma und Mawia südlich des letzteren –, die die Reste einer offenbar früher zusammenhängenden großen Sedimentärdecke darstellen und am massigsten und ausgeprägtesten plateauförmig im Süden sind, während sie nach Norden allmählich eine immer stärkere Auflösung in Einzelerhebungen plateauartiger Form erfahren. Diese Randplateaus geben namentlich im Süden, wo sie auch am dichtesten an die Küste herantreten, mit ihrer geraden Oberflächenlinie dieser einen wirkungsvollen und eigenartigen Hintergrund.

Zwischen den Kreideplateaus und dem schmalen, niedrigen Terrassenland der Küste schaltet sich die sogenannte Vorplateaustufe ein, die, im allgemeinen in Höhen von ca. 150 bis 250 m, aus tertiären und quartären (Mikindani-) Schichten aufgebaut ist und dem mäßigeren Hügellande der nördlicheren Küstenstriche entspricht. Aber nirgends dort tritt dieses so dicht an die Küste heran und wird das Terrassenland daher auf einen so schmalen Saum reduziert, wie an der Südküste z. B. zwischen der Kiswere- und der Lindi-Bucht, wo die den heutigen Festlandssaum begleitende gehobene Strandterrasse nur rund 2 km Breite hat. Diese alten Strandterrassenflächen bestehen auch hier aus schwachlehmigen Sanden und Granden und dicht an der Küste häufig aus Korallenkalken rezenten bezw. subrezenten (jungdiluvialen) Alters. Vorplateaustufe wie Küstenterrasse ziehen sich in die breiten, die Kreideplateauzone durchbrechenden Talsenken als Talterrassen oder Ebenheiten, sich mehr oder weniger hoch über die heutigen, tiefer eingeschnittenen Talsohlen erhebend, weit hinein.[1]

Die größten der der südlichen Küstenlinie Deutsch-Ostafrikas zustrebenden Wasseradern durchbrechen die Plateaugebirgszone, kleinere entspringen dem Plateaulande selbst, indem sie die feuchtere Ostseite derselben entwässern; dazu kommen eine ganze Reihe kleiner Küstenbäche, die ihren Ursprung erst in den Erhebungen der Vorplateaustufe nehmen. Die das Plateaugebiet durchbrechenden Flüsse sind, obwohl keiner von ihnen schiffbar ist, doch insofern von großer wirtschaftlicher Bedeutung, als ihre Täler die Verbindung der Küstenplätze mit den Produktionsgebieten des Innern darstellen; gibt das Mündungsgebiet eines solchen Flusses dann noch als ertrunkenes Talstück einen guten Hafen ab, so wächst dadurch die Bedeutung des betreffenden Tales für den Handelsverkehr noch erheblich. Die bedeutendsten Flüsse der Südküste sind der Matandu als nördlicher, der Rowuma als südlicher Grenzfluß und dazwischen der Mbemkuru und der Lukuledi, die alle vier in bemerkenswertem Parallelismus senkrecht auf die Küstenlinie zu laufen. Der größte von

[1] Bornhardt, W.: Ostafrika. S. 443 ff.

71

ihnen, der Rowuma, hat denselben neutralen Charakter, wie der südliche Grenzfluß der Nordküste Deutsch-Ostafrikas, der Pangani, indem hier wie dort die Sedimentzufuhr des Flusses durch Auffüllung des Tales der Ertränkung des letzteren durch das ansteigende Meer erfolgreich entgegengearbeitet hat. Es ist beim Rowuma ebenso wie beim Pangani weder zu einer deutlichen »Kriekbildung« gekommen, wie bei den meisten kleineren Flüssen der Nord- und Südküste, noch zu einer erheblichen Deltabildung, wie bei den großen Flüssen der seichten Mittelküste.

Das Klima der Südküste Deutsch-Ostafrikas ist im klimatischen Kapitel als südlicher Klimatypus mit nur einer ausgesprochenen Regenzeit gekennzeichnet. Die Gesamtregenmenge im Jahre ist geringer als an der Mittel- und Nordküste. Dennoch scheinen für manche wichtige Kulturen, wie beispielsweise Baumwolle, die klimatischen Verhältnisse des Südens infolge günstigerer Verteilung der Niederschläge vorteilhafter zu sein als diejenigen mehr nördlich.

Die natürliche Vegetation der Südküste besteht auf dem reinen oder schwach lehmigen Sandboden der Küstenterrasse zumeist aus einer lichten Baumgrassteppe, während das Hügelland bezw. die Vorplateaustufe als die am weitesten verbreitete Vegetationsform einen lichten, ganz ansehnlichen Laubwald trägt.[1]

Die Bevölkerung des südlichen Küstengebietes setzt sich zusammen aus den mit verschiedenen Swahili-Elementen gemischten Uranwohnern der Küste, die zum Teil, wie die Wangarwe und Wamkambi, nur den Küstenstrich innehatten oder aber, wie Wamuera, Wammakonde u. a., eine weitere Verbreitung haben, und einer umfangreichen Zuwanderung aus mehreren Stämmen des Innern. Diese binnenländischen Zuzüge scheinen unter dem direkten oder indirekten Einflusse vom Süden und Südwesten her vordringender Suluvölker bis in die jüngste Zeit angedauert zu haben. Äußerlich sind alle Küstenleute mehr oder weniger swahilisiert, und in Tracht und Sitten, im Hausbau und anderem Kulturbesitz schließen sie sich der übrigen Küstenbevölkerung Deutsch-Ostafrikas an. Die Eingeborenen des südlichen Küstenstriches bauen Sorghum, Mais, Maniok, Erdnuß, Zuckerrohr, Sesam, Tabak, wenig Bananen, hier und da Bataten usw. Auf dem schwach lehmigen Sandboden der Küstenterrasse gedeiht die Kokospalme vorzüglich, während auf den tonigen Böden der küstennahen Tertiärschichten die Hauptgetreidepflanzen Sorghum und Mais stellenweise in hervorragender Qualität gezogen werden. Neben dem Ackerbau betreiben die Küstenleute Jagd und Fischerei, auch beuten sie

[1] Bornhardt: Ostafrika. S. 446.

72

Stadt Sansibar, Palastviertel vor dem Bombardement von 1896.
Nach Photographie.

Tafel 30

in der üblichen Weise durch Aufhängen ausgehöhlter Stammstücke den Honig der wilden Bienen aus.[1]

Die großen wirtschaftlichen Vorzüge, die das südliche Küstenland durch die Reihe guter Häfen, durch günstige Verbindungswege nach dem Innern u. a. aufweist, konnten demselben nicht zugute kommen, so lange das Hinterland durch die Sklavenzüge der Araber so schwer mitgenommen und gleichwie durch die Einfälle der zuluartigen Mafiti entvölkert und verödet wurde.[2] Die Wirkungen dieser Zustände machten sich aber ganz besonders im Küstengebiet bemerkbar, als mit der Einführung der deutschen Verwaltung geordnete Verhältnisse und eine strenge Kontrolle der Ausfuhr Platz zu greifen drohte. Daß an den altberüchtigten Sklaven-exportplätzen der Südküste damals die Erbitterung unter den Arabern keine geringe war, ist zu erklärlich, da diese einsehen mußten, daß mit der Herrschaft der Deutschen der für sie so gewinnbringende Handel mit Menschenware ein Ende haben würde. Während des großen Küstenauf-standes Ende der 1880er Jahre nahmen die Verhältnisse an der Südküste daher von Anfang an einen sehr ernsten Charakter an.

An demselben Tage, an dem die aufständische Bewegung an den nördlichen Küstenplätzen ihren Anfang nahm, kam es auch in dem süd-lichen Teil von Deutsch-Ostafrika zu Unruhen. Da die Araber sich hier allein wohl zum offenen Widerstand zu schwach fühlten, so scheint es nicht ausgeschlossen, daß sie den kriegerischen Stamm der Wajao, die häufiger Erpressungszüge nach der Küste zu unternehmen pflegten, ver-anlaßten, gegen die Europäer vorzugehen. Am 20. September 1888 erschienen die Wajao vor Mikindani und sammelten sich daselbst bis zum 23. zu Tausenden an. Die Vertreter der Deutsch-Ostafrikanischen Gesellschaft mußten unter dem Feuer der Wilden auf einer Dhau die Stadt verlassen. Sie fuhren nach Lindi, in der Absicht die dortigen Be-amten der Gesellschaft aufzunehmen, entgingen jedoch selbst kaum der Gefangennahme und gelangten später mit Hilfe eines englischen und eines deutschen Kriegsschiffes nach Sansibar.

In Lindi versuchten die Araber beim Erscheinen der Wajao einen Verrat gegen die Deutschen, indem sie zum Schein mit diesen gegen die Wilden ziehen und die Europäer dann niedermachen wollten. Letztere

---

[1] v. Eberstein: Über die Rechtsanschauungen der Küstenbewohner des Bezirkes Kilwa. Mitteil. aus den Deutschen Schutzgebieten. Bd. 9, 1896. S. 170–183. – H. F. v. Behr: Die Völker zwischen Rufiji und Rovuma. Mitteil. aus den Deutschen Schutzgebieten. Bd. 6. 1895. S. 69–87. – F. Stuhlmann: Bericht über das deutsch-portugiesische Grenzgebiet am Rovuma. Ebenda, Bd. 10. 1897. S. 182–188 (Bevölk. S. 186–188). – W. Bornhardt Deutsch-Ostafrika. S. 446 und 447.

[2] Stuhlmann: Zur Kulturgeschichte Ostafrikas, S. 867.

73

erfuhren jedoch von der Absicht der Araber, traten in Verhandlungen mit den Wajao, und gegen ein Lösegeld wurde der Friede versprochen. Der arabische Akida versuchte nun nochmals Verrat zu üben, jedoch gelang es den Beamten auf einem kleinen Boote zu entkommen; sie wurden von einer Dhau aufgenommen und nach Sansibar gebracht.

Schlimmer war der Ausgang in Kilwa. Am 23. September erschienen die Wajao zu mehreren Tausenden vor der Stadt und verlangten die Übergabe der im Hause der Gesellschaft eingeschlossenen Beamten Krieger und Hessel, welche ununterbrochen beschossen wurden und sich verzweifelt gegen die gewaltige Übermacht verteidigten. Das deutsche Kriegsschiff »Möwe« erschien auf der Reede, und die Beamten schienen gerettet. Infolge einer allzu wörtlich aufgefaßten Weisung ließ der interimistische Befehlshaber des Schiffes den in der Stadt bedrängten jedoch keine Hilfe bringen und fuhr am folgenden Tage wieder fort. Bei einem letzten Versuche Signale abzugeben und die Marine zur Hilfeleistung zu bewegen, wurde Krieger von den Rebellen erschossen. Diese stürmten jetzt in hellen Haufen gegen das Haus und nahmen dasselbe, während Hessel, dem nunmehr keinerlei Möglichkeit einer Rettung mehr gegeben war, um einem qualvollen Martertode zu entgehen, seine Kugel gegen sich selbst richtete.

Erst nachdem der Aufstand im Norden mit Buschiris Hinrichtung gänzlich gedämpft war, begab Wißmann sich mit seinen sämtlichen Dampfern nach dem Süden, um, unterstützt von der Marine, auch dort Ruhe und Ordnung wieder herzustellen und das Gebiet den Deutschen wiederzugewinnen. Kilwa war von den Aufständischen nach der See zu durch starke Befestigungen gedeckt und wurde vom 1. bis zum 4. Mai 1890 von den Kriegsschiffen »Schwalbe« und »Carola« heftig bombardiert. Infolge davon brach in der Nacht vom 3. zum 4. Mai in der Stadt eine große Feuersbrunst aus, und die Aufständischen hatten sich nach Plünderung der indischen Kaufläden schon zurückgezogen, als Wißmann am 4. mit 1200 Sudanesensoldaten vom Süden her vor der Stadt erschien. Nur beim Anmarsch der Schutztruppe hatten die Rebellen wiederholt versucht, dieselbe aufzuhalten, wurden aber immer gleich zurückgeworfen.

Am 10. Mai 1890 wurde der nächst Kilwa bedeutendste Platz des Sklavenhandels, Lindi, nach erfolgreicher Beschießung von den deutschen Schutztruppen im Sturm genommen und besetzt, und nachdem noch einige siegreiche Scharmützel in der Umgegend stattgefunden hatten, kamen alle Araberchefs, um ihre Unterwerfung anzuzeigen. Wenig später, am 14. Mai, wurde auch Mikindani und zwar ohne Kampf durch den

74

Reichskommissar besetzt. Auch Ssudi unterwarf sich freiwillig. Damit waren alle größeren Küstenplätze des Südens erobert.[1]

Während die nördlicheren Küstenplätze nach Niederwerfung des Araberaufstandes einer ruhigen Entwicklung und wirtschaftlichem Aufschwunge entgegengingen, wollte der Süden noch lange nicht zur Ruhe kommen. Im Jahre 1894 hatte der Sultan Hassan bin Omar, der im Hinterlande von Kilwa saß, mit seinem Anhange und im Verein mit der einverstandenen Küstenbevölkerung einen Überfall auf die Stadt Kilwa versucht. Er wurde zurückgeschlagen. Die Versuche, Hassan friedlich zur Unterwerfung zu bringen, gingen fehl. Es rückte daher gegen Ende 1895 eine große Truppenmacht von vier Kompagnien gegen Hassans Sitz in wildzerklüfteter, schwer zugänglicher Gebirgsgegend am Mawudjibache vor. Die Expedition hatte nur einige kleinere Gefechte zu bestehen; Hassan bin Omar zog sich zurück und wurde später in Luawa gefangen genommen. Die Truppen durchstreiften darnach das Land, um auf die Hauptanhänger Hassans zu fahnden und diese zur Bestrafung zu bringen.

Gegen den Wayao-Sultan Machemba auf dem Makonde-Plateau südwestlich von Lindi waren nach Niederwerfung des Araber-Aufstandes mehrmals infolge des ungünstigen außerordentlich schwierigen Buschgeländes, das seine Residenz Luagala umgab, Kriegszüge unternommen worden, die aber erfolglos blieben. Es hatte sich daher die Überzeugung bei den Machembaleuten Bahn gebrochen, daß sie innerhalb ihres zirka 4 km breiten Buschgürtels vollkommen sicher seien. Daher mußte mit allen Mitteln seine Unterwerfung erzwungen werden. Machemba, von der Gefangennahme Hassans unterrichtet, kam der Anfang Dezember 1895 gegen ihn ausgesandten Expedition jedoch entgegen und versprach seine völlige Unterwerfung. Nicht lange hielten aber seine Versprechungen an, und gelegentlich der Einführung der Hüttensteuer in seinen Dörfern kam es wieder zur offenen Auflehnung und zu Frechheiten gegen das Bezirksamt Lindi. Dieser Zustand dauerte bis 1899. Machemba wurde nochmals aufgefordert sich zu unterwerfen; diesmal vergebens. Am 9. und 10. Juli wurde dann mit 2 Kompagnien Schutztruppe und 2 Maschinengewehren unter unsagbaren Schwierigkeiten und dem Feuer der Machembaleute langsam durch den dichten Busch vorgedrungen und Machembas Sitz Luagala genommen. Er selbst entkam über den Rowuma auf portugiesisches Gebiet. Nachdem jedoch die ganze Umgegend zur Unterwerfung gebracht war und eine Anzahl aufsässiger Jumben und Freunde Machembas gefangen genommen und viele hundert Gewehre einge-

[1] P. Reichard: Deutsch-Ostafrika. Leipzig 1892. S. 132 – 137, 221 – 223. – R. Schmidt: Geschichte des Araberaufstandes. Frankfurt a. O. 1892. S. 198 – 217.

75

bracht waren, war der Erfolg genügend und verfehlte namentlich seine Wirkung nicht auf die gesamte Küstenbevölkerung des Südens.[1]

Im Jahre 1905 kam es dann von neuem zu einem große Ausdehnung annehmenden Aufstande in Deutsch-Ostafrika. Die unmittelbare Ursache war die hoffnungslose Verschuldung, in die die Wandonde, Wamatumbi und andere Leute den farbigen Aufkäufern von Kautschuk gegenüber dadurch geraten waren, daß der Ertrag der Kautschuk-Lianen in den Buschgehölzen ihrer Länder bei dem sinnlosen Raubbau rasch abgenommen hatte und in ein krasses Mißverhältnis zu den bereits darauf erhaltenen Vorschüssen geraten war. Im Süden und an der Küste nahm die mit großer Schnelligkeit um sich greifende und sich gegen das deutsche Gouvernement richtende Bewegung ihren Anfang. Wenige Tagemärsche von Kilwa entfernt, in den Matumbibergen, brach Ende Juli 1905 die Rebellion los, die mit Windeseile sich verbreitete. Der Ort S s a m a n g a, an der Küste südlich vom Rufiji-Delta, wurde niedergebrannt, und die Läden der indischen Händler wurden geplündert. Der mit zwei Missionsschwestern und zwei Laienbrüdern auf dem Marsche ins Innere befindliche apostolische Präfekt Kassian Spieß von der St. Benediktus-Missionsgesellschaft fiel mit seiner Begleitung den rebellischen Eingeborenen zum Opfer. Darauf wurde die Station L i w a l e im Dondeland angegriffen, niedergebrannt und seine kleine Besatzung fast vollkommen niedergemacht.

Durch diese Erfolge der Aufständischen wurde die Bewegung sehr gefördert und ergriff in rascher Folge das Hinterland von K i l w a und L i n d i, auch den Süden des Bezirkes Daressalam, die Bezirke Rufiji, Mahenge, die Ulangaebene, einen Teil von Iringa usw. Schließlich war fast der ganze Süden der Kolonie im Aufstand. Gleich im Anfang wurden die verfügbaren Streitkräfte der Schutztruppe nach den Aufstandsgebieten geworfen und in einer Reihe von Gefechten den hartnäckig und erbittert kämpfenden Rebellen erhebliche Verluste beigebracht. Die Lage schien ernst genug, daß das Gouvernement drahtlich Hilfe vom Mutterlande erbat, worauf zwei kleine Kreuzer aus Ostasien und eine Kompagnie Marine-Infanterie schleunigst nach Daressalam entsandt wurden. Schon vorher beteiligte sich der Kreuzer »Bussard« an der Unterdrückung des Aufstandes, landete Mannschaften zum Schutze der Küstenstationen und machte Strafzüge gegen die Aufrührer. Nach Eintreffen der Marineinfanterie wurden eine Reihe von Plätzen an der Küste von denselben besetzt und je eine Abteilung nach Morogoro und Mpapua entsandt. Von den weniger bedrohten Stationen wurden Abteilungen herangezogen, schleunigst neue Rekruten ausgebildet und zusammen mit den noch ver-

[1] H. F o n c k : Deutsch-Ostafrika. Berlin 1910. S. 135 – 151.

76

fügbaren Truppen ein Expeditionskorps formiert, das von Kilwa aus ins Innere nach Liwale-Mahenge-Songea vorgehen sollte. Ebenso wurden 250 in Massaua angeworbene Rekruten in Eile ausgebildet und in den Aufstandsgebieten verwendet.

So wurde in allen Bezirken der Aufstand unter schweren Verlusten der Rebellen bekämpft. Viele Rädelsführer konnten gefangen genommen werden, und große Scharen Aufständischer kamen zur Unterwerfung und Ablieferung der Waffen. Die Zahl der Gefallenen und Verwundeten betrug auf Seite der Eingeborenen einige Tausend. Auch die Gouvernementstruppen, die vielfach mit großen Schwierigkeiten, durch Mangel an Verpflegung, Trinkwasser, Träger, durch Hochwasser usw., zu kämpfen hatten, hatten einige größere Verluste zu verzeichnen.[1]

Die Folgen des Aufstandes haben sich noch lange bemerkbar gemacht, zumal auch in den Küstenbezirken Rufiji, Kilwa und Lindi. Nicht nur sind die durch die Kämpfe hervorgerufenen Verluste an Menschenleben sehr bedeutend gewesen; viele Eingeborene hatten sich in den Busch verkrochen und keine größeren Felder angelegt, auch Mißernten infolge von Dürre kamen hinzu. Hungersnot und Krankheit waren die natürliche Folge und forderten größere Opfer als der Krieg selbst. Auch trat stellenweise eine Entvölkerung durch Abwandern der Leute nach Gegenden mit besseren Lebensbedingungen ein. Nur erst im Bezirk Lindi waren Anfang 1908 die Folgen des Aufstandes ziemlich überwunden; durch ausnahmsweise günstigen Ernteausfall im Jahre 1907 und eine Zuwanderung von Eingeborenen aus dem Ssongea-Bezirk war hier die frühere Abnahme der Bevölkerung infolge der Zusammenstöße mit der Schutztruppe, Abwanderung über den Rowuma und Ende 1906 ausgebrochener Hungersnot wieder aufgewogen[2].

Einzelbeschreibung.

Fünf km südöstlich der Dyengera-(Matandu-)Mündung liegt gleich westlich eines niedrigen Mangrovevorsprunges, des Ras Miramba, auf einer 5–10 m hohen Terrassenstufe der größte Platz der Südküste, die Stadt Kilwa-Kiwindye, von dem plateauförmigen, 165 m hohen Ssingino in ihrem Rücken überragt. Ausgedehnte Kokospflanzungen umgeben den Ort und dehnen sich, mit schattigen Mangobäumen untermengt und mit Bataten- und Maniokfeldern abwechselnd, über den Ssingino aus. Die Stadt besteht aus Lehmhütten und einer Anzahl Steinhäusern und ist weitläufig gebaut, so daß sie, obwohl nur ca. 4000 Einwohner

---

[1] H. Fonck: Deutsch-Ostafrika. S. 37–44. – Hans Meyer: Deutsches Kolonialreich. Bd. 1. S. 126, 133, 141.

[2] Denkschrift über Ostafrika. 1906/07. S. 3, 9. 1907/08 S. 3.

77

(mit ca. 40 Europäern) zählend,[1] ziemlich groß erscheint. Am Ufer erheben sich das weiße mit turmartigem Aufbau versehene Stationsgebäude
und andere Steinbauten des Europäerviertels. Neben drei deutschen befindet sich etwa ein Dutzend indische Handelshäuser bezw. Läden in der
Stadt. Sehenswert ist ein aus Privatmitteln errichtetes Schwimmbad.

In seiner Beziehung zur See hat Kilwa-Kiwindye die schlechteste Lage
von allen größeren Plätzen der Südküste. Vor der Stadt liegt eine bei
Niedrigwasser bis 1/2 Seemeile hinaus trockenfallende Sand- und Schlickbank, und seichter Grund mit felsigen Stellen reicht 1 1/4 Seemeilen vom
Strande nordwärts. Die vor der Küste liegenden von der Brandung um-
tobten Riffe erschweren die Anfahrt. Die großen Schiffe müssen weit
draußen vor der Stadt, 1 3/4 Seemeilen vom Strande, im offenen, nur
durch die Riffe einigermaßen geschützten Wasser vor Anker gehen; die
Schiffe sind hier zuweilen hoher Dünung ausgesetzt, und das Löschen der
Waren und Landen von Personen ist durch die enorme Entfernung des
Ankerplatzes sehr erschwert. Wenn dennoch Kilwa-Kiwindye der be-
völkertste Platz der Südküste ist, so verdankt der Ort dieses seiner Lage
zum Binnenlande. Die Stadt liegt am Ausgange des Matandu-Tales,
das als breite, bequem zu passierende Senke das Matumbi-Bergland im
Norden von dem Kiturika-Plateau im Süden trennt und so ein natürliches
Eingangstor zu dem dichtbesiedelten und fruchtbaren Donde-Hinterland
bildet. Der Verkehr geht auf der Südseite des Flusses über die leidlich
besiedelte und bebaute Plateauvorstufe landeinwärts. Früher liefen in
Kilwa-Kiwindye die verschiedenen Sklavenstraßen aus dem Innern zusammen, und auf der durch ihr seichtes Wasser gegen die englischen
Kriegsschiffe gesicherten Reede sammelten sich die Fahrzeuge, die die
begehrte Menschenware nach verschiedenen Märkten überführten.[2]

Kilwa-Kiwindye ist Bezirksamtssitz; Zollamt II. Klasse und Postanstalt
befinden sich am Ort. Die Stadt hat eine Regierungsschule für farbige
Kinder und ein Eingeborenen-Hospital. Ein Denkmal in der Stadt erinnert
an den Heldentod der Beamten der Deutsch-Ostafrikanischen Gesellschaft
während des Araberaufstandes (vergl. S. 74). Drei größere deutsche
Handelshäuser haben Niederlassungen in Kilwa. Die Küstendampfer der
Deutschen Ostafrika-Linie und der Gouvernementsflottille laufen die Stadt
regelmäßig an. Diese hat unter dem letzten Aufstande 1905/06 und seinen
Folgen naturgemäß stark gelitten, und es ist viel geschehen, um
die Stadt und ihre Bewohner die Wirkungen der traurigen Zeit wieder

---

[1] Hans Meyer: a. a. O. S. 112; Handbuch der Ostküste Afrikas, 1912. S. 323; Deutsches
Kolonialhandbuch, 1912, S. 48.

[2] Von der Deckens Reisen in Ostafrika. Band 1. S. 146. – Burton: Zanzibar, Band 2. S. 347.

78

vergessen zu machen. Der früher in gesundheitlicher Beziehung wohl mit Recht stark verrufene Ort[1] hat auch durch Anlage einer Leitung ein einwandfreies Trinkwasser erhalten, das einem Quellhorizonte entstammt, der durch Auflagerung der durchlässigen sandigen Schichten der Mikindani-Stufe auf der Höhe des Ssingino-Berges auf undurchlässige Lehme und Tone gebildet wird.[2]

In der Umgebung Kilwa-Kiwindyes macht sich außer der niedrigen, die Stadt selbst tragenden 5–10 m hohen Terrasse eine Stufe von 20–30 m Meereshöhe bemerkbar, deren Oberfläche aus einem leichten lehmigen Sande besteht, der viele Kokospalmen und Mangobäume trägt, die vorzüglich gedeihen und sich bei den zahlreichen Siedelungen dieser Terrasse erheben. Zwischen dem D y e n g e r a und D a n y a n g a gewinnen die Eingeborenen auf einer tonigen, bei Springflut z. T. unter Wasser stehenden Ebene in kleinen Bodenvertiefungen, in denen das Seewasser bis zur nächsten Springflut verdunstet, Salz, das sie gegen Feldfrüchte umtauschen.[3]

Der der Kokospalme zusagende Boden in der näheren und weiteren Umgebung Kilwas wird auch von europäischen Pflanzern und Gesellschaften ausgenutzt, und große Palmenpflanzungen wurden von diesen im Bezirke angelegt.[4] »Ölfrüchte, Pflanzenöle, Pflanzenwachs« wurden in Kilwa im Jahre 1911 für 258 305 Mk. ausgeführt. Noch bedeutender ist mit 301 027 (im Jahre 1911) der Export an »Pflanzenfasern« = Baumwolle, die z. T. in der Umgebung der Stadt, teils in dem Küstenstreifen nördlich des Mantandu sowie im weiteren Hinterlande angebaut wird. In Kilwa-Kiwindye hat die Deutschwestafrikanische Gesellschaft eine Ginanlage. Es scheint, als wenn das Klima der Südküste mit nur einmaliger Regenzeit dem Baumwollbau weit bessere Aussichten bietet, als die Regenverteilung der Küstenstriche nördlich vom Rufiji.

Die Gesamtausfuhr Kilwa-Kiwindyes war im Jahre 1911 gegen das vorhergehende Jahr um 772 525 Mk. zurückgegangen; auch die Einfuhr hatte eine Einbuße erlitten und der Gesamthandel mit 2 243 491 Mk. im Jahre 1911 gegen 3 126 250 Mk. in 1910 um den Betrag von 882 759 Mk. nachgelassen. An dem Rückgang des Handels in Kilwa war in erster Linie der wildwachsende Kautschuk beteiligt, der bisher noch immer in erheblichen Mengen aus dem Donde-Hinterlande etc. nach Kilwa kam, wo die Dürre des Berichtsjahres die Zapfzeit sehr verkürzte und wo auch infolge

---

[1] Von der Deckens Reisen, a. a. O. S. 146. – B u r t o n , a. a. O. Bd. II. S. 345 ff.

[2] B o r n h a r d t : Deutsch-Ostafrika, S. 383. Nach T o r n a u (Ber. über Land- u. Forstwirtschaft, Bd. 2. S. 130) ist das Wasser jedoch infolge hohen Kochsalzgehaltes nicht als Trinkwasser geeignet.

[3] B o r n h a r d t : a. a. O. S. 579.

[4] H a n s M e y e r : a. a. O. S. 112.

79

der gefallenen Kautschukpreise die Sammeltätigkeit nachgelassen hat.[1]
Die letzte Denkschrift für 1912/13 verzeichnet wieder eine Mehrausfuhr
im Werte von 187 215 Mk., und wenn auch die Einfuhr noch weiterhin
zurückgegangen ist, so ist doch der Gesamthandel mit 2 311 178 im Jahre
1912 um 67 687 gegen das Jahr vorher wieder gestiegen.[2] In runden Tonnen
betrug der Güterverkehr

	Einfuhr	Ausfuhr	zusammen
1912	1312	2206	3518
1913	1148	1947	3095

1913 verkehrten auf der Reede von Kilwa 55 Dampfer mit zusammen
87 800 Reg.-Tonnen.

Von dem genannten südlich von Kilwa-Kiwindye sich erhebenden, von
einem Bismarckturm gekrönten Ssingino-Hügel aus erstreckt sich eine
meist niedrige Halbinsel in südöstlicher Richtung und knapp 20 km Länge
gegen die Insel hin, die das alte historische K i l w a trägt. Die Halbinsel
erhebt sich im allgemeinen nicht mehr als 20 m über Meer und gehört
dem Terrassenlande an, dessen lehmige Sande von tertiären Tonen
unterlagert werden. Die letzteren werden da, wo sie unverhüllt an die
Oberfläche treten, von den Eingeborenen kaum in Anbau genommen,
während die Landzunge sonst ausgedehnte Felder und Kokospflanzungen
trägt. An der Wurzel der Halbinsel ragt der den Mikindanischichten angehörende M p a l a - H ü g e l bis 110 m Höhe auf.

Vom Gipfel dieser Erhebung bietet sich ein umfassender Blick auf den
sich unmittelbar zu seinen Füßen ausdehnenden und teilweise durch die
beschriebene Halbinsel vom offenen Meere abgetrennten M a v u d y i -
K r i e k und seine Umgebung. Besonders augenscheinlich wird hier beim
Anblick der weit hinauf von der See erfüllten Furchen des Haupttales des
Mavudyi wie der zahlreichen Nebentäler, daß das Meer in geologisch
ganz junger Zeit angestiegen und in die vorher durch die erodierenden
Kräfte der Landgewässer geschaffenen Hohlformen eingedrungen ist.[3] Das
Bergland, aus dem der Mavudyi in engem, gewundenen Tale hervorbricht,
ist das K i t u r i k a - P l a t e a u , die nördlichste der weiter oben kurz be-
sprochenen, aus den sogenannten Makondeschichten der Kreideformation
aufgebauten Plateauerhebungen, die das Hinterland der südlichen Küstenstrecke Deutsch - Ostafrikas charakterisieren. In der an die Sächsische
Schweiz erinnernden Gebirgslandschaft am Mavudyi, die in ihrem wild-
zerklüfteten Charakter von großer Schönheit ist und durch ihre Höhlen und

---

[1] Denkschrift über Ostafrika, 1911/12. S. 14, 38.
[2] Denkschrift über Ostafrika, 1912/13. Statistischer Teil, S. 156, 175 und 177.
[3] Bornhardt: a. a. O. S. 384.

80

das Gewirr von Klippen und Schluchten sichere Schlupfwinkel bietet,[1] hatte sich seinerzeit der aufständische Häuptling Hassan bin Omar festgesetzt. Das Kiturika-Plateau bildet mit dem angrenzenden Hügellande den Hintergrund des Mawudyi-Krieks nebst den südlich an diesen anschließenden Buchten und Einlässen, die in ihrer Gesamtheit von der vorhin geschilderten Halbinsel und den in der südlichen Fortsetzung derselben gelegenen Inseln, von denen die größten Kilwa und Ssongo-Manara sind, von der offenen See abgetrennt werden. Der südliche Teil der Gesamtbucht führt den Namen Ssangarungu-Hafen und läuft in den vielverzweigten Gongo-Kriek aus.

Das auf der Nordwestecke der Kilwa-Insel gelegene Kilwa-Kissiwani, d. i. »Kilwa auf der Insel«, heute ein kleines Fischerdorf mit Zollposten, einem indischen Laden und der Mangrowegewinnungsanlage von G. Denhardt & Co., ist der historisch nachweisbar älteste Ort an der deutsch-ostafrikanischen Küste; es ist das alte Quiloa der Portugiesen, das Kiloat der Araber. Ruinen aus drei Perioden seiner Geschichte: der altarabisch-persischen Zeit 987 bis 1498, der portugiesischen Zeit von 1498–1698 und der jüngeren arabischen Zeit 1698–1826 (Taf. 24), finden sich noch heute auf der Insel und stellen in ihren imposanten Mauerresten beredte Zeugen aus jenen Zeiten dar, über die uns die Chroniken nur dürftig berichten, die aber von so großer kultureller Bedeutung für das ganze Küstenland Deutsch-Ostafrikas gewesen sind. Die Reste zweier Moscheen stammen zweifellos aus der ältesten, der schirazischen Periode. Das aus kleinen flachen Kuppeln bestehende Dach ruht auf rechteckigen, von einfachen Kapitälen gekrönten Säulen; in den Kuppeln sind chinesische Porzellanteller und Tassen eingemauert. Wenig nördlich dieser Ruinen erhebt sich unmittelbar am Strand das mächtige um die Wende des 19. Jahrhunderts von dem arabischen Statthalter Yakuti erbaute Fort; es hat quadratischen Grundriß bei 20 m Seitenlänge, krenelierte Mauern und runde Ecktürme. Durch eine schöngeschnitzte Holztür gelangt man in den ganz mit Gras und dichtem Busch bewachsenen Hof. Im Westen der Insel liegen die portugiesischen Bauten, die trotz ihres Alters von 300–400 Jahren zum Teil noch vollständig erhalten sind. Es ist ein großes burgähnliches Gebäude, an das sich eine drei Höfe umfassende Mauer mit Ecktürmen anschließt. Auf der westlichen Seite der Insel ist schließlich im dichten Buschwerk verborgen noch ein weiteres Trümmerfeld, dessen Ruinen wesentlich verschieden von den übrigen erscheinen. Es sind die Reste einer Befestigung in Form eines ca. 100 m langen und 70 m breiten Parallelogramms mit

[1] Fonck: a. a. O. S. 140.

6   Werth, Deutsch-Ostafrika Band II.

achteckigen, vollkommen massiven Türmen in den vier Ecken und in der Mitte der Längsmauer.[1] In der Nähe liegen die Reste einer kleinen, von einer Mauer umgebenen Stadt von ca. 50 Häusern.

Eine den Portugiesen bei der Eroberung Kilwas im Jahre 1505 in in die Hände gefallene Chronik berichtet uns über die ältere Geschichte der Stadt. Kilwa-Kissiwani, die Hauptstadt des alten Reiches Kilwa, ist danach etwa im Jahre 975 von Ali, einem Sohne des Sultans Hassan, gegründet worden. Er soll wegen Familienzwistigkeiten seine Heimat Schiraz in Persien verlassen haben und mit zwei Schiffen von Ormuz aus nach den schon früher von Arabern gegründeten Ansiedelungen Brawa und Mogdischu an der Somaliküste gelangt sein. Von hier aus fuhr er weiter südwärts der ostafrikanischen Küste entlang und erbaute die später zu mächtiger Blüte gelangte Stadt Kilwa. Einer von Alis Söhnen erweiterte seine Herrschaft bis Mafia und Sansibar und nahm den Titel Sultan an, den auch seine (bis zur Ankunft der Portugiesen 45) Nachfolger beibehielten. Um das Ende des 12. Jahrhunderts regierte Hassan, Sohn des Daud bin Seliman, des elften Herrschers von Kilwa, 18 Jahre über Kilwa und machte die Stadt, in der er ein großes Fort und viele Steinbauten aufführte, zur Beherrscherin des Handels bis nach Sofala hinunter. Um jene Zeit trat auch das uralte Kulturvolk der Chinesen in Beziehungen zur ostafrikanischen Küste, was durch Funde chinesischer, aus dem 6. bis 12. Jahrhundert unserer Zeitrechnung stammender Münzen in Kilwa und Mogdischu erhärtet wird. Nach Ibn Batuta, der im Jahre 1331 die ostafrikanische Küste besuchte, war Kilwa die schönste und bestgebaute unter den ihm bekannten Städten.

Nachdem Vasco da Gama 1498, auf der Reise nach Indien an der Ostküste Afrikas entlang segelnd, Kilwa zufällig oder durch die Absicht seines arabischen Lotsen verfehlt hatte, wurde im Jahre 1505 die Stadt von den durch den Wohlstand derselben verlockten Portugiesen unter dem ersten Vizekönig von Indien Dom Francisco d'Almeida ohne Kampf genommen und Mohammed Ankonij, gegen die Verpflichtung Tribut zu zahlen, zum Statthalter ernannt; als Stützpunkt ließ Almeida das Fort St. Jago erbauen. 1507 wurde Kilwa jedoch wegen des schlechten Klimas von den Portugiesen wieder aufgegeben, die Festung durch den damaligen Befehlshaber Francisco Pereira Pestana geschleift und der frühere Sultan Ibrahim wieder zur Übernahme der Herrschaft bewogen. Im Jahre 1598 erlitt Kilwa einen Einfall der Wasimba-Sulu und wurde vollkommen zerstört. Hundert Jahre später wurde von Sif bin Sultan, dem Herrscher von Oman, Mombasa erobert, die Portugiesen

[1] Nach Karstedt (a. a. O. S. 267/68) liegt hier die eigentliche Schirazi-Niederlassung vor.

an der ganzen Küste nördlich vom Kap Delgado getötet oder vertrieben und alle Städte, darunter auch Kilwa, in Abhängigkeit von Oman gebracht. Später soll es zwar nach Berichten der Portugiesen nochmals in deren Händen gewesen sein; jedoch melden die Araber hiervon nichts. Im Jahre 1786 wird allerdings unter dem Imam Said bin Achmed von Maskat nochmals die Anerkennung der arabischen Oberherrschaft über die ganze ostafrikanische Küste nördlich vom Kap Delgado erwähnt. Überhaupt sind wir über die Schicksale der Stadt Kilwa in den letzten drei Jahrhunderten, abgesehen von der allerjüngsten Zeit, sehr schlecht unterrichtet.[1]

Die Ruinen der Kilwa-Insel haben noch insofern ein besonderes Interesse, als sie uns einen direkten Beweis für das noch in historischer Zeit fortgedauerte Ansteigen des Meeresspiegels an der ostafrikanischen Küste geben, dessen geologische Wirkungen uns in verschiedenen Formen hier immer wieder begegnen. Der größte Teil der Ruinen befindet sich in einer derartigen Lage zur See, daß die Grundmauern der Bauwerke zur Flutzeit unter dem Meeresspiegel liegen und bei Springhochwasser eine teilweise Überflutung des alten Stadtbodens eintreten muß (Taf. 24, unten). Da man nun nicht annehmen kann, daß die ehemaligen Bewohner Kilwas in den verschiedenen Zeitperioden die Bauten von vornherein in ihrer jetzigen tiefen Lage aufgeführt haben, so muß wohl der Untergrund derselben seitdem eine Senkung erfahren haben bezw. der Meeresspiegel gestiegen sein; und zwar darf der Betrag dieser Niveauverschiebung auf mehrere Meter veranschlagt werden. Daß diese Senkung auch heute noch andauert, wird wahrscheinlich gemacht dadurch, daß auch das erst zu Anfang des letztvergangenen Jahrhunderts erbaute arabische Fort sich in der gleichen geschilderten Lage zum Flutspiegel befindet und in gleicher Weise wie ein Teil der älteren Baureste stark unter der Brandungswelle zu leiden hat.[2]

Es wäre zu wünschen, daß diesen und anderen geschichtlichen Bauresten Deutsch-Ostafrikas eine genauere Untersuchung durch archäologisch geschulte Forscher zu teil würde und die Ruinen selbst als Geschichtsdenkmäler vom Gouvernement geschützt und vor gänzlichem Verfall bewahrt würden.

Kilwa-Kissiwani gebührt nicht nur der historische Vorrang vor dem

[1] Behr: Die Ruinen von Kilwa. Deutsches Kolonialblatt. III. 1892. S. 645–645. – Stuhlmann: Zur Kulturgeschichte Ostafrikas, S. 864. – Brode: Tippu Tipp, Berlin 1905, S. 4–5. – Von der Deckens Reisen in Ostafrika, 3. Band, 5. Abt. Geschichte Ostafrikas, S. 1–40. – Burton: Zanzibar. London 1872, Vol. II, S. 359 und 360. – Hans Meyer: Deutsches Kolonialreich, Bd. I, S. 113. – R. Fitzner: Deutsches Kolonial-Handbuch, Bd. 1, 2. Aufl. 1901, S. 307.
[2] Bornhardt: Zur Oberflächengestaltung und Geologie Deutsch-Ostafrikas, S. 385–387.
6*

83

heute bedeutenderen Kilwa-Kiwindye, sondern es hat auch vor letzterem den Vorzug eines ausgezeichneten Hafens voraus, der ihm über kurz oder lang auch den wirtschaftlichen Vorrang wiedergeben muß. Denn der zwischen der Kilwa-Insel und dem Festlande gelegene sichere Ankerplatz stellt den gegebenen Ausgangshafen für die in Aussicht genommene Südbahn von Kilwa nach dem Nyassa-See dar.[1] Handel und Verwaltung werden — je eher um so besser für die weitere ruhige Entwickelung der Südküste — von Kiwindye nach Kilwa-Kissiwani herübergehen; und die Inselstadt wird einen Teil ihres alten Glanzes in neuem Gewande wieder erstehen sehen. Es ist dabei aber wahrscheinlich, daß die Handelsstadt sich am festländischen Ausgangspunkt der Bahn auf der Spitze der Land-zunge gegenüber Kilwa-Kissiwani, am Ras Rongossi, entwickeln wird, während der Sitz der Verwaltung und die übrige Stadt mit ruhigerem Leben den von dem schirazischen Gründer der alten Residenz in seinen Vorzügen erkannten Platz auf der Insel angesichts der Trümmer der alten Metropole einnehmen wird. Möge die der Entwickelung der Südküste so notwendige Bahn bald und sicher Anlaß und Anfang zu einem neuen dauernden Aufschwunge derselben werden, der ihr nach den langen un-ruhigen Zeiten nur zu wünschen ist.

Der Hafenplatz von Kilwa-Kissiwani liegt im Ausgange des auf der Seekarte als Beaver-Hafen bezeichneten Mavudyi-Krieks, der weiter im Innern seicht und vor der Mündung des Mavudyi-Baches mit Inseln angefüllt ist. Der Hafen reicht für Dampfer jeder Größe hin, bietet Raum für viele Schiffe und hat 16–27 m Wassertiefe. Er ist gegen die fast stets auf die Küste setzende schwere Dünung geschützt. Die ge-wundene, zwischen steilabfallenden, sich an die Kilwa-Insel bezw. die nördlich gegenüberliegende Festlandszunge anschließenden Riffen hin-durchführende Hafeneinfahrt ist 0,4 Seemeilen breit und erweitert sich bei dem Ort Kilwa auf ca. 3/4 Seemeilen. Der Hafen ist vielfach von Man-growen eingefaßt und wird wegen Malaria gefürchtet, bietet aber in dieser Beziehung keine größeren Nachteile als Kilwa-Kiwindye.

Die Kilwa-Insel hat eine Länge von 4 Seemeilen und erhebt sich in ihrem nördlichen Teil zu einem 15 m hohen Kalkplateau, das von zahl-reichen Baobabs überragt wird. Auf der von einem eine Seemeile breiten, steilabfallenden Saumriffe eingefaßten Ostseite greift eine tiefe Bucht in die Insel hinein, an der das Dorf Mssokole liegt. Von der Insel führt eine Fähre über den schmalen Meeresarm nach dem Festlande herüber. Die Kilwa-Insel trennt den Beaver- von dem schon genannten Ssangarungu-Hafen. Dieser ist von Mangrowen umgeben, durch viele Riffe gesperrt

[1] Hans Meyer: a. a. O. S. 114, 119. — Fonck: a. a. O. S. 141, 256.

84

und wenig brauchbar. Ssonga-Manara, südöstlich von Kilwa, ist größer als diese Insel, felsig und überall von einem steil abfallenden Riffe umsäumt, auf dem einige bewaldete Inselchen liegen. Auf der Nordwestecke der Insel liegt der Ort Ssonga-Manara, auf der Mitte der Ostküste Wikopora; das Hauptdorf ist Ssandji-ja-Madjoma. Viele Kokospflanzungen bedecken die Insel, die gleichfalls interessante Ruinen persischen Ursprungs aufweist.[1] Einwärts von Ssonga-Manara liegt in der Bucht die Mangrowe-Insel Ssandji-ja-Kati mit einem Dorf. Zwischen beiden ist wegen des sehr tiefen Wassers kein geeigneter Ankergrund.

Auf der Südseite ist Ssonga-Manara durch den Pawi-Kriek, den südöstlichen Arm des Hafens von Ssangarungu, vom Festlande getrennt. Der Ausgang desselben ist durch mehrere Mangrowe-Inseln gesperrt, zwischen denen Durchlässe über das Saumriff hinweg den Kriek mit der offenen See verbinden. Dann beginnt mit zwei kleinen, 6 m hohen, felsigen Inselchen eine Felsküste, die, von einem 0,4 Seemeilen breiten Strandriff mit steiler Außenkante eingefaßt, fast gradlinig bis zur Roango-Bucht südwärts verläuft. Im Innern dieser für größere Schiffe unbrauchbaren Bai liegt auf sandigem Strande ein kleines Dorf, das nur bei Hochwasser mit Booten erreichbar ist. Jenseits der Roango-Bucht verläuft die Küste in ziemlich gerader Linie weiter südlich bis zum Kiswere-Hafen.[2]

Die Kiswere-Bucht greift zwischen Ras Fugio und Ras Mbemkuru 10 km weit in das Land hinein, um sich dann in mehrere Zweige zu teilen, die sich als vom Meere überflutete Bachmündungen z. T. noch weit in das Hügelland hineinziehen. Einwärts der engeren Einfahrt erweitert sich die Hafenbucht von Kiswere, deren Wassertiefen nach dem Innern allmählich abnehmen und die wesentlich seichter als die Häfen von Kilwa, Lindi u. a. ist. Der Hafen bietet einen vor Dünung leidlich geschützten Ankerplatz bei 7 m Wassertiefe. In der Südwestecke des Hafens liegt das große Dorf Kiswere und in der Nordwestecke an der Mündung des Nanga-Krieks Mtumbu, wo sich ein Zollposten befindet. Der Verkehr nach dem Innern ist von Kiswere aus nur unbedeutend.

An der Kiswere-Bucht tritt das unregelmäßig gestaltete Hügelland mit gerundeten Kuppen dicht an die See heran und umgibt den Hafen mit Höhen bis zu 140 m. Es besteht aus vorwiegend tonigen Tertiärschichten mit vielfacher Überdeckung von Mikindanischottern, die weiter zurück im Hinterlande von den Steilabstürzen der Makondeschichten des Ngarama-Plateaus überragt werden. Von diesem Plateauland kommen

---

[1] Fonck: a. a. O. S. 257. Handbuch der Ostküste Afrikas, 1912, S. 331.
[2] Handbuch der Ostküste Afrikas, 1912, S. 323–332.

85

die Bäche herab, die sich weiter unten zu wenigen Hauptadern vereinigen und die Zuflüsse und Kriekausstülpungen der Kiswere-Bucht bilden.
Der bedeutendste der letzteren ist der genannte N a n g a - K r i e k, der
dem Tale des M a n d a w a angehört. Das Hügelland um die Kiswere-Bucht
trägt auf Tonboden einen lichten Buschwald; bei sorgfältiger Bearbeitung
des mergeligen und tonigen Grundes werden von den Eingeborenen
stellenweise große Ernten an Getreide (Hirse) erzielt.[1]

Etwa 10 km südlich von der Kiswere-Bucht befindet sich der Unterlauf
des weit aus dem Hinterlande kommenden M b e m k u r u - Flusses, der in die
flache, offene und wenig Schutz bietende M s u n g u - B u c h t mündet. Die
mächtigen Anschwemmungen des Flusses haben die Bildung einer tiefer
in das Land greifenden Hafenbucht verhindert, dafür aber in der breiten
Alluvialniederung ein vortreffliches Kulturland mit schwarzem Schlick-
grund geschaffen, der nicht nur Sorghum und Mais in üppiger Fülle her-
vorbringt, sondern auch einen guten Baumwollboden abgibt. Am M k o ë -
S e e, den durch die Anschwemmungen des Hauptflusses aufgestauten
Wassern eines südlichen Nebengewässers des Mbemkuru, hat hier die
»Ostafrikanische Plantagen - Gesellschaft Kilwa - Südland« Baumwoll-,
Sisalhanf- und Kautschukpflanzungen angelegt.

Südlich der Mbemkuru - Mündung erhebt sich ein langgestrecktes
P l a t e a u, dessen ebener Charakter wohl auf eine Überlagerung der
tertiären Tone durch »Mikindanischichten« zurückzuführen ist, die hier
eine typische Plateauvorstufe bilden, über die sich einige höhere Kuppen,
wie die D i m b a - B e r g e, erheben; diese dürften als Durchragungen
des tertiären Untergrundes zu deuten sein. Diesem Vorplateau, das sich
südwärts bis an die Talsenke des vom N o t o - P l a t e a u herabkommenden
N a m g a r u erstreckt, ist nur ein schmaler Terrassensaum vorgelagert, der
die Küstenlinie begleitet. In letztere greifen die R u w u - und die N o n d o -
Bucht hinein, die beide klein und als Ankerplätze unbrauchbar sind, da sie
außerhalb des schmalen Saumriffes zu tiefes Wasser haben.

Der äußere Teil des genannten N a m g a r u - Tales wird als M c h i n g a -
B a i vom Meere überflutet. Dieselbe greift, von einer 20 m hohen Terrasse
aus Korallenkalk gesäumt, zwischen R a s R o k u m b i und R a s M s i n g a
in einer Breite von reichlich einer Seemeile in das Land ein und hat
5 – 15 m Wassertiefe. Kaum 1 Seemeile vom Innern der Bucht senkt sich
der Meeresboden jedoch alsbald auf 100 und mehr Meter Tiefe. Die
Bucht ist nur wenig durch ein Riff gegen die stets in sie hineinsetzende
Dünung geschützt; dennoch ist der Dhauverkehr ein reger, und Sorghum,
Mais und andere Feldfrüchte, auch fossiler Kopal, gelangen zur Ausfuhr.

[1] B o r n h a r d t : Deutsch-Ostafrika, S. 285.

86

Das Gouvernement hat in dem in der Nordwestecke der Mchinga-Bucht in einem Kokospalmhaine gelegenen Hauptorte M c h i n g a einen Zollposten. Auch in der Südwestecke der Bai ist ein kleinerer Ort gleichen Namens. Sonst sind die Siedelungen in der Umgebung nur spärlich; auch die, von 100 – 200 m hohen, flachwelligen Erhebungen eingefaßte Talsenke des unteren N a m g a r u macht hiervon keine Ausnahme. Erst weiter land-einwärts mit der Annäherung an die zwischen 450 bis über 500 m hohen Plateauerhebungen des Küstenhinterlandes (Likonde, Noto usw.) trifft man in den Landschaften M i h a m b u e und R u a w a auf zahlreiche Hütten und ausgedehnte Felder mit Sorghum, Mais, Bataten, Maniok und Hülsenfrüchten in gutem Stande. Während die Kokospalme auf dem tertiären Tonboden nicht gut fortzukommen scheint, ist der Mangobaum bei allen Siedelungen reichlich vorhanden. Noch stärker ist die Bebauung auf dem L i c h i h u -Vorplateau und im oberen Nangaru -Tale, wo namentlich Sorghum in großem Umfange gebaut und in guten Erntejahren in erheblichen Quantitäten exportiert wird.

Südlich des unteren Namgaru-Tales dehnt sich als Fortsetzung der Plateau-vorstufe nördlich davon bis nach Lindi hin eine von einer Reihe von Bach-tälern zerschnittene 80 – 100 m hohe Hochfläche aus, über die auch hier einige Rücken und Kuppen aufragen, unter denen der M l i m a - M d e m b a (Kitulo), nordwestlich von Lindi, (bis 292 m) der höchste ist. Der größere Teil der Hochfläche wird von rötlichbraunem, sandigem Lehm der Mikin-danischichten gebildet, während die überragenden Höhen sowohl wie die in den Taleinschnitten entblößte Basis aus dunklen tertiären Tonen mit Kalkeinlagerungen aufgebaut werden. Am tiefsten schneidet das Tal des M b a n y a -Baches in dieses Hügelland ein, und der äußere Teil desselben bildet, vom Meere überflutet, eine 3 km weit in das Land reichende Bucht, in die Dhaus einlaufen können, die aber keinen Ankerplatz gewährt. Oberhalb der Bucht liegt am Bache der Ort M b a n y a und an der Nord-seite der Mündung das Dorf K i b u n g w e. Zwei Seemeilen nördlich springt das R a s K i b u n g w e hakenförmig mit 15 m hohem Abfall in die See vor. Die Küste zwischen Mchinga und Lindi wird ebenfalls nur von einem schmalen Terrassenlande gesäumt, das sich auch, aus Korallenkalken und Sanden bestehend, in einer Höhe von 8 – 15 m in die Lindi-Bucht hineinzieht.

Die Besiedelung und Bebauung ist auf dem Höhenland zwischen den Buchten von Mchinga und Lindi nicht sehr erheblich; mehr als die tertiären Tone ist der Lehmboden der Hochfläche in Kultur genommen. Letzterer trägt sonst zumeist einen unterholzreichen Laubwald, während

87

auf ersteren ein niedriger, ziemlich dichter Busch vorherrscht.[1] In der Umgebung der Mbanya-Bucht wird von der »Ostafrika-Kompanie« auf den Plantagen Kikwetu und Mitwero Kautschuk, Baumwolle, Hirse und vor allem Sisalhanf gebaut.

Lindi, in landschaftlich reizvoller und gesunder Lage, ist wohl der bei den Europäern beliebteste Küstenplatz Deutsch-Ostafrikas. Mit den anderen Orten der Südküste hat es das bis dicht an die See herantretende bis zu mehreren hundert Metern aufragende Hügelgelände gemein. Bei Lindi wird dieses Hügelland, die von tertiären Durchragungskuppen gekrönte Vorplateaustufe, durch eine tiefe und breite, ungefähr senkrecht zur Küstenlinie weit in das Land einschneidende Senke unterbrochen (Taf. 3 und 4). Durch diese Lücke in dem seenahen Hügellande werden auch die Plateauerhebungen des Küstenhinterlandes, die hier als Rondo- und Makonde-Plateau bis über 700 und 800 m Höhe aufragen, von einem geeigneten Standpunkte aus sichtbar und gewähren der Landschaft einen wirkungsvollen Abschluß. Das ganze Bild aber erhält Leben und Perspektive dadurch, daß das Meer in die das Hügel- und Bergland durchschneidende Talsenke auf ungefähr 30 km Länge eingedrungen ist und dieselbe in einen einwärts verzweigten Meeresarm verwandelt hat, der wie ein breiter Strom sich in das Land hineinzieht.

Der äußerste Teil der vom Meere erfüllten Talsenke hat als Lindi-Bucht zwischen dem Ras Mbanura im Norden und dem Ras Shuka auf der Südseite eine Breite von 3³/4 Seemeilen und nach dem Innern rasch abnehmende Wassertiefen von 320–90 m. Wo diese äußere Bai sich in den mehr flußartigen »Lindi-Kriek« verschmälert, liegt auf dem westlichen Ufer des von den bewaldeten Hügelzügen umkränzten Wassers, von Kokospalmen überschattet, die Stadt Lindi. In der Seefront derselben erheben sich das Fort, die Kaserne, das neue Hauptzoll- und Hafenamt, die Gebäude der katholischen Mission u. a. Am Strand entlang läuft ein sauberer Promenadenweg. Die Europäerstadt hat reinliche, breite Straßen und schmucke Alleen, an denen die weißen Bauten des Bezirksamtes, die große Markthalle, die Post, die Geschäftshäuser europäischer Firmen u. a. liegen. Parallel zur Bucht ziehen sich dahinter einige Straßen hin mit den Steinhäusern der Inder und Araber mit ihren schmutzigen Läden und Werkstätten. Sie trennen das Europäerviertel von der am Außenrande des Ortes im Grün der Kokospalmen und Obstpflanzungen gelegenen Lehmhütten der Negerstadt. Unweit des Strandes sind auch die massiven Turmreste einer alten portugiesischen oder arabischen Feste,

---

[1] Bornhardt: a. a. O. S. 274, 257. – Handbuch der Ostküste Afrikas, S. 333–335.

Mikindani.
Nach Photographie von C. Vincenti-Daressalam.

Mohorofluß (Rufiji-Delta).
Nach Photographie von F. Stuhlmann.

Tafel 31

111

die seinerzeit das Material zum Bau des deutschen Forts hat liefern müssen.[1] Lindi, das wegen seiner Trockenheit und der künstlichen Entsumpfung der Niederungen bei der Stadt als der gesündeste Hafenplatz an der deutsch-ostafrikanischen Küste angesehen wird, steht an Einwohnerzahl – Anfang 1908 zählte es etwa 3500 Seelen mit ca. einem Dutzend männlichen Europäern – Daressalam, Tanga und Kilwa nach. Es ist Sitz eines Bezirksamtmannes; in der Stadt befindet sich Post- und Telegraphenanstalt. Drei größere deutsche Handelshäuser sind in Lindi vertreten, das von den Küstendampfern der Deutschen Ostafrika-Linie sowie den Gouvernementsdampfern regelmäßig angelaufen wird. Die Stadt ist neben Tanga ein Hauptzentrum des Plantagenbetriebes an der deutsch-ostafrikanischen Küste. Besonders für Sisalagaven und Baumwolle hat sich das trockenere Klima der Südküste und die dortige Regenverteilung als günstig erwiesen. Zumal die perennierenden Caravonica-Baumwolle sollen diese Gebiete mit vollkommen geschlossener Trockenzeit am meisten zusagen. Diese wird auf den schon genannten Pflanzungen der »Ostafrika-Kompanie« Kikwetu und Mitwero, nördlich von Lindi, angebaut, während sonst die besonders trockenliebende Mitafifi-Baumwolle hier im Süden Deutsch-Ostafrikas fast ausschließlich kultiviert wird.[2] Von selbständigen Pflanzern wird Baumwolle auf dem Alluvialboden des Lukuledi-Tales, etwa 40 km oberhalb Lindi, auf den Plantagen Mtua und Mtamahof gezogen. Hier in der Flußniederung sichert die leicht ausführbare künstliche Bewässerung die Ernten. In Lindi unterhält die Deutsch-Ostafrikanische Gesellschaft eine Baumwollentkernungsanlage.

Die Sisalagaven-Kultur wird bei Lindi in großem Umfange von Gesellschaften und Privaten betrieben, so u. a. von der »Lindi-Handels- und Pflanzungsgesellschaft« auf Kitunda, gegenüber Lindi, von der »Ostafrikanischen Gesellschaft Südküste« auf Kiduni, Majani, Naitivi usw., im Westen und Südwesten der Stadt auf dem Terrassen- und Alluvialland des Ngongo-Baches und seiner Umgebung, mit Verladestation in Lichwajwa am Lindi-Kriek. Auch Maniok-(Ceara-)Kautschuk wird im Groß- und Kleinbetrieb bei Lindi angebaut.[3]

Lindi exportierte im Jahre 1911 als Hauptausfuhrartikel »Pflanzenfasern« im Werte von 495230 Mk. Als sonstige Ausfuhrwaren werden hervorgehoben Kautschuk, Elfenbein, Wachs, Getreide und Ölfrüchte. Letztere

[1] Hans Meyer: Kolonialreich, Bd. 1, S. 116. – Fitzner: Deutsches Kolonial-Handbuch, Bd. 1, 1901, S. 310. – Fonck: Deutsch-Ostafrika, S. 257.

[2] Denkschrift Ostafrika 1907/08, S. 41. Tropenpflanzer, 1909; Beiheft 3, S. 149/50, 163.

[3] Denkschrift Ostafrika 1907/08, S. 43. – Hans Meyer: Kolonialreich, Bd. 1, S. 116. Deutsches Kolonial-Handbuch 1912. Deutsch-Ostafrika, S. 52.

89

beiden, nämlich Sorghum, Mais, Erdnüsse und Sesam, entstammen den
Eingeborenenkulturen. Die Handelsverbindungen Lindis gehen vornehmlich nach den küstennahen Plateauländern Muera, Makonde u. a. und
weiter durch die breite und bequeme Senke des Lukuledi, des Hauptflusses des Lindikrieks, nach den Ländern am mittleren und oberen
Rowuma, nach Ungoni und den Landschaften am Ostrande des
Nyassa-Sees; wichtige Sammelpunkte des Lindi-Handels sind Massassi
und Songea.[1]

Die Gesamtausfuhr Lindis betrug im Jahre 1912 2 115 773 Mk. gegen
1 551 187 in 1911; die Einfuhr 1 833 380 gegen 1 425 798 in 1911. Der gesamte Handel hat also im Jahre 1912 eine Zunahme um 972 168 Mark
erfahren.[2] In Tonnen betrug der Güterverkehr über den Hafen von Lindi:

	Einfuhr	Ausfuhr	zusammen
1912	2138	3307	5445
1913	3775	4691	8466

Im Jahre 1913 verkehrten im Hafen von Lindi 58 Dampfschiffe mit zusammen 102 803 Reg.-Tonnen.

Die Bucht von Lindi hat trotz ihrer Größe und der erheblichen durch-
schnittlichen Tiefe einige Mängel. Einmal ist sie wenig geschützt gegen
die vorherrschenden Ostwinde, dann ist der Ankerplatz in der Nähe der
Stadt durch Sandbänke beengt; vor allem aber befindet sich in der Einfahrt in der Nähe des Ras Rungi, nordöstlich von der Stadt, eine Barre,
die von größeren Schiffen nur bei Hochwasser gekreuzt werden kann.[3]
Es würden ziemlich umfangreiche Baggerungen zur Beseitigung der letztgenannten Hindernisse notwendig sein.

Der von einigen Mangrowe-Inseln erfüllte Lindi-Kriek ist bis 7 km
oberhalb der Stadt noch durchschnittlich 1 km breit. In den Kriek mündet
außer einigen unbedeutenden Bächen der schon wiederholt genannte
Lukuledi, der in der Landschaft Mlahi wenig einwärts der hohen
Kreideplateaus des Küstenhinterlandes entspringt. Die große Breite der
Talsenke, in welcher der Lukuledi fließt, steht zu der geringen Größe dieses
Flüßchens in auffallendem Kontrast. Nur unter der Voraussetzung, daß
die Talsohle vordem bedeutend tiefer gelegen hat als jetzt, kann man
sich die Senke gleich anderen Tälern durch die Erosionstätigkeit des
fließenden Wassers entstanden denken. Damit wird aber zugleich die
Überflutung des Talausganges durch das darnach wieder ansteigende

---

[1] Hans Meyer: Kolonialreich, Bd. I, S. 117. Handbuch der Ostküste Afrikas, 1912, S. 339.
Fonck: Deutsch-Ostafrika, S. 257.

[2] Deutsche Schutzgebiete, amtliche Berichte, 1912/13; Statistischer Teil, S. 156, 175, 177.

[3] Handbuch der Ostküste Afrikas, 1912, S. 356.

90

Meer und die Bildung des Lindikrieks in der gleichen Weise wie bei den anderen ähnlichen Buchten der deutsch-ostafrikanischen Küste verständlich (vergl. Profil Fig. 10 auf S. 44 des 1. Bandes).

Bald oberhalb Lindi beginnen in der Lukuledi-Senke talaufwärts den Fluß begleitende Terrassen, die wieder von Plateau-Vorstufen überhöht werden, über die dann erst das Hauptplateaugebirge sich erhebt (Fig. 4 auf S. 31 des 1. Bandes). Bachtäler haben die ursprünglich zusammenhängenden Terrassen- und Vorstufen-Flächen vielfach zerschnitten und dadurch stellenweise in ein unregelmäßig hügeliges Gelände verwandelt.

Während die Plateau-Vorstufen des Lukuledi-Tales als Fortsetzungen der die tertiären Erhebungen zwischen der Mbemkuru-Mündung und der Lindi-Bucht krönenden Hochflächen anzusehen sind, entsprechen den niedrigeren Terrassenbildungen der Talsenke ebene Strandterrassen, die in der Umrandung der Lindi-Bucht auftreten. Und zwar sind solche auch hier wie an anderen Stellen der deutsch-ostafrikanischen Küste in verschiedener Höhenlage vorhanden (vergl. Taf. 3 u. 4). Eine von ca. 40 m Meereshöhe liegt der Stadt Lindi gegenüber auf der Ostseite der Bucht und trägt auf fruchtbarem, humusreichem Boden Kokospalmen, Mangos und andere Fruchtbäume, sowie Felder der Eingeborenen. Eine zweite, niedrigere Terrasse von 8—20 m Höhe, teils aus wohlerhaltenen Korallen, teils aus Sanden bestehend, ist auf der Westseite der Bucht ziemlich verbreitet. Ihre gut erhaltene Form läßt auf eine kurze Zeitdauer seit dem Rückgange des Meeres von der Höhe dieser Terrasse schließen. Nichtsdestoweniger zeigen aber die über 10 m hohen senkrechten Wände, mit denen diese Terrasse auf lange Strecken am heutigen Strande abbricht (Taf. 4, unten) und die schon bei gewöhnlicher Flut von der Brandungswelle erreicht und bearbeitet werden, daß der Seespiegel zur gegenwärtigen Zeit wieder in Aufwärtsbewegung begriffen ist, was ja, wie wir sahen, in gleicher Weise schon durch die teilweise Überflutung des Lukuledi-Tales zum Lindi-Kriek mehr als wahrscheinlich wurde.[1]

Auf der Höhe der Vorplateaustufe der Ostseite des Lindikrieks, wo sich in 125 m Meereshöhe ein bescheidenes »Sanatorium« für Erholungsbedürftige aus Lindi befindet, stehen, zu dem tertiären Schichtenkomplexe gehörend, dicke Bänke eines massigen Kalkes an, der am Plateaurande in steilen Wänden abbricht und die im ersten Kapitel (S. 51 ff des ersten Bandes) erwähnten Schratten- und Höhenbildungen zeigt.

Die tertiären Tone der näheren Umgebung Lindis sind fast durchweg unbebaut, und der auf ihnen wachsende lichte Laub- und Buschwald läßt

[1] Bornhardt: a. a. O. S. 16.

auf geringe Fruchtbarkeit des Bodens schließen. Dagegen trägt der röt-
liche, lehmige Sandboden der Mikindanistufe meist einen von Lianen
durchrankten Wald oder dichten Busch, sofern sich nicht üppige Schamben
auf ihm ausbreiten. Auch der Boden der Terrassenlandschaft des Lukuledi-
tales ist, soweit er gut lehmige Beschaffenheit hat, mit Laubwald bestanden oder trägt bei den von Kokos und Mangos beschatteten
Siedelungen der Eingeborenen gut aussehende Felder. Auf rein sandigem
Boden ist die Terrasse dagegen mit offener Buschgrassteppe überzogen.
Die alluviale Talsohle des Lukuledi ist an sumpfigen Stellen verschilft,
sonst gut besiedelt und mit ausgedehnten Hirse- und Maisfeldern bedeckt, über die sich zahlreiche Borassuspalmen erheben.[1]

Während die Plateaulandschaften im Norden der Lukuledi-Senke, die
unter dem Namen M u e r a zusammengefaßt werden, stark zerschnitten
erscheinen, hat das südlich gelegene, bis über 700 m ansteigende M a -
k o n d e - P l a t e a u einen einheitlicheren Charakter und erstreckt sich als
zusammenhängendes Hochland vom Lukuledi- bis zum Rowuma-Tale, an
der Grenze der deutsch-ostafrikanischen Kolonie. Nach der See, d. h.
nach Nordosten zu, ist ihm eine sehr ausgedehnte Vorplateaustufe ange-
lagert, deren ziemlich steiler Abfall wieder von einem Terrassenvorlande
gesäumt wird, das hier erheblichere Breiten als an der ganzen übrigen
Südküste Deutsch-Ostafrikas besitzt, die von etwa 4 km südlich der
Lindi-Bucht bis zu 17 km nördlich der Rowuma-Mündung anschwellen.

Die Vorplateaustufe, die auch zwischen dem Lukuledi und Rowuma
zumeist aus einem Sockel von Tertiärschichten und einer mehr oder
weniger mächtigen, häufig sehr geringfügigen Decke von Mikindanischottern oder -Lehmen zu bestehen scheint und sich zu 100 bis gegen
200 und mehr m über dem Meeresspiegel erhebt, wird auch hier wieder
von einzelnen Hügelkuppen aus tertiären Gesteinen überragt, von denen
die N u n i - und N y a n d a (Atu)- Kuppe (218 m) gleich auf der Ostseite
des Lindi-Krieks und die 285 (?) m hohe rundliche Kuppe des M d y o h o , 5 km
westlich von Mikindani, die bemerkenswertesten sind. Das die Vorplateaustufe von der Küste trennende und bis zu 60 m Meereshöhe ansteigende,
ebene bis sanft gewellte Terrassenvorland wird bei S s u d i und M i k i n d a n i
von breiten, von der See erfüllten Krieks zerschnitten, die landeinwärts
bis an das Hügelland (Vorplateaustufe) heranreichen oder noch etwas in
dieses eingreifen.

Der S s u d i - K r i e k bildet das unterste Talstück der den größeren Teil
des Makonde-Hochlandes entwässernden Bäche M a m b i und M b u o .[2]

[1] Bornhardt: a. a. O. S. 19, 26.

[2] Bornhardt: a. a. O. S. 246.

92

Er ähnelt in seiner Form auffallend der Hafenbucht von Daressalam und bietet u. a. vor dem Dorfe Ssudi einen Ankerplatz auf 14 – 15 m Wasser. Seine enge Einfahrt, die von Riffen belagert ist, und die flachen Ufer der Bucht hindern aber den Dampferverkehr. Dagegen kommen viele Dhaus in die Bucht, an der eine ganze Reihe Dörfer liegt. Das bedeutendste von diesen ist Ssudi mit einigen Steinhäusern, einer Moschee und etwa 2000 Einwohnern, Swahili, einige Inder und Araber. Ssudi wurde zur Zeit des Sultans Said Bargasch von Sansibar von dem Araber Abdel-Kader Achmed gegründet, der mit seinen sämtlichen Sklaven und Klienten aus Sansibar hierher kam. Ihm folgten andere Araber, und ebenso siedelten sich Leute aus anderen Küstenorten in der neuen Niederlassung an. Die Ortschaften am Ssudi-Kriek liegen in Hainen von Kokospalmen und Mangos und sind von Sorghum- und Maniokfeldern umgeben; auf sumpfigem Gelände wird Zuckerrohr angebaut. Große Mengen von Hirse gelangen von der Umgebung der Ssudi-Bucht und dem nächsten Hinterlande zur Ausfuhr. In Ssudi befindet sich daher ein Zollposten. Ndumbwe, nahe der Mündung des Mambi in den Ssudikriek, ist ein Haupthandelsplatz für Hirse, der besonders von den Wamakonde und Wandonde des Mambitales produziert und von einheimischen, arabischen und indischen Händlern aufgekauft wird.[1] Eine Seemeile oberhalb Ssudi liegt in der Bucht eine kleine Insel, von der an aufwärts der Kriek, in dem viele Flußpferde leben, nicht mehr schiffbar ist.

Günstiger ist der Hafen von Mikindani (Taf. 31, oben), der 16 km östlich der Ssudi-Bucht in sehr unregelmäßiger Gestalt in das Land eingreift und nur ganz unbedeutende Gewässerchen aufnimmt. Die äußere Bucht hat eine Breite von ca. 4,5 Seemeilen im Wasserspiegel zwischen den Riffen und Wassertiefen bis über 400 m. Eng und von Riffen gesäumt ist die Einfahrt in das innere eigentliche Hafenbecken, das von rundlicher Form und ca. 2 km Durchmesser bis an das bis 130 m ansteigende Hügelland heranreicht und sicheren Ankerplatz bei 10 – 15 m Wassertiefe bietet.[2]

Auf der Südseite der gegen Wind und Wetter geschützten Hafenbucht liegt die Stadt (Taf. 31), die von den Küstendampfern der Deutschen Ostafrika-Linie regelmäßig besucht wird. Mikindani ist Bezirksnebenstelle, hat Zollamt (2. Klasse) und Postanstalt. Die Stadt beherbergt einige europäische Handelsniederlassungen und andere Unternehmungen, indische Händler etc. Der von den Hügeln der Vorplateaustufe überragte Ort macht einen freundlichen Eindruck. Früher als Fiebernest verrufen

[1] Bornhardt: a. a. O. S. 246 – 48. – Hans Meyer: a. a. O. S. 117. Handbuch der Ostküste Afrikas, 1912, S. 339. – Fitzner: Deutsches Kolonial-Handbuch, Bd. 1, 1901, S. 310.
[2] Handbuch der Ostküste Afrikas, 1912, S. 341 – 42.

93

hat sich durch Trockenlegung der Sümpfe um die Stadt der Gesundheits-
zustand sehr gebessert.

Der Umstand, daß in die Mikindanibucht nur ganz kleine Bäche hinein-
münden und keine größere Talfurche, wie bei Lindi, von der Stadt
nach dem Innern führt, diese im Gegenteil durch das einheitliche Plateauland von Makonde vom weiteren Hinterlande abgeschnitten ist, hat
Mikindani trotz seines guten Hafens nie zu einem bedeutenderen Handelsplatz emporwachsen lassen. Der Dampferverkehr betrug im Hafen von
Mikindani im Jahre 1913 40 Schiffe mit zusammen 84 270 Reg.-Tonnen.
Die Stadt hat von jeher um so mehr zurückbleiben müssen, je mehr sich
Lindi enwickelte. Nur das Makondeplateau und die Gebiete am oberen
und mittleren Rowuma mit dem portugiesischen Hinterlande führten
ihren Handel zumeist über Mikindani; Kautschuk und Tabak, die haupt-
sächlich aus den Gebieten am Rowuma und Ludjende kommen, waren
die Hauptausfuhrartikel. Neuerdings hat sich aber ein reger Plantagenbetrieb in der Umgebung Mikindanis entwickelt. Die »Lindi-Kilindi-
Syndikat-Gesellschaft« kultiviert Baumwolle, Sisal, Kautschuk und die
»Ostafrikanische Gesellschaft Südküste« Sisalagaven auf ihren Pflanzungen
Mtwara und Mwita im Großbetrieb mit Dampfginanlagen, Feldbahnen,
Ladepier usw. Auch Kokospalmen werden bei Mikindani im Europäerbetrieb gezogen. Daneben bringt auch die Eingeborenenbevölkerung in
zunehmendem Maße ihre Produkte in Kopra, Mais, Sorghum, Erdnüssen in den Handel. Während daher noch z. B. 1907 Kautschuk mit
71 075 und Tabak mit 37 924 Mk. die Hauptexportprodukte Mikindanis
darstellten, standen 1911 »Ölfrüchte, Pflanzenöle, Pflanzenwachs« mit
131 339 Mk. und Pflanzenfasern mit 101 102 Mk. an erster Stelle. Die
Gesamtausfuhr ist im Jahre 1911 mit 406 018 Mk. um 118 474 Mk. gegen
1910 zurückgegangen, woran auch wohl hier die geringere Einlieferung
von Wildkautschuk infolge der gefallenen Preise hauptsächlich die Schuld
trägt. Die Einfuhr Mikindanis hat im Jahre 1911 mit 556 848 Mk. um
85 651 Mk. gegen 1910 zugenommen; der Gesamthandel weist daher nur
einen Rückgang von 32 823 Mk. in 1911 gegen das vorhergehende Jahr auf.[1]
1912 hatte die Einfuhr einen Wert von 879 502 Mk., die Ausfuhr einen
solchen von 751 205 Mk.; beide sind somit gegen 1911 wieder gestiegen
und zwar beträgt die Zunahme im Gesamthandel 687 841 Mk. (1911 Gesamthandel 942 866, 1912: 1 630 707).[2]

---

[1] Berg: Das Bezirksamt Mikindani. Mitt. aus den deutschen Schutzgebieten, 1897, S. 206 – 22.
 – Hans Meyer: a. a. O. S. 117/18. – Deutsche Schutzgebiete, 1911/12, Amtliche Jahresberichte, Statistischer Teil, S. 122 – 145. – Deutsches Kolonialhandbuch, 1912, S. 56.
[2] Deutsche Schutzgebiete, 1912/13, Amtliche Jahresberichte, Statistischer Teil, S. 156 – 177.

94

Als Auszweigungen der äußeren Mikindani-Bai erscheinen der Misete-Kriek und die Mtwara-Bucht. Ersterer zweigt sich östlich von Mikindani in südöstlicher Richtung von der Hauptbucht ab und bietet kleinen Fahrzeugen guten Schutz, hat aber wegen des schmalen Fahrwassers bei der Nähe des Mikindani-Hafens keine Bedeutung für die Schiffahrt. Ein kleiner von der Plateauvorstufe herabkommender Bach mündet in den Kriek. Geräumiger ist die weiter außen auf der Südostseite der Mikindani-Bai sich abzweigende Mtwara-Bucht. Bei 5½ Seemeilen Länge und 1½ Seemeilen Breite bietet sie fast überall gute geschützte Ankerplätze auf 10–25 m Wasser. Die Bucht hat eine schmale Einfahrt und ist im Innern mehrfach verzweigt, indem sie sich als Pwasië-Kriek in die Täler kleiner Wasserrinnsale vorstülpt und sich hier in Mangrowesümpfen verliert. Am Eingange der Mtwara-Bucht liegen auf der Südseite die Dörfer Schanguni und Mtwara.

Zwischen der Mikindani- und der an der Mündung des Rowuma sich ausbreitenden Rowuma-Bai erstreckt sich in südöstlicher Richtung und in einer Länge von 8 und einer größten Breite von 5 Seemeilen die große Mnasi-Bucht. Sie ist von der offenen See durch ein langgestrecktes Riff, das die Inseln Mongo und Mana-Hawandja trägt, getrennt und hat in ihrer Mitte Wassertiefen von 12–36 m. Sie stellt damit eine kleine Wallriff-Lagune dar. Die das Wallriff krönenden Inseln, von denen Mongo die westliche und größere ist, sind niedrig und mit Bäumen oder Wald bestanden. Zwischen der kleineren Mana-Hawandja-Insel und der die Rifflagune im Südosten umfassenden Msimbati-Halbinsel ist die einzige Lücke im Riffe vorhanden, die als Einfahrt in die Mnasi-Bucht dient. Im innersten Winkel der Bucht liegt das Dorf Mnasi, bei dem wegen der die Innenküste säumenden ½ bis 1½ Seemeilen breiten Sand- und Korallenbank nur bei Hochwasser gelandet werden kann. Die Bevölkerung der Nachbarschaft bringt die Erzeugnisse ihrer Pflanzungen zum Tauschhandel mit den Aufkäufern von Mikindani nach Mnasi.[1]

Was die Bodenbewachsung in dem Küstenstrich zwischen der Lindi- und der Rowuma-Bucht angeht, so ist hier auf lehmig-sandigem Boden der Plateauvorstufe wie des niedrigeren Terrassenlandes ein dichter, an Unterholz und Lianen reicher Wald oder ein dichter Busch bezw. Buschwald mit Bambusgestrüpp entwickelt. In weiter Verbreitung hat die natürliche Vegetation den Kulturen der Eingeborenen weichen müssen, und in der Umgebung der Ortschaften wechselt ein lichter, durch Holzschlag und Rodung verkümmerter Laubwald mit Sorghum- und Maniokfeldern ab. Die Hütten der Siedelungen liegen vielfach zerstreut

[1] Handbuch der Ostküste Afrikas, 1912, S. 342–345.

95

in Kokos- und Mangopflanzungen. Auf sumpfigen Flächen in den vom Plateau herabkommenden Tälern wird viel Zuckerrohr gepflanzt.[1]

Südlich vom Ras Matunda, der Südostecke der Msimbati-Halbinsel, öffnet sich in einer Breite von 9 Seemeilen die Rowuma-Bucht, die bis zum Ras Swafo, der Nordostecke der gleichnamigen Insel, gegen Südosten herüberreicht. Die Bucht greift 4 Seemeilen in das Land hinein bis zur versandeten Mündung des Rowuma, des südlichen Grenzflusses Deutsch-Ostafrikas, und ist von niedrigem, mit Mangrowen bewachsenem Land eingefaßt, das bei Springhochwasser fast ganz überflutet wird. Der Mto Letokoto, ein in der Nordwestecke der Rowuma-Bai mit $^3/_4$ Seemeile breiter, durch Riff und Sandbank gesperrter Mündung ins Land ziehender Kriek soll eine 15 Seemeilen lange, für Kanoes passierbare Verbindung mit dem Rowuma darstellen.[2]

Der Rowumafluß (Taf. 5) ist in seiner untersten Laufstrecke vielleicht 700–1000 m breit und mit einer ganzen Anzahl sehr veränderlicher Sandbänke und Schilfinseln erfüllt; je näher der Mündung, um so mehr nimmt die Versandung des Flußbettes zu. Das Wasser ist sehr flach und seine Tiefe wechselnd; bei niedrigstem Wasserstande in der Trockenzeit kann der Fluß an verschiedenen Stellen durchwatet werden. Immerhin können Dhaus etwa 15 km weit bis zur ersten Biegung bei Kwa Nuno in die Mündung hinauffahren, und sehr flachgehende Flußdampfer würden wohl, mit Ausnahme vielleicht der trockensten Zeit von August bis Oktober, den Fluß, allerdings der Sandbänke wegen nur schwierig, passieren können. Aber als Wasserstraße wird er doch kaum je eine Bedeutung gewinnen.[3] Derselbe Umstand wird auch dem plantagenmäßigen Anbau von Kokospalmen, Baumwolle und anderem im Rowumatale hindernd im Wege stehen.

Am untersten Rowuma herrscht ein ziemlich reger Handelsverkehr. Kleinere einheimische Segler kommen von Mikindani und Kionga und, fahren mit der Flut bis Megumbani (Migomba) in den Fluß hinein wohin die oberhalb am Rowuma wohnenden Eingeborenen in Einbäumen und die des Makondehochlandes über Land die Landesprodukte bringen. Von Mwambo an der Mündung bis zwei Wegstunden oberhalb des

[1] Bornhardt: a. a. O. S. 248.

[2] Handbuch der Ostküste Afrikas, 1912, S. 345–47.

[3] Stuhlmann: Bericht über das deutsch-portugiesische Grenzgebiet am Rowuma. Mitteil. aus den Deutschen Schutzgebieten, 1897, S. 183–188. – v. Behr: Geographische und ethnographische Notizen aus dem Flußgebiet des Rowuma. Mitteilungen aus den Deutschen Schutzgebieten, 1892, S. 15–20. – Weule: Wissenschaftliche Ergebnisse meiner ethnographischen Forschungsreise in den Süden Deutsch-Ostafrikas. Mitteil. aus den Deutschen Schutzgebieten, Ergänzungsband 1, Berlin 1908, S. 71.

96

Chidja-Sees liegen unmittelbar am Ufer des Rowuma ziemlich viele Ansiedelungen der Wamakonde, Wamaraba, Wayao, Wandonde u. a. mit Mangos, Bananen usw. Beide Ufer des Rowuma in der Nähe der Küste liefern Kopal.[1]

Der Fluß ist von einer durchschnittlich etwa 8 – 10 km breiten Alluvialebene begleitet, die zwischen den Plateauhöhen von Makonde und Mawia eingelassen erscheint. Sie besteht aus dunkelgrauem Tonboden, in den der Rowuma sein ziemlich gerade verlaufendes Bett eingegraben hat. Der Fluß hält sich zumeist nahe dem nördlichen Plateauabfall, so daß auf seiner Südseite der breiteste Teil der Alluvialebene bleibt. Nahe oberhalb der Mündung tritt aber die südliche Plateauvorstufe mit dem ca. 100 m hohen Mundo-Hügel dicht an den Fluß heran, während auf dem nördlichen Ufer desselben sich bereits das Terrassen- und Tiefland der Küste auszudehnen beginnt. Die breite Ebene auf dem Südufer wird von einem versumpften Bachbette, dem Luyende, durchflossen.[2] Die Alluvialanschwemmungen der Rowuma-Ebene verbauen vielfach die Ausmündungen der von den seitlichen Plateauländern herabkommenden, tief eingeschnittenen Tälchen und stauen deren Gewässer im Unterlauf zu Seen und Teichen auf. Solcher Entstehung dürften sein der Chidja- und der Urongo-See auf der linken und der Nangadi- wie der Lidede-See auf der rechten Talseite (siehe Taf. 5), welch letztere von Fischern aus der näheren und weiteren Umgebung aufgesucht werden.[3]

Die Alluvialebene des Rowuma bildet eine mit einzelnen Büschen durchsetzte Grasfläche; Uferwald mit zahlreichen Borassus- und Phönixpalmen begleitet den Fluß und den sumpfigen Luyende-Bach.[4]

Vier km oberhalb der Mündung des Rowuma sendet der Hauptfluß gegen Nordosten einige kleinere, gekrümmte Arme ab, den Mto Mkwango und den Mto Dekomba, welche zusammen mit einigen kleineren Rinnen zwischen der niedrigen, buschbewachsenen Sswafo-Insel und der Hauptmündung des Rowuma eine mit Mangrowesumpf erfüllte und an der See durch ein langes sandiges Strandland begrenzte deltaartige Bildung schaffen.

Südlich vom Rowuma fällt nur noch das kleine, durch eine von Kap Delgado ungefähr westlich bis an den Fluß verlaufende Linie abgegrenzte Stück der Plateauvorstufe des Mawia-Hochlandes nebst

---

[1] Berg: Das Bezirksamt Mikindani, Mitteilungen aus den Deutschen Schutzgebieten, Bd. 10, 1897, S. 206 – 222 (Rowuma: S. 210/11, 219).

[2] Stuhlmann: a. a. O. S. 184.

[3] Berg: a. a. O. S. 210.   [4] Stuhlmann: a. a. O. S. 185.

dem zugehörigen Terrassen- und Tiefland der Küste in deutsches Gebiet und erheischt eine kurze Darstellung.

Vom Mto Dekomba, dem östlichen Mündungsarm des Rowuma, zieht ein Kanal, der Mto Mbambi, der bei Springtide mit Kanoes durchfahrbar sein soll, zwischen der Sswafo-Insel und der Plateauvorstufe hindurch zur Kionga-Bai. Diese liegt südlich von Sswafo und wenig nördlich der zum Ras Delgado vorspringenden Landzunge; sie besitzt eine Breite von 4 Seemeilen und teilt sich im Innern in mehrere Krieks, an dessen südlichstem, dem Mto Kionga, auf 20 m hoher, mit Palmen bestandener Uferrampe hinter Mangrowengebüsch das Dorf Kionga liegt. Es ist dies der südlichste Hafenplatz unserer Kolonie, dessen Bedeutung bei seiner Lage in der Nähe der portugiesischen Grenze in seiner Funktion als Zollstelle (Zollamt III. Klasse) und in der Überwachung des Schmuggelhandels liegt. Die Fahrrinne im Mto Kionga ist seicht und gewunden und nur bei steigendem Wasser ohne Gefahr für Boote befahrbar. Dampfer müssen weit draußen vor Anker gehen, Dhaus können jedoch Kionga anlaufen.

Der unbedeutende Ort wurde 1894 von den Portugiesen an unsere Kolonie abgetreten und ist als Malariaherd verrufen. In der Umgebung wird Sorghum, Mais, Reis, hier und da auch viel Maniok, sowie Kürbis, Bohnen und Erdnuß angebaut; auch Kopra und Wildkautschuk werden gewonnen und in den Handel gebracht. In Kionga sitzt ein indischer Händler.[1]

Sieben km südöstlich von Kionga liegt am Nordende des langen, sandigen Strandes der 5½ Seemeilen breiten und 2 Seemeilen tiefen Mbwisi-Bai zwischen Ras Nassunga und dem Kap Delgado die Ortschaft Kilindi, wo die »Lindi-Kilindi-Syndikat-Gesellschaft« eine Kokospalmenpflanzung angelegt hat. Am südlichen Ende des weißen, sandigen Strandes der Mbwisi-Bucht ist bei dem Dorfe Mbwisi eine Steinruine, die von der vordringenden Welle schon stark weggewaschen worden ist, während sie früher erheblich von der Hochwasserlinie entfernt gelegen haben soll; wie die Ruinen von Kilwa gibt uns auch diese jedenfalls einen Beweis für die in gegenwärtiger Periode herrschende positive Strandverschiebung.

Von dem zwischen Kokospalmen gelegenen Dorf Mbwisi aus zieht sich die Küste als steiniges Korallenkalkland in ostsüdöstlicher Richtung reichlich 5 km weit bis zum Ras Lipuu, das, 1½ km nordnordwestlich vom Kap Delgado gelegen, den südlichen Grenzpunkt der Küste Deutsch-

---

[1] Handbuch der Ostküste Afrikas, 1912, S. 347/48. — Stuhlmann: a. a. O. S. 188. — Hans Meyer: Kolonialreich, Bd. 1, S. 118.

98

Ostafrikas darstellt, die auch zwischen dem Rowuma und dem Grenzkap
fast überall von einem breiten Saumriff eingefaßt wird.

Das Plateauland südlich vom Rowuma ist mit sehr dichtem Busch bedeckt, der vielfach ausschießlich aus Bambus besteht und nur selten von
offenerem Steppenwald vertreten wird. Am Plateaurande an der Rowuma-
Ebene wird der Wald so üppig, daß er stellenweise fast einem tropischen
Regenwalde gleicht. Das Terrassenland an der Küste zwischen Rowuma
und Kap Delgado ist mit lichter Buschsteppe mit vielen Dumpalmen und
auf Korallenkalkboden mit dichtem Busch mit vereinzelten Cycadeen
bestanden. An den Streifen sandigen Strandlandes wachsen in langen
Reihen schlanke Casuarinen, und die Krieks sind mit Rändern dichten
Mangrowengehölzes versehen.[1]

Flußpferde kommen in den Krieks und in einigen Teichen der Küstenzone ziemlich zahlreich vor und gefährden kleinere Boote; vereinzelt gibt
es größere Antilopen. Der dichte Urbusch in der Gegend von Kionga ist
der einzige Platz Deutsch-Ostafrikas, wo das Nashorn noch dicht an der
Küste vorkommt.[2]

V. Die Insel Mafia.

Allgemeines.

Mafia ist die südlichste und kleinste der drei großen der deutsch-
ostafrikanischen Küste vorgelagerten Inseln, die einzige, welche
nach dem deutsch-englischen Abkommen vom 1. Juli 1890 in deutschem
Besitz verblieben ist. Unmittelbar vor der ausgedehnten und weit in die
See vorgeschobenen Mündung des Rufiji gelegen, ist sie auch erheblich
näher an die Kontinentalküste gerückt, indem die Westspitze der Insel
(Ras Kisimani) nur 17 km von der Außenkante des Rufijideltas entfernt ist.

Der Name der Insel ist den Eingeborenen nur in der Verbindung
Kisimani-Mafia bekannt, womit eine Örtlichkeit an ebengenanntem
Westkap bezeichnet wird. Die ganze Insel wird dagegen von den Swahili
stets Chole genannt; und zwar unterscheiden diese Chole mjini, d.h.
die Stadt Chole, die auf dem gleichnamigen Nachbareiland Mafias liegt,
und Chole shamba, d. i. Chole-Land, womit sie die Hauptinsel meinen.
Nur von den Arabern wird letztere zumeist Mafia oder genauer »Máfya«
genannt. In den Chroniken heißt sie oft auch Monfia. Unsere Insel
scheint schon gegen das Jahr 1000 unserer Zeitrechnung von Ali bin
Hassan, dem aus Schiraz eingewanderten Begründer des Reiches

[1] Stuhlmann: a. a. O. S. 185.
[2] Stuhlmann: a. a. O. S. 185. — Fonck: Deutsch-Ostafrika, S. 258.
7*

Kilwa erworben zu sein.[1] Jahrhundertelang gehörte die Insel dann zu Kilwa. Ruinen aus Bruchsteingemäuer und zwei Brunnen befinden sich aus dieser Zeit an dem genannten Südwestkap hart am Strande; andere Reste sollen schon von der See weggeholt sein. Eine schirazische Moscheeruine liegt bei Msikitini im Norden Mafias. Nach Baumann stellen diese beiden Ruinenstätten die einzigen noch erhaltenen alten Baureste auf der Hauptinsel Mafia dar. Weitere Ruinen sind jedoch auf den Nachbarinseln Juani und Jibondo vorhanden. Ein großes Ruinenfeld ist dasjenige von Kua auf Juani. Es finden sich hier feste Bruchsteinmauern, die mehr oder weniger große, viereckige, freie Plätze umschließen, ferner steinerne Wohngebäude und drei Moscheen mit hübsch behauenen Gebetnischen in sarazenischem Stil.[2] Kua wird wahrscheinlich die alte Hauptstadt Mafias gewesen sein.

Weitere Ruinen finden sich auf Juani noch bei Jambe unweit der Nordspitze der Insel; es ist der Rest einer kleinen schirazischen Moschee mit Gebetnische aus behauenen Steinen. Auf Jibondo, südwärts von Juani, ist es ebenfalls eine Moscheeruine, die aus der schirazischen Zeit sich erhalten hat; sie soll älter als die Gemäuer von Kua sein.

Die Portugiesen scheinen während ihrer Besetzung Kilwas im 16. Jahrhundert keine größere Niederlassung auf Mafia gegründet zu haben. Nach der Chronik von Rezende[3] war die Insel auch im Anfang des 17. Jahrhunderts dem damals wieder unabhängigen Sultan von Kilwa unterstellt; der portugiesische Kommandant von Mozambique hatte jedoch auf der Insel eine Faktorei, und die Swahili (»Mauren«) auf den Inseln Chole, Juani und Jibondo (Auxoly, Coa [Kua auf Juani] und Zibondo) waren verpflichtet, den anlaufenden portugiesischen Schiffen Proviant zu liefern. An der Ostseite der Insel besaßen die Portugiesen auch ein kleines Fort. Nach der Tradition der Eingeborenen Mafias lag jedoch, wie Baumann angibt, diese (oder eine andere) portugiesische Befestigung in der Gegend von Kirongwe an der Nordwestküste.

Erst als um 1840 Seyd Saïd seine Residenz von Maskat nach Sansibar verlegte, kam Mafia wirklich in seinen Besitz, nachdem es schon seit Beginn des 18. Jahrhunderts nominell zur Herrschaft des Imans von Maskat gehört hatte. Es erhielt nun einen arabischen Statthalter (Vali). Zu dieser Zeit fand ein Überfall der Sakalaven von Madagaskar auf Mafia statt; diese kamen in zahlreichen Kanoes heran, stürmten die da-

---

[1] Baumann, O.: Der Sansibar-Archipel. I. Die Insel Mafia und ihre kleinen Nachbarinseln. Wissenschaftliche Veröffentlichungen des Vereins für Erdkunde zu Leipzig, Bd. III, Leipzig 1896, S. 7/8.

[2] Baumann: a. a. O. S. 25.

[3] Zitiert nach Baumann a. a. O. S. 8.

100

malige Hauptstadt Kua auf Juani und raubten Hab und Menschen. Letztere mußten sie jedoch einer aus Sansibar den Mafia-Leuten zur Hülfe kommenden Truppe bei Lindi wieder abgeben. Dieser Sakalaveneinfall ist die Ursache der Verlegung der Hauptstadt von Kua (Juani) nach Chole gewesen.

Beim deutsch-englischen Abkommen wurde Mafia zunächst, wie die beiden anderen großen Inseln vor unserer Küste, ebenfalls England zugesprochen. Erst durch ein nachträgliches Übereinkommen und nach dem Verzicht Deutschlands auf die Stephensonstraße am Nyassa-See wurde die Insel der deutschen Kolonie einverleibt.

Die Hauptinsel Mafia erstreckt sich in einer Länge von reichlich 50 km von Südwest nach Nordost. Sie spitzt sich nach Norden allmählich zu, während sie in der Mitte mit etwa 18 km ungefähr die größte Breite erreicht und im Süden nur wenig schmaler wird. Der Flächeninhalt der Insel beträgt (nach Baumann) 434 qkm. Sie hat eine leicht gewellte bis ebene Oberfläche, die an den höchsten Stellen wohl kaum über 50 m Meereshöhe erreicht.[1] Die Insel dürfte damit in ihrer ganzen Ausdehnung den jungen Küstenterrassen Ostafrikas angehören.

Die verbreitetste Bodenart sind auf Mafia dementsprechend lichtgraue bis lichtbraune lehmarme oder leichtlehmige Sande der jungen Deckschichten Bornhardts (a. a. O. S. 392). An verschiedenen Stellen scheinen ältere quartäre (lehmige Ablagerungen der Mikindani-schichten) und vielleicht auch tertiäre Schichten den Sockel zu bilden. Zu den jungdiluvialen Deckschichten bezw. -Terrassenbildungen gehört auch der Korallenkalk, welcher einen 1—2 km breiten Streifen entlang der Ostküste Mafias bildet, und über dessen Karsterscheinungen mit dem verschwindenden Wasserlauf des Pangani wir schon im ersten Kapitel des 1. Bandes Näheres erfahren haben.

Im Süden ist dieser Kalkstreifen als die Inseln Miewi, Juani und Jibondo von der Hauptinsel durch einen sich zu der Chole-Bai erweiternden Meeresarm getrennt. Auf der Westseite Mafias ist Korallenkalk in geringer Ausdehnung am Ras Mbisi und an einigen Huks weiter nordöstlich vorhanden.

Die Ostküste Mafias ist von einem schmalen, nach außen steil abfallenden Riff umsäumt, auf dem auch noch die Miewi-Insel liegt, während Juani mit Chole und Jibondo auf einem besonderen, breiteren

---

[1] Wenig südwestlich von Tirene (am südlichen Teile der Westküste Mafias) erhebt sich bis 52 m Höhe eine mit Kokospalmen bewachsene, kegelförmige, sich jedoch nur wenig aus der hügeligen Umgebung heraushebende Kuppe.

gemeinsamen Riffsockel sich erheben. Ebenso ist die Südküste und der nördliche Teil der Westküste von einem unregelmäßig umgrenzten Riff eingefaßt.

Neben der langen, auf der Westseite Mafias, zwischen dem Ras Mbisi und Jojo in nordöstlicher bis nördlicher Richtung weit in die Insel einschneidenden, dicht mit Mangrowen bewachsenen K i r o n g w e - B u c h t, die kaum als Hafen für größere Fahrzeuge in Betracht kommt, ist die C h o l e - B a i die einzige nennenswerte Einbuchtung der Mafia-Insel. Sie greift in weitgerundeter Form in die Südostküste der Insel ein und wird nach außen, wie schon angedeutet, durch die Inseln Juani, Chole, Miewi und einigen kleineren Inselchen und Felsen mitsamt den umgebenden, bei Ebbe trocken fallenden Riffen fast abgesperrt. Vom nördlichen Teil der Chole-Bai aus zieht sich eine Senke quer durch die Hauptinsel, in der zahlreiche kleine Seen, eine bemerkenswerte Eigentümlichkeit Mafias, eingelagert sind; hier finden sich auch die Hauptwasserläufe der Insel, die teils in die Chole-Bai, teils in die Einbuchtungen südlich vom Ras Mbisi an der Westküste münden.

Die sehr geringe Tiefe des Mafia-Kanals, zwischen dem Festland und der Insel, dessen Wasser zur Ebbezeit bis auf 15 m sinkt, läßt mehr noch als bei Sansibar eine geologisch sehr junge Verbindung von Insel und Festlandsküste annehmbar erscheinen. Wir können darum keine großen Verschiedenheiten in Fauna und Flora beider Teile erwarten. Die heutige Tiefenrinne des Kanals wird das alte Bett des Rufiji sein, der zu jener Zeit vielleicht einmal in einem südlichen, ein anderes Mal in einem nördlichen Arm die damalige Küste des Meeres erreichte.

Das beste Fahrwasser des Mafia-Kanals ist das östlich von der etwa mitten in ihm gelegenen Insel B o j d u (Bwejuu), die rings von kleinen Riffen und seichten Stellen umgeben ist und die Mitte des Kanals für die Schiffahrt vollständig sperrt. Die Gezeitenströmung ist im nördlichen und südlichen Teil des Mafia-Kanals verschieden. Der Ebbestrom läuft nördlich von R a s   K i s i m a n i (Südwestecke Mafias) nordwärts oder ostwärts, der Flutstrom südwärts; südlich des genannten Kaps dagegen geht der Ebbestrom südostwärts und die Flut nordwärts. Die Gezeitenströme werden aber häufig durch die beständig nördlich setzende Küstenströmung, besonders bei Nipptide, aufgehoben. Außerdem richtet sich der Strom im Mafia-Kanal auch viel nach dem jeweiligen Winde, und bei starkem Südost ist, außer bei Springtide, bei jedem Gezeitenstand mit ziemlicher Sicherheit ein kräftiger nördlicher Strom zu erwarten.

Wie wir im zweiten Kapitel (des 1. Bandes) gesehen haben, ist Mafia etwas regenreicher, als die benachbarte Festlandsküste. Bei Ras Kisimani

102

gehen die meisten Regen auf der ganzen Insel nieder.[1] Die ständige See-
brise macht die Temperatur erträglich. Wenn auch die Insel nicht ma-
lariafrei zu nennen ist, so scheint doch Mafia entschieden gesunder als
Sansibar und Pemba zu sein. Die Monsunzeiten auf Mafia — im Grenzgebiet zwischen den beiden vorn (im Klima-Kapitel) betrachteten Klima-
gebieten liegend — sind sehr veränderlich. Der Wind ist im Mafia-Kanal
beständiger als im Sansibar-Kanal.

Die wildwachsende Vegetation Mafias schließt sich in ihrem Charakter
derjenigen der Festlandsküste an. Sie bildet im größeren Teile der Insel,
d. h. in dem großen mehr oder weniger ebenen Sandlande einen lichten
Busch mit einzelnen Bäumen und Graswuchs. Diese Formation ist der
Buschsteppe der Küstenterrasse des Festlandes vergleichbar. Auf dem
Korallenkalkstreifen der Ostseite Mafias ist eine dichte Gestrüpp-Vege-
tation mit Adansonien und zahlreichen Baum-Euphorbien (»Inselbusch«) entwickelt. Namentlich im nördlichen Teil der Insel erhält diese
Vegetation den Charakter eines allerdings nicht sonderlich hoch werdenden förmlichen Waldes. Die Affenbrotbäume erreichen gewaltige Di-
mensionen, und ihre Wurzeln überziehen leistenartig den Waldboden.

Die feuchte Umgebung der Seen Mafias wird von Schilf, Ukindupalmen und anderen Sumpfpflanzen bestanden, denen sich im Flut-
bereiche des Meeres Mangrowengebüsche anschließen. Hier in der
Gegend von Kichevi im Nordwesten der Insel sind die beiden Seen
Chunguruma von hochstämmigem, dem Typus der Alluvialwälder des
Küstenlandes zuzurechnendem Wald umgeben. Nach Voeltzkow[2] ist
der Wald als solcher nur noch in einzelnen Komplexen vorhanden und
besteht aus verhältnismäßig weit von einander stehenden höheren Bäumen,
die durch buschiges Unterholz verbunden sind. Stellenweise sind die hohen
Bäume sämtlich, wie es scheint, infolge Beschädigung durch Menschenhand
abgestorben.

Aus der Tierwelt Mafias ist das Flußpferd bemerkenswert, da
dieses auf den beiden Inseln Sansibar und Pemba fehlt. Es ist wahrscheinlich, daß die ungetümen Dickhäuter vom Rufiji, wo sie sehr zahlreich vorkommen, nach Mafia verschlagen sind. Denn da die Tiere häufiger in die
See hinausgehen, so ist es leicht vorstellbar, daß sie durch Hochfluten des
Rufiji zusammen mit günstigem Winde an die Insel versetzt wurden, wo
ihnen das sumpfige, seenreiche Gelände zwischen der Chole-Bai und der

---

[1] Handbuch der Ostküste Afrikas. Auflage 1912, S. 312.
[2] Voeltzkow, A.: Bericht über eine Reise nach Ostafrika zur Untersuchung der Bildung und
des Aufbaues der Riffe und Inseln des westlichen Indischen Ozeans. III. Mafia und Sansibar.
Zeitschrift der Ges. f. Erdkunde-Berlin. Jahrgang 1904, S. 274 ff.

103

Westküste Mafias die denkbar günstigsten Lebensbedingungen bietet. Weniger wahrscheinlich dürfte es sein, daß die Flußpferde sich noch aus der Zeit des Zusammenhanges der Insel mit dem Festlande erhalten haben, denn dann ist ihr Fehlen auf Sansibar und Pemba nicht verständlich, zumal die Tiere auf dem Festlande selbst in wenig ausgedehnten Sumpfbecken hausen und keineswegs ausschließlich größere Flüsse und Seen bevölkern. Auf Mafia treten, besonders zur Regenzeit, die Flußpferde in den entlegensten Gebieten der Insel auf und richten in den Feldern großen Schaden an.

Noch mehr gilt letzteres von den zahlreichen W i l d s c h w e i n e n, die im Busch der Insel leben, und die von den Bewohnern nur durch Einfriedigung der Felder von ihren Pflanzungen abgehalten werden können. Z w e r g a n t i l o p e n, von den Eingeborenen C h e s i genannt, kommen von der auf dem Festlande großen Zahl der echten Wiederkäuer auf Mafia vor. Ein A f f e, wahrscheinlich die Kima-Meerkatze, ist auf Mafia, besonders aber auf der Nebeninsel Juani, in großen Herden anzutreffen.

Aus der Vogelwelt sind Perlhühner und Wildtauben bemerkenswert; Webervögel verunzieren und beschädigen wie überall an der Küste, so auch auf Mafia durch ihre Nestanlagen die Kokospalmen. K e r s t e n erwähnt noch besonders einen kleinen grünen Papagei (Poliopsitta cana) von Mafia bezw. Chole.[1] Von größeren R e p t i l i e n sei die W a r a n e c h s e (»Kenge«) und die R i e s e n s c h l a n g e, Chatu der Eingeborenen, genannt. Der Honig der W i l d b i e n e n wird von den Bewohnern Mafias benutzt.[2]

Die schwarze B e v ö l k e r u n g Mafias nennt sich W a m b w e r a. Diese sind stammverwandt mit den Küstenleuten des südlichen Usaramo, und der Name leitet sich von der der Westspitze Mafias gegenüber im Rufiji-delta gelegenen Landschaft U m b w e r a her. Die Wambwera Mafias entsprechen den Wahadimu auf Sansibar und den Wapemba auf Pemba und sind zweifellos die ältesten, schon in »sehr früher Zeit« eingewanderten Bewohner Mafias. Über die ganze Insel trifft man ihre Niederlassungen an; sie sind auch die einzigen spärlichen Bewohner des Kalklandes im Osten. Sie unterscheiden sich in Tracht und Sitte nicht von den Küstenleuten und sind gleichfalls Sunniten vom chaffeïtischen Ritus. Sie sind friedliebend und bedürfnislos, betreiben Feldbau und Viehzucht und stehen unter kleinen Häuptlingen, deren angesehenster der von B w e n i im Norden der Insel ist, wo die Wambwera in geschlossenen Mengen

---

[1] Von der Deckens Reisen in Ost-Afrika, Band II, 1871, S. 250.

[2] O. B a u m a n n : Die Insel Mafia. Wissenschaftliche Veröffentlichungen des Vereins für Erdkunde zu Leipzig. Band III, 1. Heft, Leipzig 1896.

104

ansässig sind. Nach Baumann zogen sich die Wambwera früher aus Furcht vor den arabischen Sklavenräubern von der Küste Mafias zurück und wohnten nur im Innern der Insel, bis dann die unter Sultan S e y d S a ï d von Sansibar allmählich eintretenden geordneteren Zustände sie ihre Dörfer auch an den Strand anlegen ließen.

Ein charakteristisches Bevölkerungselement Mafias sind die gewisser-maßen den Adel auf der Insel vorstellenden S h a t i r i, die jedenfalls schon vor vielen Jahrhunderten auf der Insel eingewandert sind und in den alten portugiesischen Berichten als »Mauren« bezeichnet werden. Sie selbst nennen sich Sherifu (d. i. Abkömmlinge des Propheten) und leiten ihren Ursprung von H a d r a m a u t her. Sie sind desselben Stammes mit den Shatiri von B a r a w a, S i u bei Lamu und W a s s i n. Ihre Haupt-farbe ist lichtbraun, sie sind meist hoch gewachsen, feingliedrig und von angenehmen Gesichtszügen, die eine Mischung von Araber- und Negertyp darstellen. Die Shatiri, deren Gesamtzahl nach Baumann nicht über 2000 gehen dürfte, bewohnen die Stadt Chole, ferner K i p i n g w i und K i p a n-d e n i und sind die Besitzer von Landgütern in allen Gebieten Mafias; die Kokospflanzungen der Insel sind vorwiegend in ihren Händen. Sie sind sunnitische Mohammedaner und sehr glaubenseifrig; als Umgangs-sprache dient ihnen das Kiswahili. Sie bauen für ihre Toten gemauerte Gräber mit pyramidenartigem Denkmal. Auch Spuren einer früheren jüdischen Einwanderung, die sogenannten K a n a a n i, nur noch durch ihre Gesichtsbildung vom Neger unterschieden, sind noch auf Mafia anzutreffen.[1]

Unter den jüngeren Einwanderern Mafias steht die S k l a v e n b e - v ö l k e r u n g in der Zahl an erster Stelle. Die Sklaven sind vielfach aus dem Rufiji-Gebiet herübergekommen, wo zur Zeit der Heuschrecken-verwüstungen Menschenware billig war, und gehören den Stämmen der W a n y a s s a, W a y a o u. a. des Südens Deutsch-Ostafrikas an. Zahlreiche Sklaven sind aus Mafia gebürtig. Die meisten Sklaven sind in Händen der Shatiri, wenige gehören den Wambwera an. Nach Baumann ist das Los der Mafia-Sklaven erheblich besser als das ihrer »Berufsgenossen« auf Sansibar und Pemba. Die Arbeit auf den Kokospflanzungen Mafias ist eine ziemlich leichte, die Beköstigung genügend, und Übergriffe sind unter dem deutschen Regiment nur selten.

Bei C h e m - C h e m an der Südküste Mafias leben seit einigen Gene-rationen S w a h i l i l e u t e aus M a l i n d i; in der Gemarkung B a l e n i, inmitten der Insel, haben sich K o m o r e n s e r (Angasija) angesiedelt.

Reine M a s k a t - A r a b e r sind nur spärlich auf Mafia vertreten. Sie wohnen einzeln in C h o l e und K i r o n g w e. Wahrscheinlich sind die

[1] Die deutschen Schutzgebiete 1912/13. Berlin 1914, S. 12.

105

Maskater erst seit der Einverleibung Mafias in das Sultanat Sansibar durch Seyd Saïd dorthin gekommen. Sie legten z. T. bei Kisimani-Mafia eine Niederlassung an, wo die der ibathitischen Sekte angehörigen Nachkommen heute noch zu finden sind; diese tragen deutlichen Mischlingscharakter und sprechen nur Kiswahili.

Shihiri (Scheher-Araber), wie Leute aus Hadramaut und Makalla, sind, als Schambenbesitzer oder Kaufleute, nur in geringer Zahl auf Mafia bezw. Chole vertreten. Suri-Fischer aus dem.Persischen Golf halten sich lange auf Mafia und den Nachbarinseln auf.

Selbstverständlich fehlen die Inder auch auf Mafia nicht. Sowohl »Wahindi«, d. h. mohammedanische Inder, wie »Banyani«, heidnische Hindu, sind auf der Hauptinsel wie namentlich auf Chole vertreten. Sie sind ausschließlich Kaufleute und stehen mit Sansibarfirmen in Beziehung.

Die zu einem großen Teil zerstreut auf den Schamben lebende Gesamtbevölkerung Mafias einschließlich Chole, Juani und Jibondo wurde von Baumann (1896) nach eigener Schätzung auf 6000 angegeben.

Die Kokospalme ist dank dem ozeanischen Klima der Insel die wichtigste Kulturpflanze Mafias. Die Wambwera bauen wie die Küstenneger im allgemeinen den Baum nur zum eigenen Bedarf in geringer Zahl an, nur wenige größere Kokospflanzungen gibt es von ihnen auf der Insel. Dagegen besitzen die Maskataraber wie Shatiri solche in größerem Umfange. Der jahrelange Statthalter des Sultans von Sansibar auf Mafia, Salim bin Saïd, hat sich sehr um die Verbreitung der Kokoskultur auf der Insel verdient gemacht und große Pflanzungen bei Tireni im südlichen Teil der Westküste angelegt. Außer in dieser Gegend bis nordöstlich gegen Kichevi befinden sich die größten Kokospflanzungen Mafias an der Südküste und an der Umrandung der Chole-Bai. Auch im Innern der Insel sind an den verschiedensten Stellen Pflanzungen der Palme angelegt, so in den Distrikten Pinga, Baleni, Upenja, Kivuni, Jimbo u. a., ferner am nördlichen Teil der Westküste, wie bei Kirongwe und Changwa. Nach der neuesten Denkschrift über Deutsch-Ostafrika[1] stehen auf der Insel Mafia 600000 Kokospalmen, »die aber nach dem zum Anbau geeigneten Lande wohl auf anderthalb Millionen vermehrt werden könnten«. Die Kopragewinnung wird heute nicht mehr allein von den Farbigen, sondern auch von einigen deutschen Unternehmern auf Mafia betrieben.

Die Kokospalme gedeiht in dem sandigen Boden von Mafia ganz vorzüglich und trägt schon im vierten bis fünften Jahre reichlich Früchte.

---

[1] Die deutschen Schutzgebiete in Afrika und der Südsee 1911/12. Amtl. Jahresberichte, herausgegeben vom Reichs-Kolonialamt. Berlin 1913, S. 15.

106

Nach sechs Jahren kann sie als ausgewachsen betrachtet werden. Die Palmen auf Mafia bringen ungewöhnlich große Nüsse hervor; stellenweise wird auch die kleine Varietät mit gelben Nüssen (Mnazi ya Pemba) gepflanzt, von welchen jedoch nur die jungen Saftnüsse (Madafu) Verwendung finden.[1] Nicht nur die Kokosnüsse gelangen als solche zum Export, sondern auch die aus deren Faser gewonnenen Stricke.

Die Areka-Palme, die zum lokalen Gebrauch ihrer Früchte angebaut wird, scheint auf dem Sandboden Mafias nicht sehr gut fortzukommen.

Die wichtigste Nahrungspflanze Mafias ist wohl der Maniok, der meist zwischen den Palmen angebaut wird. Als Getreide werden Sorghum und Reis gepflanzt; ersterer von den Wambwera sogar noch im trockenen Kalklande. Der Reis, obwohl überall auf Mafia gebaut, kann den Verbrauch nicht decken und muß, wie auch sonst in Ostafrika noch in reichlicher Menge, aus Indien und dem Rufiji-Gebiet, importiert werden; auch Sorghum wird von (Sansibar und) der Küste noch eingeführt.

Zur Nahrung werden von den Eingeborenen Mafias ferner gezogen (teils aber auch eingeführt) die üblichen Hülsenfrüchte, dann Bataten, Tomaten, Gurken und Kürbisse. Von Früchten gibt es Bananen, Orangen, Zitronen, Guayaven u. a., namentlich aber gedeiht der Mangobaum auf der Insel vorzüglich. Zuckerrohr wird zum lokalen Gebrauch gebaut. Den Großbetrieb in arabischen Händen hat man, wie an so vielen Stellen Ostafrikas, wieder fallen lassen.

Sesam wird als Ölfrucht reichlich angebaut und auch ausgeführt; auch Tabakbau fehlt auf Mafia nicht.

Der Gewürznelkenbau, der auf den beiden anderen großen Inseln vor unserer Küste eine so große wirtschaftliche Rolle spielt, wurde seit langer Zeit auch auf Mafia versucht. Nach der neuesten amtlichen Denkschrift (für 1911/12. S. 18) zeigen die Pflanzungen des Nelkenbaumes auf Mafia einen sehr guten Stand, und scheint der weiteren Ausbreitung der Kultur, nachdem man anfängliche Fehler bei der Pflanzungsanlage jetzt zu vermeiden gelernt hat, nichts mehr im Wege zu stehen.[2]

Von Produkten wild wachsender Pflanzen wird auf Mafia Kopal in geringer Menge gewonnen und ausgeführt.

Von Haustieren besitzen die Wambwera überall Ziegen und Hühner; auch Schafe und Enten werden auf der Insel gehalten. Eine nicht unbedeutende Rolle innerhalb des deutsch-ostafrikanischen Küstengebietes spielt die Rindviehzucht auf Mafia, da die Insel fast ganz von

---

[1] Baumann: Die Insel Mafia, S. 16/17.

[2] Vergl. im Übrigen das im Wirtschaftskapitel hierüber Gesagte.

. 107

der fürchterlichen Seuche verschont blieb, die 1891 einen großen Teil der ostafrikanischen Viehherden vernichtete. Durch ein Ausfuhrverbot des deutschen Gouvernements unterstützt, hat sich der Viehstand auf Mafia weiter gehoben, so daß Baumann schon 1896 die Zahl der Rinder Mafias auf 2500 schätzen konnte. Die kleine Zeburasse gedeiht nach demselben Autor vorzüglich auf den Weiden der Insel, liefert allerdings nur wenig Milch und kein besonders gutes Fleisch. Im Jahre 1896 wurde vom Gouvernement die Viehstation Mssikitini gegründet.

Von jeher hat der Fischfang in den Gewässern Mafias eine große Bedeutung gehabt, und die Küstenbewohner der Insel wie der Nachbareilande sind eifrige Fischer. Getrocknete Fische, zumal Haifische (Papa), wie auch Tintenfische (Pweza) gelangen zur Ausfuhr. Schildpatt guter Qualität wird in erheblichen Mengen erbeutet, und die Eier der Karettschildkröte sind besonders am Sandstrande der kleinen Inseln des Mafia-Kanals manchmal in sehr großer Zahl zu finden.

Perlmutter wird vornehmlich auf den großen Riffen südlich Mafias gewonnen. Früher war die Kauri-Fischerei bedeutend, ist aber längst, nachdem die Nachfrage nach Kauri aufgehört hat, ganz eingestellt worden. Die Kaurischnecke ist namentlich in dem seichten Meeresarm zwischen Chole und Juani in großer Zahl zu finden. Ziermuscheln gelangen spärlich zur Ausfuhr.

Wichtig und interessant ist die ausgedehnte Matten-Industrie auf Mafia. Die auf der Insel überall wild wachsende Ukindupalme liefert in ihren Blattfiedern das Rohmaterial.[1] Man fertigt auf Mafia rechteckige Schlafmatten (Mikeka), oblonge Gebetmatten (Misala), trichterförmige Speisedeckel (Makawa), seltener die als Unterlage für das Speisebrett oder den Mühlstein dienende kreisrunde Vitanga und wohl nur gelegentlich feine Fußboden-Matten (Mikeka-Jamvi). Die Mattenflechterei wird von den Frauen besorgt, Wambwera wie Sklaven und Shatiri; in den Harems der letzteren entstehen die schönsten Arbeiten. Nach Baumann werden Chole-Matten im Werte von 13000 Rps jährlich ausgeführt; die Matten gehen jetzt meist nach Daressalam. Die durch die allerdings einträglichere Mattenindustrie der Feldwirtschaft verloren gehende Weiberarbeit ist nach Baumann mit die Ursache für die reichliche Einfuhr von Feldfrüchten und Nahrungsstoffen auf Mafia.

Der Seilerei auf Mafia wurde schon bei der Kokospalme Erwähnung getan; nach Baumann kommen von Mafia Kokosstricke im Werte von jährlich ca. 10000 Rps zur Ausfuhr.

Auch Schiffsbau wird auf Mafia bezw. Chole betrieben, und zwar

[1] Vergl. Kapitel Bevölkerung.

108

zumeist von den Shatiri, die dabei gewöhnlich ihre Sklaven als Handwerker benutzen. Das Bauholz kommt aus dem Rufijidelta, teils auch (Casuarinen für die Kiele) von der Bwejuu-Insel und West-Mafia. So werden kleinere Boote für den lokalen Verkehr und auch größere Fahrzeuge (Dhaus) für weitere Reisen zum eigenen Gebrauch und zum Verkauf hergestellt.

Einzelbeschreibung.

Die eigentliche Hauptstadt Mafias ist Chole, das auf der gleichnamigen kleinen Insel zwischen Juani und der Hauptinsel im Südwest-Eingange der Chole-Bai liegt. Es ist die einzige größere Niederlassung im Bereiche Mafias überhaupt und der Mittelpunkt seines Handels. Chole ist Sitz der Bezirksnebenstelle für Mafia und die Nachbarinseln, ist Polizei- und Zollposten. Auch eine Postanstalt befindet sich am Ort. Die Hütten des Ortes sind über das nordsüdlich gestreckte Inselchen zerstreut, oft mit Feldern und Fruchtbaumpflanzungen dazwischen, rücken aber im Norden der Insel zu einer geschlossenen Ortschaft zusammen. Hier liegt auch das stattliche deutsche Zollhaus sowie eine Anzahl anderer Steinhäuser, zum Teil mit Palmwedeldächern, während die Stadt im wesentlichen aus Lehmhütten besteht. Auf der Insel Chole befinden sich eine ganze Anzahl trinkbares Wasser führender Brunnen.

Die Bewohner Choles setzen sich aus Swahili, Sklaven, Shatiri, Maskatarabern und Indern zusammen. Die Insel hat, wenn auch teilweise im Sockel aus sterilem Kalk bestehend, eine Decke fruchtbarer Roterde, die gewaltige Exemplare von Mangobäumen erzeugt, während die Kokospalme auf dem Inselchen nicht fortzukommen scheint. Mächtige Adansonien ragen als Reste der ursprünglichen Vegetation über die Inselfläche auf.

Chole besitzt leider nicht die Vorzüge eines guten Hafens. Die Einfahrt in die Chole-Bai von Osten ist wegen der gefährlichen Riffe und des äußerst starken Stromes in ihr für Segler unmöglich und auch für Dampfer untunlich. Von Südwesten können die Einfahrt über das Riff zwischen Mafia und den Inseln Jibondo, Juani und Chole nur ganz kleine Zollkreuzer wagen, wogegen größere Dampfer weitab bei der Insel Jibondo Anker werfen müssen. Selbst die größeren arabisch-indischen Zweimaster (Kotias) meiden im allgemeinen die schmale Einfahrt in die Bai, die auch für die kleinen Dhaus sehr ortskundige Führung nötig macht.

Zahlreiche kleine Segler verkehren zwischen Chole und dem (gegenüber) auf Mafia gelegenen Utende. Dagegen findet der Verkehr zwischen Chole und der südöstlich vorgelagerten Kalkinsel Juani, dem größten

109

der Nachbareilande Mafias, nur bei Ebbe über das trockenfallende, mit Mangrowen bewachsene Riff zwischen beiden Inseln zu Fuß statt. Die Dörfer von Juani liegen alle auf der Nordwestseite der Insel. K i s i m a c h a J u m b e mit wenigen Hütten, gegenüber Chole, ist der einzige gute Brunnen auf Juani. Südwestlich davon birgt der dichte Busch die Ruinenstadt K u a. Wenig östlich von Kisima cha Jumbe liegt der Hauptort J u a n i, vielleicht 60 Hütten groß, mit schlechtem Brunnen. Weiter im Nordosten folgen C h a l e n i und J a m b e; letzteres besteht aus etwa einem Dutzend Hütten, deren Bewohner ihr Trinkwasser zu Fuß aus der Kisima cha Jumbe oder bei günstigem Winde per Boot von Mafia besorgen müssen.

Die Einwohner Juanis, wohl ausschließlich Wambwera, bauen Sorghum und pflanzen Kokospalmen, die aber nur schlecht vorwärts kommen. Der größere südöstliche Teil der Insel ist von Menschen unbewohnt; sein dichter, dem steinigen Korallenlande entsprießender, niedriger Busch wird von Wildschweinen, Zwergantilopen, Affen, Perlhühnern u. a. bevölkert.

Nordöstlich von Juani, noch auf demselben Riff wie das Kalkland im Osten Mafias, liegt die kleine buschbewachsene, unbewohnte Felsinsel M i e w i. Die südwestliche Fortsetzung des Kalklandes von Juani bildet dagegen die Insel J i b o n d o, mit ersterem und Chole auf demselben Riff und daher bei Ebbe, wenn auch wegen der damit verbundenen Gefahr nur unter sehr kundiger Führung, zu Fuß zu erreichen. Der gewöhnliche Verkehr zwischen den Inseln spielt sich per Boot ab. Im Westen der fast überall von steilen, durch die Brandung unternagten Korallenkalkkliffs eingefaßten Insel Jibondo liegt der einzige Ort mit vielleicht 250 bis 300 Einwohnern: »dunkelfarbige, wohl den Wambwera stammverwandte Swahili, die sich selbst Schirazi nennen« (Baumann, Mafia, S. 27). Kokospalmen überragen die Hütten des Dorfes und erheben sich auf dem sandigen Vorlande des Strandes, »die jedoch auch hier wie auf allen kleinen Inseln Ostafrikas, nur verkümmerte Früchte liefern« (Baumann). Sonst baut man Sorghum, Maniok und Hülsenfrüchte.

Ihr Trinkwasser müssen die Bewohner Jibondos im Einbaum von der meilenweit entfernten Küste Mafias herüberholen; nur zur Regenzeit fangen sie das von den Dächern ihrer Hütten ablaufende Wasser auf; bei stürmischem, regenlosem Wetter ist tagelang kein Wasser zu haben.

Die schirazische Moscheeruine von Jibondo wurde bereits erwähnt; östlich vom Ort befindet sich auch ein alter, verschütteter Brunnen.

Die Hauptinsel Mafia selbst hat keine größeren, geschlossenen Ortschaften. U t e n d e, Chole gegenüber, und M a r i m b a n i, weiter nördlich

I 10

an der Chole-Bai, sind Schambenbezirke, denen einige Inderläden gewisse Mittelpunkte geben. Einen solchen stellt auch Kipandeni an der
Mündung des größten Flusses der Insel Mafia in die Chole-Bai dar. Weiter
östlich an derselben Bai und einem in dieselbe mündenden Mangrowearm
gleichen Namens liegt Kipingwi, ein Dorf mit ca. 50 Hütten, wo auch
einige Shatiri leben. Mchangani und Mlola, wenig östlich, nahe der
Grenze zum Kalklande, sind kleine von Wambwera bewohnte Dörfer.

Auch zwischen Kipingwe und Kirongwe (an der Nordküste) liegen nur
Landsitze, von denen Mkalangama, Kipora und Upenja Steinhäuser
und Moscheen aufweisen. Ebenso liegen in Kirongwe selbst die
Inderläden und ein arabisches Wohnhaus in den Pflanzungen verstreut.
Westlich von Kirongwe, jenseits der breiten Mangrowe-Lagune, war früher
die jetzt verschwundene Ruine eines angeblichen Forts der Portugiesenzeit, namens Jojo. Weiter nördlich, an der Westküste, befindet sich
dagegen noch die schon erwähnte Moschee-Ruine bei Msikitini, deren
Spitzbögen und behauene Steine schirazische Herkunft verraten.

Im Norden Mafias besitzen die Wambwera eigentliche Dörfer, von
denen das größte, Bweni, sich mit seinen Hüttenreihen am Weststrande
entlang zieht. Kleiner sind Kidakuli, Mnari und Kanga. Inderläden
sind in diesen Bezirken, nahe der mit einem massiven Leuchtturm versehenen Nordspitze Mafias, dem Ras Mkumbi, nicht mehr anzutreffen.

Auch im Norden und Innern des mittleren Teiles der Insel fehlen
geschlossene Ansiedelungen, und die Hütten und Häuser liegen in den
Schamben verstreut. Auf der Westseite, der Chole-Bai gegenüber, ist
Tireni, das oft genannte Landgut des ehemaligen Statthalters des Sultans
Salim bin Saïd, dessen jetzt verfallenes Wohngebäude sich auf der
Höhe der Uferböschung erhob, aus der zwei klare Quellen hervor-
brechen. Etwa drei km südwestlich von Tireni ist der neue Hafen von
Kilindoni, der Aus- und Einfuhrplatz für die Nordwestküste von Mafia,
mit einem Zollamt III. Klasse. Der Güterverkehr Kilindonis betrug in
runder Tonnenzahl:

	Einfuhr	Ausfuhr	Zusammen
1912	391	1099	1440
1913	157	3577	3734.

Es verkehrten auf der bei Nordostmonsun wenig geschützten Reede
im Jahre 1913: 42 Dampfer mit insgesamt 46384 Reg.-Tonnen.[1]

Im südlichsten Teile Mafias sind nur wenige Landgüter mit kleinen
Hüttenkomplexen vorhanden; dagegen findet sich am (Süd-) Westkap der

[1] Handbuch für Deutschostafrika.

III

135

Insel die geschlossene Niederlassung Kisimani-Mafia. An der verbreiterten Mündung des kleinen Mawele-Flusses gelegen, in der Dhaus genügenden Schutz finden, stellt der Ort einen weit günstigeren Hafenplatz dar als Chole, zumal alle von Norden wie Süden kommenden Fahrzeuge an Kisimani vorbei müssen; für Dampfer ist allerdings das Wasser außerhalb des Strandes zum Ankern zu tief. Die schon früher erwähnten Reste schirazischer Bauten zeigen, daß der Ort früher eine größere Bedeutung gehabt hat, und das spiegelt sich auch in einem alten Schifferlied wieder, das auch Baumann anführt:

> Jibondo na Mafia
> Kisimani ndio njia
> Ya kupita zombo (chombo) pia

(Ja an Jibondo und Kisimani-Mafia führt der Weg aller Schiffe vorbei). Der Ort, der nach Baumann (1896) ca. 200 Einwohner, arabische Mischlinge und deren Sklaven, zählte, ist wegen seiner günstigen Lage für die Verlegung des Zollamtes von Chole vorgeschlagen worden; durch die Errichtung eines Nebenzollamts in dem nicht weit entfernten Kilindoni ist die Frage jetzt bis zu einem gewissen Grade gelöst.

Außer den genannten, im Süden Mafias gewissermassen aus dessen südöstlichem Kalklande hervorwachsenden Inselreihe (Miewi, Juani-Chole, Jibondo) werden hier am besten noch einige kleinere Inseln erwähnt, die Mafia im weiteren Abstande umschwärmen. In der Verlängerung des Juani-Jibondo-Riffes liegt auf einem fast unmittelbar anschließenden, besonderen Riffe die von Seevögeln belebte Sandbank Kitutia. Ungefähr mitten zwischen dem Südwestkap Mafias und der Küste des Rufiji-Deltas erhebt sich die Insel Bwejuu über den Wasserspiegel des Mafia-Kanals. Sie besteht hauptsächlich aus Sandanhäufungen, die eine westöstlich gestreckte Bank bilden und mit Casuarinenbäumen bestanden sind. Auf der Ostseite der Insel liegt ein ca. 30 Hütten vereinigendes Fischerdorf, von wenigen Kokospalmen überragt, mit einem brackiges, aber genießbares Wasser gebenden Brunnen. Suri-Araber und Swahili wohnen hier und leben vom Fischfang; daneben pflanzen sie Sorghum, Mais, Hülsenfrüchte und anderes.

Nördlich von Mafia liegen die drei kleinen Inseln Barukuni, Shungu mbili, kleine sandige Eilande, sowie Nyororo; letzteres, sandig, aber teilweise von niedrigen Korallenkalkabhängen eingefaßt und mit Casuarinen und Busch bewachsen, ist neuerdings vom Gouvernement aus besiedelt worden (Denkschrift 1911/12, S. 5).

112

VI. Die Insel Sansibar.

Allgemeines.

Von den drei großen, der deutschostafrikanischen Küste vorgelagerten Inseln ist Sansibar zweifellos die bei weitem bekannteste und in politischer wie wirtschaftlicher Hinsicht heute noch wichtigste. Sansibar in seiner Bedeutung als Welthafen und Handelszentrum für ausgedehnte Gebiete des mittleren Afrikas, als Hauptstadt eines Reiches, das sich vom Kap Guardafui bis Mozambique erstreckte, als Ausgangspunkt nicht nur der großen Handelskarawanen, sondern auch einer ganzen Reihe der wichtigsten Forschungsexpeditionen nach Zentralafrika voll zu würdigen, würde über den Rahmen des vorliegenden Buches weit hinausgehen. Hier soll nur das Wichtigste aus der Geschichte Sansibars und über die wirtschaftliche Rolle der heutigen Stadt gesagt und eine kurze Beschreibung der Insel gegeben werden.

Der Name Sansibar wird von dem mittelalterlichen Zendj-bar (=Land der Schwarzen) abgeleitet, womit die arabischen Schriftsteller das ganze tropische Ostafrika bezeichneten. Da es sich in den alten Berichten immer im Wesentlichen um die Küstenländer handelte, so fällt die Bezeichnung Zendj-bar (Zengibar) etwa mit dem später als Sansibar-Küste bezeichneten Landstreifen zusammen. Allmählich wurde der Name auf die der Küste vorgelagerte Insel bezw. auf ihre bedeutendste Zentrale übertragen. Die schwarzen Eingeborenen selbst gebrauchen den Namen Sansibar nicht, sie nennen vielmehr Stadt wie Insel stets Unguja, ein Name, der vom Kiswahiliwort Ungu-jaa abzuleiten ist und soviel wie einen vollen, d. h. in diesem Falle bevölkerten Raum (also eine »Großstadt«) bedeutet. Zum Unterschied von der Insel Unguja shamba (Unguja, Land), wird die Stadt als Mji ya unguja (Stadt von Unguja) oder Mjini Unguja (Unguja, Stadt) bezeichnet. Schon im 13ten Jahrhundert berichtet der arabische Kaufmann und Geograph Jacuti von einer Insel Lendjuya, und El Bakuï nennt in seinem 1403 erschienenen Werke Bandguïa, eine große und fruchtbare Insel im Meere der Sendsch. Vielfach hat man Sansibar mit der von Ptolemaeus erwähnten Insel Menuthesias (Menuthias) identifizieren wollen; der ca. 100 Jahre n. Chr. erschienene Periplus des Roten Meeres berichtet von diesem Eiland, daß die Eingeborenen desselben in Einbäumen und genähten Booten Schildkröten fangen, und daß außer Krokodilen keine Raubtiere auf ihm vorkommen. Es scheint jedoch nicht wahrscheinlich, daß Sansibar das alte Menuthesias darstellt.

Nach der Begründung des Reiches Kilwa durch die Schirazi (975 n. Chr.) fiel u. a. auch Sansibar bald an dieses. Im 15ten Jahrhundert scheint sich die Insel jedoch schon eine gewisse Unabhängigkeit errungen

8   Werth, Deutsch-Ostafrika Band II.

113

zu haben. Der eben erwähnte El Bakuï (1403) beschreibt Sansibar
(Bandguia) als Sitz des Königs der Sendsch (Schwarzen) und als Anlege-
platz fast aller Schiffe, welche diese Gestade besuchen. V a s c o d a G a m a
fand auf seiner Rückkehr von Indien am 20. April 1499 eine gute Aufnahme
auf Sansibar, das einen regen Handel mit S o f a l a und G u j e r a t in Gold,
Calico, Wachs, Honig, Reis, Elfenbein, Ambra und Schildpatt betrieb;
Kokosstricke und schöne Gewebe aus Baumwolle und Seide wurden auf
Sansibar hergestellt. Die Insel hatte einen guten, häufiger von den
Portugiesen aufgesuchten Hafen. Dieser dürfte wohl nicht in der Gegend
der heutigen Stadt, die wohl frühestens aus dem Ende des 18 ten Jahrhunderts stammt, sondern vielmehr im Südwesten der Insel an der Stelle
des heutigen Unguja ukuu (= Alt-Sansibar) gelegen haben, wo die
M e n a i - B a i einen guten, geschützten Ankerplatz abgibt. Ruinenreste
einer alten Niederlassung sind allerdings heute dort nicht mehr zu finden.
Solche treffen wir dagegen noch im Norden Sansibars an dem zweiten
guten Hafen der Insel, dem Kanal zwischen ihr und der Nebeninsel
T u m b a t u. Hier liegt bei M a g o g o n i, nordöstlich von K o k o t o n i, auf der
Höhe der Strandterasse, an dessen Fuß ein guter Ankerplatz auch für
größere Fahrzeuge vorhanden ist, in dichter Vegetation eine ausgedehnte,
zweifellos aus der schirazischen Zeit stammende Ruine, mit starken Stein-
mauern mit Schußscharten und an gotische erinnernde Bögen. Von den
Eingeborenen wird die Feste auf die mythischen W a d é b u l i zurückgeführt.
Eine zweite Ruinenstätte findet sich gegenüber auf der Kalkinsel T u m b a t u;
am Südende derselben sind die stark verfallenen Reste, die vermutlich eine
Moschee und ein Wohngebäude dargestellt haben, zu finden; auch sie
weisen ihrer Bauart nach auf schirazischen Ursprung. Einen Herrscher
zweifellos schirazischer Abkunft hat es bemerkenswerter Weise noch bis
in die jüngste Zeit hinein auf der Insel Sansibar gegeben. Es ist der unter
dem Namen M w i n v i M k u u (Munyimkuu oder Muniemkuu = Großer
Herr) bekannte Sultan der W a h a d i m u, der in dem großen Schlosse von
Dunga inmitten der Insel Sansibar residierte. Erst mit dem Tode des letzten
Munyimkuu im Jahre 1865 hörte dieses eigenartige politische Verhältnis
auf der Insel Sansibar auf.[1]

Nachdem im Jahre 1503 der Portugiese R u y L o r e n z o R a v a s c o drei
Fahrzeuge des Scheikhs von Sansibar gekapert hatte und letzterer auf
seinen Widerstand hin geschlagen und zur Tributzahlung gezwungen war,
war die Herrschaft der Portugiesen auch über Sansibar begründet. 1508

---

[1] S t u h l m a n n: Zur Kulturgeschichte Ostafrikas. S. 270. B r o d e: Tippu-Tipp. Lebensbild eines
zentralafrikanischen Despoten. Berlin 1905. S. 5. Von der Decken's Reisen in Ostafrika, 1. Band.
S. 126 (u. 99).

114

wurde die Stadt regelrecht von den Portugiesen erobert und geplündert.
Später lockerten sich augenscheinlich die Beziehungen der Portugiesen zu
Sansibar; sie unterhielten zwar Jahrzehnte hindurch eine Faktorei auf der
Insel, scheinen aber keinen großen politischen Einfluß mehr auf die Be-
wohner ausgeübt zu haben. 1522 war Sansibar allerdings noch tributär und
wurde in einem Kriege gegen die Kirimba-Inseln (nördliche Tanga-
Küste?) unterstützt. 1591 fand der Engländer Lancaster eine kleine
portugiesische Handelsniederlassung, aber keine militärische Besatzung auf
Sansibar vor. Gegen 1635 wird von dem portugiesischen Chronisten
Rezende Sansibar nicht mehr zu den Tributärländern gezählt. Di
Portugiesen besaßen jedoch auf der Insel Pflanzungen, lebten mit ihren
Familien in Ruhe unter dem Scheikh der Insel und hatten auch eine Kirche.
Der Gouverneur von Mozambique unterhielt einen kaufmännischen
Angestellten auf Sansibar.

Durch das Einschreiten der Sultane von Maskat wurde der
portugiesischen Herrschaft mit dem Ende des 17ten Jahrhunderts vollends
ein Ende bereitet. Unter den Städten, die Sef bin Sultan, den Imam
von Maskat gegen die Portugiesen zur Hilfe riefen, war auch Sansibar.
Der Imam eroberte in den Jahren 1680 bis 1698 Mombassa und den größten
Teil der Küste und der Inseln und setzte an den verschiedenen Plätzen Statthalter ein. Diese wurden, als im 18ten Jahrhundert die inneren Wirren
Maskats dessen Beherrscher hinderten, sich viel um die ostafrikanischen
Besitzungen zu kümmern, immer mehr zu unabhängigen Satrapen. In den
Kriegen, die sie untereinander führten, gelangte das Geschlecht der Mzara
in Mombassa zu immer größerer Bedeutung. Von den in Sansibar
residierenden Satrapen, die meist Suniten waren und sich wahrscheinlich
aus den alten schirazischen Sheickh-Geschlechtern ergänzten,[1] hatte
Abdallah bin Jumah den Bau des massiven, mit klobigen runden Eck-
türmen versehenen viereckigen, einen schmutzigen Hof umschließenden
Forts, das heute neben dem großen Sultanpalaste in Sansibar sich erhebt,
(Taf. 22) begonnen; vollendet wurde es von Yakuti, der als großer
Kriegsmann noch in der Erinnerung lebt und um die Wende des 19ten
Jahrhunderts die Statthalterschaft an der Ostküste Afrikas inne hatte.
Das Fort wird von den Eingeborenen als »Guereza«bezeichnet, das heute
soviel wie Festung bedeutet und sich vom portugiesischen »Igreja« (Kirche)
ableitet. Hierdurch kommt es, daß die Feste mit Unrecht vielfach auf die
Portugiesen zurückgeführt wird.

Eine neue Blütezeit Sansibars begann unter Seyid Saïd bin Sultan von
Oman (1804 – 1856). Diesem gelang es, den ostafrikanischen Besitz wieder

---

[1] Vergl. das vorhin über den Wahadimufürsten Gesagte.

8*

115

an sich zu reißen und die Mzara von Mombassa endgültig zu unterwerfen. Nachdem er so seine Herrschaft in Ostafrika fest begründet hatte, verlegte er seine Residenz im Jahre 1832 von Maskat nach der Stadt Sansibar. Die Stadt nahm einen großen Aufschwung. Die Kultur der Gewürznelke, die die Araber auf Mauritius kennen gelernt hatten und die um 1800 auf Sanzibar eingeführt worden war, hatte sich in erstaunlich kurzer Zeit über die Inseln Sansibar und Pemba verbreitet, und das Produkt beherrschte bald den Weltmarkt. Die Sklaven- und Elfenbeinkarawanen aus dem Inneren Afrikas brachten Sansibar reichen Gewinn und billige Arbeitskräfte für die Plantagen. Jetzt zuerst errichteten europäische Kaufleute, amerikanische, französische und hamburgische Handelshäuser, die zwar früher schon Ostafrika besucht hatten, dauernde Handelsniederlassungen. Seit den dreißiger Jahren des vorigen Jahrhunderts ist die amerikanische Firma von John Bertram in Sansibar stationiert und tauschte gegen Baumwollstoffe Elfenbein, Gummi und Nelken aus. 1844 ließ sich die Hamburger Firma Hertz Söhne, besonders für den Kaurihandel, 1849 die Firma O'Swald in Sansibar nieder. Derselben Firma wurde 1859 auch die Leitung des von den Hansastädten in Sansibar errichteten Konsulates übertragen. In den fünfziger Jahren siedelte sich das Hamburger Haus Hansing & Co in Sansibar an. Sansibar wurde immer mehr zur Handelszentrale des tropischen Ostafrika, und England, Frankreich und Amerika begründeten daselbst Konsulate.

Nach Seyid Saïds Tode 1856 kam Seyid Majid zur Regierung. In seine und seines Nachfolgers Seyid Bargash' Zeit fällt die glänzende Entdeckungsperiode Innerafrikas, und Sansibar spielte als Ausgangspunkt der erfolgreichsten Forschungsreisen eine bedeutsame Rolle. Im ganzen war Seyid Bargash' Regierungszeit für Sansibar eine segensreiche. Durch die von ihm nach Kräften unterstützten Beutezüge seiner Untertanen ins Herz des dunklen Weltteils flossen reiche Schätze zur Hauptstadt. Auf der Insel stand die Nelkenkultur in höchster Blüte; eine ganze Flotte von Handelsschiffen hatte der Sultan auf dem Indischen Ozean schwimmen. Von Seyid Bargash rührt die Anlage der großen Wasserleitung her, die von Chemchem, einer ergiebigen Quelle nördlich der Stadt, in meilenlanger Röhrenleitung ein tadelloses Trinkwasser herabführt und jedem Sansibarbewohner kostenlos zur Verfügung steht. Bei den reichen Mitteln, die der Sultan besaß, ließ er es auch nicht an äußerem Glanze fehlen. Er baute das riesige Palastgebäude (Taf. 30), in dem noch jetzt seine Nachfolger residieren, und errichtete sich Landhäuser an den schönsten Punkten der Insel.

Noch in den letzten Regierungsjahren Sayd Bargash' begann aber die politische Okkupation Ostafrikas durch die Europäer; das Hinterland der Sansibarküste wurde deutsches bezw. englisches Gebiet. Am 14. August 1885

116

erkannte der Sultan den Erwerb der neuen Gebiete in Ostafrika vonseiten der Deutschen an und 1887 ließ er sich bewegen, die gesamten Küstenzölle an die Deutschostafrikanische Gesellschaft zu verpachten.

Seyid Bargash starb 1888 und sein Bruder Seyid Chalifa bestieg den Thron; er war der letzte unabhängige Herrscher von Sansibar und hatte eine kurze, aber stürmische Regierungszeit. An der Küste tobte der große Aufstand, der mit der gänzlichen Niederlage des Arabertums und der endgiltigen Besetzung des Landes durch die deutsche Schutztruppe endete. Auch in dem Bezirk von Mombassa und Lamu im Norden wurde das Sultansgebiet tatsächlich von der Englisch-Ostafrikanischen Gesellschaft verwaltet. Nach Seyid Chalifa's plötzlichem Tode im Jahre 1890 erkannte sein Nachfolger Seyid Ali sogleich das englische Protektorat an, das, nach dem Übereinkommen zwischen Deutschland und England vom Juli 1890, am 4. November desselben Jahres über das Sultansgebiet erklärt wurde.

Nach Seyid Ali kam Hamed bin Thweni auf den Thron, und als dieser nach kurzer Regierung im August 1896 starb, kam es zum erstenmal zu ernsten Auflehnungen gegen den Willen der Protektoratsmacht. Chalid, der jugendliche Sohn Seyid Bargash', versuchte die Herrschaft an sich zu reißen und besetzte mit den irregulären Sultanstruppen das Palastviertel der Stadt. Es bedurfte der Zusammenziehung einer ganzen englischen Flotte und eines kräftigen Bombardements, um ihn zu vertreiben. Er floh aus dem zusammenstürzenden Palaste in das deutsche Konsulat und wurde später nach der deutschostafrikanischen Kolonie überführt, wo er als Gast des deutschen Reiches in Daressalam sich niederließ. An seine Stelle wurde von England als Nachfolger Hameds dessen Vetter Hamud bin Muhamed zum Sultan gemacht.

Seitdem übt die Protektoratsmacht einen direkteren Einfluß auf die Verwaltung Sansibars aus. Dem Sultan steht ein aus englischen Beamten gebildetes Gouvernement zur Seite, dem die Polizei-, Zoll-, Hafen- und Bauangelegenheiten usw. unterstehen. Die schwarze Polizeitruppe wird von einem englischen Offizier kommandiert.

Nachdem Seyid Hamud im Jahre 1902 gestorben ist, »regiert« sein Sohn Ali, der eine englische Erziehung genossen hat und daher mit den arabischen Kreisen keine große Fühlung besitzt.[1]

---

[1] Von der Decken's Reisen in Ost-Afrika, III. Band, 3. Abteilung. Tabellarische Übersicht der Geschichte Ostafrikas. 36 Seiten.
Baumann, O.: Die Insel Sansibar. S. 7 – 11.
Stuhlmann, Fr.: Zur Kulturgeschichte von Ostafrika. S. 854 – 868.
Brode, H.: Tippu Tip. Berlin 1905.

117

Die Insel Sansibar ist in unregelmäßig länglicher Form von Nordnordwest nach Südsüdost gestreckt und hat bei 37,5 km größter Breite eine größte Länge von 86,5 km; ihr Flächeninhalt beträgt nach Baumann mit Einschluß der unmittelbar anliegenden Inselchen 1522 Quadratkilometer. Die Insel ist der ostafrikanischen Festlandsküste vorgelagert, wo diese in einer ausgedehnten flachen, sich ungefähr vom Ras Pongwe an der Umbamündung bis zum Ras Dege südlich von Daressalam erstreckenden Einbuchtung erheblich zurücktritt. Der innerste Teil dieser Bucht wird durch den zwischen den Mündungen des Wami und Kingani gelegenen Küstenstrich bezeichnet, der der Westküste Sansibars gerade gegenüber dieser ziemlich parallel verläuft. Schon diese Lage der Insel läßt es wahrscheinlich erscheinen, daß sie erst in relativ junger geologischer Zeit vom Festlande losgerissen wurde und ihre Entstehung nicht, wie vielfach angenommen wird, rein mariner Natur (»Koralleninsel«) ist.

Die geologischen Verhältnisse bestätigen die Festlandszugehörigkeit Sansibars. Das im Westen der Insel in zwei Hauptzügen gelegene und bis 135 m Meereshöhe ansteigende Hügelland (Taf. 7) besteht überwiegend aus den graugrünen, grobkörnigen, sandigen Lehmen bezw. lehmigen Schottern der Mikindanischichten, die sich auch, wie wir wissen, an der Festlandsküste in großer Verbreitung finden. Durch Oxydation und Auslaugung geht dieses Gestein an der Oberfläche überall in einen roten (lateritisierten) weniger lehmigen Boden − das Substrat der berühmten Nelkenpflanzungen Sansibars − über, so daß seine ursprüngliche Beschaffenheit nur in Steilabstürzen an der See, in Quellschluchten usw. zu erkennen ist. Neben diesen Bildungen fluviatiler Entstehung treten in dem älteren Kerne der Insel fossilführende Kalke und Kalksandsteine der Tertiärformation auf, die sich zumeist schon im Landschaftsbilde, infolge ihrer härteren Beschaffenheit, durch schroffere, steilere Formen vor den sanft gerundeten Hügelreihen der erstgenannten Bodenart auszeichnen.

Der so zusammengesetzte ältere Gebirgskern Sansibars ist in geringerer Meereshöhe von jüngeren Terrassenbildungen umsäumt, die zumeist in Form von jungfossilen Korallenkalken in die Erscheinung treten. Sie bilden im Westen nur einen schmalen, vielfach unterbrochenen Gürtel und treten außerdem in den vorgelagerten Inseln auf. An der Ostseite Sansibars dagegen, wo die vollkommen offene See und die Nähe des submarinen Steilabfalls die Bildung mariner Kalkablagerungen von jeher begünstigen mußten, bildet dieser letztgehobene Korallenkalk bezw. die gleichzeitig mit seiner Akkumulation entstandenen Terassenstufen ein beträchtliches Vorland. Dieses ist wenig bewohnt und bebaut und trägt meist einen überaus steinigen Charakter. Fließende Gewässer fehlen diesen Gebieten

118

oder treten nur an ihrem Rande zum westlichen Hügellande auf. Das harte, jedoch vielfach poröse und von Höhlungen durchsetzte Kalkgestein setzt einer oberflächen Erosionsarbeit erhebliche Hindernisse entgegen. Daher vermögen die von Westen kommenden Bäche bei ihrem Eintritt in das Kalkland nicht weiter zu fließen und die See zu erreichen; alle enden sie nach kurzem Lauf in mehr oder weniger umfangreichen Versumpfungen. Kein einziger der aus dem Hügellande herabkommenden und nach Osten oder Süden sich wendenden Sammeladern erreicht die See. Die ganze Ost-, Süd- und Südwestküste Sansibars entbehrt – mit Ausnahme eines kleinen, halb unterirdischen Gewässers an der Chwaka-Bai – jeglicher Flußmündung. Im Ganzen ist die Oberflächengestaltung der Osthälfte der Insel wenig mannigfaltig.

Ganz anders im westlichen Hügellande. Dieses besteht hauptsächlich aus zwei in meridionaler Richtung verlaufenden Bodenwellen, deren eine nordöstlich der Stadt Sansibar in den Masinginihügeln (Taf. 7) gipfelt, während die andere, größere mehr im Norden der Insel zwischen Kichwele und Kokotoni seine Haupterhebungen hat und sich als schmaler Hügelrücken weit nach Süden gegen die Kiwani-Bai zu fortsetzt. Zwischen letzterem und den Masinginihügeln liegt das tiefe Mwera-Tal. Der Mwera entwässert durch seine drei Hauptzuflüsse vornehmlich die Ostseite des letztgenannten Hügelzuges, seine Wasser fließen nach Süden, erreichen aber die See nicht, sondern enden einige km nördlich der Kiwani-Bai beim Eintritt in das Korallenland in einem Sumpfe.

Den größten Abfluß besitzt das Hügelland im Norden. Der Zingwe-Zingwe mit seinen Nebenflüssen und der Mwanakombo bilden das größte Flußsystem der Insel. Alle die hier der Westabdachung des nördlicheren Hügellandes folgenden Wasserrinnen vereinigen sich zu dem südnördlich, parallel mit der Hügelkette gerichteten und sich in die Mwanda-Bucht ergießenden Zingwe-Zingwe und durchbrechen nicht das koralline Vorland. Mehrere andere Bäche durchfließen den Bezirk Mkokotoni. Der meridionalen Richtung der herrschenden Meeresströmungen entsprechend greifen die Mündungen derselben als kleine Aestuare meist tief in das Land ein. Dagegen sind aus gleichem Grunde die Ausmündungen der nördlich der Stadt Sansibar der südlicheren Hügelreihe entströmenden kleinen Bäche kurz und zumeist durch Sandbarren abgelenkt.

Die Küstenkonturen sind im Südwesten Sansibars sehr unruhig; wie die Bildung der zahlreichen, hier vorhandenen Inseln hängt dies auch hier wohl zweifellos mit dem Wechsel in der Ausdehnung und Mächtigkeit der

119

jungen Kalkablagerungen zusammen, die hier, zumal sie der Hauptströmungsrichtung entgegengesetzt sind, eine große Differenzierung der Küstenlinie veranlaßten. Die ziemlich meridional verlaufende Ostküste Sansibars hat dagegen bei der Küstenversetzung eine vorwiegend ausgleichende Wirkung erfahren und fällt durch geringe Gliederung auf. Nur wo das durch die Jangwani-Niederung abgetrennte Südland Sansibars gegen den nördlichen Teil nach Osten vorspringt, liegt die vielgegliederte C h w a k a - B a i. Einen erheblichen Einfluß nicht nur auf die horizontale, sondern namentlich auch auf die vertikale Küstenform hat die in gegenwärtiger Periode stattfindende positive Strandverschiebung ausgeübt. Der Korallenkalk fällt überall, wo er unmittelbar an die Strandlinie herantritt, in unterwaschener Steilwand in die See ab.

Ein auffallender Zug in der Oberflächengestaltung Sansibars ist die schon angedeutete Gliederung der Insel in meridional verlaufende Erhebungen mit dazwischen liegenden, ebenso gestreckten Senken. Von letzteren wurde die vom Uzi-Kanal nach der Ostküste bei Chwaka durchziehende und das Südostland Sansibars abtrennende Senke schon genannt. Eine zweite wird durch die steinige Ebene dargestellt, die die Bodenwelle von D u n g a von dem westlicher gelegenen Hügelzuge trennt, während eine dritte Senke die nur durch eine niedrige Wasserscheide getrennten Talzüge des Mwera und Zingwe-Zingwe bilden, indem sie die Kiwani-Kombeni-Bai im Süden mit der Bucht von Mwanda im Norden verbinden und die beiden Haupthügelkomplexe der Insel voneinander trennen. Vielleicht darf man für diesen Hauptcharakterzug in der Orographie der Insel die entsprechend der Hauptströmungsrichtung in meridionalen Zügen angeordneten Riffablagerungen verantwortlich machen, die als ältere (tertiäre) und jüngere Kalke vollständig oder im Kern die Bodenaufragungen zusammensetzen.

Namentlich der Südwestküste Sansibars, von der Gegend der Stadt bis zum äußeren Teil der M e n a i - B a i ist eine Reihe von Riffen und Inseln vorgelagert, die vielfach eine kettenförmige Anordnung zeigen. Im Nordwesten ist es die Insel T u m b a t u mit einigen kleineren Inselchen, die eine ähnliche Lage zum Nordhorne Sansibars einnehmen. Fast die ganze Insel Sansibar wird von einem Saumriffe eingefaßt, das auf der Ostseite eine besonders schöne Ausbildung zeigt und auf dessen Außenrande, dem vollen Anprall des Indischen Ozeans ausgesetzt, eine starke Brandung steht.

Von Kleinformen des Hügellandes der lehmig-kiesigen Mikindanischichten sind die auf der Insel Sansibar an verschiedenen Stellen vorkommenden E r d p y r a m i d e n besonders hervorzuheben, die im geologisch-morphologischen Teile dieses Buches (S. 63 ff. und Taf. 6 im

1. Band) näher beschrieben worden sind. Die den Hügelketten entrinnenden Gewässer haben bei der Weichheit des Gesteins ihre Erosionsrinnen in der Regel bis hart an die Wasserscheide heran tief eingeschnitten und bilden oft von senkrechten Wänden umschlossene Zirken, in welche zwischen den einzelnen, sich im Grunde der Schlucht vereinigenden Wasseradern steile, durch Regenrinnen mehr oder weniger vollkommen in eine Reihe kegelförmiger Erosionsgebilde verwandelte Kulissen vorragen.

In ausgedehntem Maße sind in dem umfangreichen Korallenkalklande der Insel Sansibar K a r s t e r s c h e i n u n g e n entwickelt, die in Form von Höhlen, Einsturztrichtern, Blockfeldern usw. in die Erscheinung treten und ebenfalls im ersten Kapitel des 1. Bandes schon eingehender gewürdigt wurden. Große Flächen Landes sind namentlich auf der Ostseite der Insel von dem karrenartig zerfressenen scharfkantigen Kalkgestein eingenommen oder mit Blöcken und Trümmern bedeckt, die den Verkehr erschweren und die Eingeborenen zum Tragen besonders dazu hergerichteter Sandalen beim Passieren dieser Gegenden auf den schmalen steinigen Pfaden zwingen. Der verschwindenden Flüsse, die auch zu den Eigentümlichkeiten verkarsteter Gebiete gehören, wurde vorhin schon gedacht.

Was das K l i m a von Sansibar angeht, so sind darüber im klimatischen Kapitel schon viele Einzelheiten mitgeteilt und daselbst auch eine tabellarische Übersicht für die Insel gegeben worden. Hier sei vor allem nochmal daran erinnert, daß die Insel Sansibar die trockenste der drei großen der deutsch-ostafrikanischen Küste vorgelagerten Inseln ist. Sie stellt damit eine Parallele zu der gegenüberliegenden Küste von Sadani dar, die auch durch ihre relative Regenarmut aus der Reihe der übrigen Küstenplätze herausfällt, was zweifellos mit der offenen Verbindung des nördlichen Useguha mit den trockenen Gebieten des Innern (Massai-Steppe) im Zusammenhang steht. Dennoch ist die absolute jährliche Niederschlagsmenge Sansibars mit 1399 mm als Mittel aus 26-jährigen Beobachtungen weit bedeutender als an allen Plätzen der gegenüberliegenden Mittelküste Deutsch-Ostafrikas, wodurch das Klima Sansibars sich als insulares charakterisiert. Die beiden Regenmaxima fallen in den Mai (270 mm; später wie an der gegenüberliegenden Küste) und November (236 mm); Februar (35 mm) und Juni (27 mm) sind durchschnittlich die regenärmsten Monate. Im übrigen ist auch in Sansibar wie anderswo in unserem Gebiete die Regenmenge im Laufe der Jahre großen Schwankungen unterworfen (nach Hann zwischen 400 und kaum 120 cm). Nach einer von L y n e gegebenen Beobachtnng (siehe Kapitel Klima) scheint übrigens die Regenmenge im inneren und östlichen Teil der Insel bedeutender zu sein, als wie in der Stadt auf der Westseite. Die Temperatur Sansibars ist

121

während des ganzen Jahres eine sehr gleichmäßige. Die mittlere Jahres-
temperatur beträgt 26,2, wobei die mittlere Temperatur des wärmsten
(Februar) und die des kältesten Monats (Juli) nur um 3,5⁰ differieren; die
mittleren absoluten Jahresextreme liegen ca. 10⁰ auseinander.[1]

Die ursprünglichen natürlichen Vegetationsformen der Insel Sansibar
sind in dem in größtem Umfange in Kultur genommenen westlichen Hügel-
gebiete kaum noch zu erkennen (vergl. Taf. 29 unten). Reste eines immergrünen, dichten Busches mit vielen Schling- und Rankengewächsen und
fehlender Grasvegetation lassen vermuten, daß eine dem immergrünen
Küstenbusch gleiche Vegetationsformation ehedem im Westen Sansibars eine
nicht geringe Verbreitung gehabt hat. Heute ist sie von der Kultur beinahe ganz
verschlungen. Am besten hat sich der dieser Vegetationsform eigentümliche
Reichtum an Schling- und Kletterpflanzen auch unter den durch mensch-
liches Eingreifen veränderten Verhältnissen behaupten können, und
während die charakteristischen Gesträuche nur an wenigen Stellen,
namentlich an steilen, für den Anbau von Kulturpflanzen ungeeigneten
Böschungen in zusammenhängenden, oft üppig und hoch entwickelten
Buschmassen auftreten, finden sich die Kletterpflanzen und Lianen, auch
überall zwischen den Kulturen selbst, in Hecken- und Baumpflanzungen.

An das westliche Kulturgebiet der Insel Sansibar schließt sich im Osten
zunächst eine, zusammenhängend von Nord nach Süd sich durch die ganze
Insel erstreckende Zone mit Buschsteppenvegetation an, die mit derjenigen
des Küstenlandes gut übereinstimmt, jedoch der großen gabelstämmigen
Dumpalmen entbehrt. Ihre Ausdehnung fällt im Wesentlichen mit dem
Areal der höheren, älteren Terrassenstufen überein. Den ganzen übrigen
Teil des Ostens und namentlich Südostens der Insel Sansibar bedeckt fast
vollkommen eine von den Eingeborenen Situ genannte Buschvegetation,
die dem überaus steinigen Boden entsprießt und durch das Vorherrschen
eines Kompositenstrauches (Psiadia dodoneifolia) ausgezeichnet ist. Die
Sträucher dieser Buschvegetation tragen fast durchweg den Charakter
der »Hartlaubgewächse«; an stacheligen Pflanzen treten einige Kandelaber-
Euphorbien und eine Cycadee (Encephalartos) in dieser dem Typus des
»Inselbusches« zuzurechnenden Formation auf. Ein typisches Gepräge verleihen dem letzteren die Kandelaber-Euphorbien auf den kleinen Sansibar
im Westen vorgelagerten Kalkinseln, wo die Formation mit Überspringung
des ganzen übrigen Teiles der Hauptinsel wieder auftritt. Auf Tumbatu
ist sie stark mit Buschsteppenpflanzen durchsetzt. Stellenweise, namentlich
im Innern der südöstlichen Halbinsel Sansibars bildet der sonst meist nur
wenige Meter hohe Busch waldartige Bestände.

[1] Hann: Handbuch der Klimatologie. 1910. II, S. 118 ff.

122

Die Strand- und Sumpf-Vegetation bietet nicht viel Besonderes auf Sansibar. Ufergehölze sind an den kleinen fließenden Gewässern nur schwach ausgebildet, dagegen ist für diese hier das Auftreten geschlossener Bestände der riesigen Aracee Typhonodorum Lindleyanum zumeist besonders charakteristisch; diese ornamentale Pflanze fehlt dem Küstenlande und erfüllt auf Sansibar (wie auch auf Pemba; vergl. weiter unten) die Betten der Bäche, den Verlauf derselben dadurch im offenen Gelände weithin markierend (Taf. 13). Durch das Auftreten der schönen Delebpalme ausgezeichnete Hochgrasfluren finden sich in geringer Ausdehnung ebenfalls auf Sansibar.[1]

Der früher wiederholt betonte Reichtum Sansibars an endemischen Pflanzenarten hat sich nach genauerer Kenntnis der ostafrikanischen Flora nicht bestätigt; der Endemismus der Insel hat sich auf ein Minimum reduziert.

Ebenso zeigt auch die Erforschung der Tierwelt Sansibars immer mehr, daß wir auch in dieser Beziehung kein selbständiges Gebiet vor uns haben. Bemerkenswert ist jedoch noch immer der Sansibar-Seidenaffe (Colobus kirki), der bisher vom Festlande nicht bekannt ist. Die die Buschdickichte Sansibars bevölkernde Kima-Meerkatze, der in den Baumpflanzungen der Insel überall auftretende Komba-Nachtaffe (Taf. 18) sind dieselben Arten, die auch an der gegenüberliegenden Festlandsküste vorkommen. Doch hat diese vor Sansibar noch eine zweite Meerkatzenart (Tumbili), eine zweite große Nachtaffen- (Galago-) Art sowie den Pavian und den langmähnigen Seidenaffen voraus. Die großen Raubtiere (Löwe, Leopard usw.) fehlen der Insel Sansibar; nur die Serval-Katze (Chui der Eingeborenen) soll im Buschlande des Südens vorhanden sein. Häufig ist die Zibetkatze noch auf Sansibar. Im Buschlande des Südostens, wohl auch auf Tumbatu, kommt ein Baumschliefer (»Perere«) vor, der neben dem Sansibar-Seidenaffen eine endemische Form darstellen mag. Zwergantilopen werden auch im Busch der kleinen Korallenkalkinseln angetroffen. Von wirtschaftlicher Bedeutung sind die sehr häufigen Buschschweine (Potamochoerus africanus) dadurch, daß sie den Feldern der Eingeborenen großen Schaden zufügen.

Von Vögeln sind Schmarotzermilan und Schildrabe auch auf Sansibar überall an geeigneten Stellen anzutreffen. Nachtschwalben, verschiedene Webervögel, honigsaugende bunte Nektarinien, Wildtauben, Perlhühner usw. stimmen mit den Arten der Festlandsküste wohl durchweg überein. Ebenso sind die dort häufigsten Eidechsen einschließlich Geckonen und Chamäleons, sowie Schlangen auch auf Sansibar vertreten. Von den

[1] Werth: Die Vegetation der Insel Sansibar, Berlin 1901.

123

riesigen Waran-Echsen kommt Varanus niloticus auf der Insel vor. Die Riesenschlange (Python sebae) ist augenscheinlich nicht selten, während die großen Giftschlangen Puffotter und Naja haje (Brillenschlange) Sansibar zu fehlen scheinen. Häufig ist auf der Insel der eigentümliche Krallenfrosch (Xenopus). Auch in der Insektenwelt scheint Sansibar keinen erheblichen Endemismus aufzuweisen. Bienen werden von den Wahadimu gelegentlich gehegt. Von Heuschrecken ist Sansibar fast vollständig verschont geblieben, während solche an der Festlandsküste gewaltigen Schaden anrichteten. Im ganzen stellt die Tierwelt Sansibars eine verarmte Festlandsfauna dar.

Die schwarze Bevölkerung der Insel Sansibar blickt in ihrer heutigen Form auf kein sehr hohes Alter zurück. Etwaige Ureinwohner mögen in den Stämmen der Wahadimu und Watumbatu aufgegangen sein. Erstere sind unter den heutigen Bewohnern der Insel wohl die ältesten Ansiedler, haben jedoch eine sehr deutliche Tradition an ihre Abstammung von der Festlandsküste bewahrt. Häufig haben sogar ihre Dörfer auf der Insel noch dieselben Namen wie die der Ursprungsdörfer auf dem Festlande. Die Einwohner der Dörfer Makunduchi, Cherawe, Janinge, Pangani u. a. auf Sansibar wollen derart von den gleichnamigen Küstenorten herstammen. In Matemwe erinnern sich die Wahadimu, daß ihre Vorfahren aus Maote (Mayotte) herübergekommen seien. Die Leute von Mangapwani stammen nach Baumann von Wassegeju ab, usw. Hiernach stellen die Wahadimu ein Gemisch aus Elementen verschiedener, bis in die jüngste Zeit andauernder Einwanderungen von der Festlandsküste dar, die sich vielleicht an einen alteinheimischen Bevölkerungskern angeschlossen haben. Wahadimu wird wohl am besten mit »Hörige« (Arabisch: Hadim = Sklave; Kiswahili: Mhadim hat aber die Bedeutung »Freigelassener« angenommen) übersetzt, wonach die Leute als hörige Bauern anzusehen sind, was auch am besten ihrer Stellung zu den Herren des Landes entsprach.

Äußerlich haben die Wahadimu wenig Eigenartiges. Im Gesichtstypus sind sie, ihrem Charakter als Mischrasse entsprechend, sehr wechselnd; in der Kleidung schließen sie sich der Stadtbevölkerung an, nur tragen sie sich ländlich einfacher; statt des weißen Swahilihemdes (Kansu) ist häufig ein mit Kokoswasser rötlich gefärbtes im Gebrauch. Auch ihre Werkzeuge und Geräte sind dieselben wie bei der übrigen Bevölkerung des Küstengebietes; gewöhnlich führen sie ein mit Scheide versehenes Buschmesser bei sich. Ebenso haben die Wahadimu in Lebensweise und Sitten nichts Besonderes. Ihre Sprache ist ein breiter, leicht verständlicher Landdialekt des Kiswahili.

124

Früher bewohnten die Wahadimu wohl in zerstreuten Siedelungen die ganze Insel Sansibar, bis die Maskataraber in den fruchtbaren Gebieten des Westens ihre großen Plantagen anlegten und die Stammbevölkerung immer mehr in die unfruchtbaren Gebiete zurückdrängten. Die meisten Wahadimu-Siedelungen sind jetzt auf dem Südlande Sansibars und in dessen Nähe zu finden: Chwaka, Bwejuu, Makunduchi, Kisimkasi, auf der Insel Usi usw. Im öden Korallengebiete des Nordens von Sansibar sind ebenfalls einige reine Wahadimu-Niederlassungen. Die Wahadimu sind Mohamedaner und unterhalten Koranschulen in ihren Dörfern. Sie hatten früher einen eigenen Sultan, den sogenanten Munyimkuu (vergl. S. 114), der in dem Schloß von Dunga im Zentrum der Insel residierte und dem die Wahadimu Steuern entrichteten. Der Munyimkuu war dem Sultan von Sansibar tributär. Seit dem Tode des letzten unter Seyid Majid stehen die Wahadimu-Dörfer unter kleinen Häuptlingen.

Die die Insel Tumbatu und einige kleine Kolonien an der Küste und bei Ras Nungwe, der Nordspitze Sansibars, bewohnenden Watumbatu stehen den Wahadimu nahe; sie haben aber auf ihrer abgeschiedenen Insel auch äußerlich viele Eigenarten bewahrt, die sie von den Stadtswahili unterscheiden. So tragen die Frauen vielfach große Ohrklötze und altmodische Glasperlen; die kunstvolle Haarfrisur der Swahilifrauen ist ihnen unbekannt, und die Kinder laufen lange vollkommen nackt herum. Das Stammesbewußtsein ist sehr stark bei den Watumbatu, und sie behaupten von einer einst aus Kilwa vertriebenen schirazischen Prinzessin abzustammen. Ihre Sprache ist ein wenig verständlicher Dialekt des Kiswahili. Die Gesamtzahl der Watumbatu, die sich als Fischer und Schiffer betätigen, dürfte kaum mehr als 1000 betragen.

Wahadimu und Watumbatu leben in Ruhe und Frieden auf der Insel und bleiben jetzt auch von den arabischen Sklavenhändlern, denen sie früher sehr ausgesetzt waren, verschont. Auch die Watumbatu sind sunnitische Mohamedaner, wie die auf Sansibar seit Generationen ansässigen, von Mombassa, Malindi, Lamu, Barawa und Mafia zugewanderten, meist wohlhabenden Swahili.

Neben diesen stellt die Sklavenbevölkerung, einschließlich der vielen in der Stadt oder auf der Insel anzutreffenden Freigelassenen, ein sehr erhebliches Kontingent zur schwarzen Einwohnerschaft der Insel Sansibar. Nach Baumann unterscheidet man die als erwachsene und halberwachsene Leute eingeführten Sklaven als Watumva Wajinga, die als Kinder hergebrachten und auf Sansibar großgewordenen als Wakulia und als Wazalia endlich die auf Sansibar geborenen Sklaven.

Die Gesamtzahl der Negerbevölkerung Sansibars beläuft sich auf etwa

125

60 000 Menschen. Dazu sind auch noch die sich den Swahilileuten in Tracht und Sitten anschließenden Komorenser zu rechnen, die vielfach als Diener in den Europäerhäusern beschäftigt sind.

Die Araber aus Maskat spielen bekanntlich oder spielten bis vor kurzem die Hauptrolle auf Sansibar. Zu ihnen gehören die Familie des Sultans und die reichsten und vornehmsten Geschlechter der Insel; die Maskataraber besitzen die größten und meisten Landgüter im Kulturgebiet der Insel und die große Mehrzahl der Sklaven. Sie unterhielten die großen Sklaven- und Elfenbein-Karawanen nach dem Innern Afrikas und brachten so einen großen Reichtum nach Sansibar, dessen Schambenwirtschaft sie namentlich durch die Einführung der Gewürznelkenkultur auf eine vorher nicht dagewesene Höhe brachten. Obwohl wahrscheinlich die Maskat-Araber schon früher vereinzelt mit der Küste Ostafrikas im Verkehr gestanden haben, so gewannen sie doch hier erst nach der Mitte des 17ten Jahrhunderts einen tatsächlichen Einfluß, der von Sansibar als Mittelpunkt der ganzen oman-arabischen Herrschaft in Ostafrika ausging und schließlich eine gewaltige Ausdehnung gewann. »Sansibar hat alle anderen Plätze zwischen der Algoabai und Kap Guardafui als Handelsstadt und als Ausstrahlungspunkt eines großen politischen und moralischen Einflusses weit hinter sich gelassen«.[1] Trotzdem ist aber die kulturelle Bedeutung der Maskataraber für die einheimische Bevölkerung Ostafrikas nur gering gewesen im Vergleich zu der der älteren arabisch-persisch-indischen Invasion. Die Zahl der gesamten Araber auf der Insel Sansibar mag etwa 4000 betragen.

Die treuen Begleiter der arabischen Machthaber sind die indischen Händler, die in großer Zahl, mohamedanische Kojas und Bohoras wie heidnische sogenannte Banyans, überall in den Schambenbezirken ihre Kramläden besitzen, von der schwarzen Bevölkerung Ackerbauprodukte einkaufen und ihnen die verschiedensten Importartikel: Stoffe, Metallwaren und anderes feilhalten. Wie überall in Ostafrika sind sie auch auf Sansibar die Vertreter des Zwischenhandels zwischen Europäern und Eingeborenen. In Sansibar wohnen ca. 3000 mohamedanische und fast 1000 heidnische Inder.[2] Man schätzt die schon in Sansibar oder an der Küste geborenen Inder (aller Kasten) auf 3000 bis 4000.

Wenn zwar die Inder zweifellos schon im Mittelalter unter der persisch-arabischen Herrschaft in Ostafrika eine Rolle gespielt haben, so müssen sie doch in späterer Zeit dort nur in geringer Zahl ansässig gewesen sein. Nach Burton waren gegen Beginn des 19ten Jahrhunderts nur einige

---

[1] F. Ratzel: Völkerkunde. Bd. 2. (1895) S. 205.
[2] Handbuch der Ostküste Afrikas, 1912. S. 222.

126

Bhattia-Hindus in Sansibar; und 1811 kann Smee nur von wenigen Banyanen in der Stadt berichten. Erst mit der Einrichtung eines englischen Konsulates in Sansibar im Jahre 1842 kamen in größerer Zahl Inder herüber, die nunmehr ihr Leben und Eigentum in Sicherheit wußten und den Kleinhandel an sich rissen. 1844 schätzte Burton schon 500 Banyanen in Sansibar, und 1855 siedelten die ersten Parsi sich an. Einen großen Anstoß erhielt der indische Sansibar-Handel wohl auch dadurch, daß ungefähr um 1840 die fabrikmäßige Darstellung der Baumwollstoffe in Indien einen großen Aufschwung nahm und nunmehr eine für den Massenkonsum' der Neger genügend billige Ware lieferte.[1]

Außer Oman-Arabern und Indern, die auch überall im Kulturlande der Insel verstreut wohnen, beherbergt die Stadt Sansibar noch zahlreiche Vertreter anderer asiatischer Völkerschaften: A r a b e r a u s S c h e h e r und H a d r a m a u t, B e l u t s c h e n a u s M a k r a n, P a r s i, S i n g h a l e s e n, G o a n e s e n usw., die zusammen mit der als Sklaven Vertreter der verschiedensten Stämme Afrikas aufweisenden Negerbevölkerung in ihrem bunten Durcheinander die Zentrale Ostafrikas zu einem lebendigen ethnographischen Museum stempeln.[2] Es würde nur eine Wiederholung des im Kapitel Bevölkerung (im 1. Bande) über alle diese asiatischen Völkertypen Gesagten sein, wollte ich hier dieselben noch einmal näher beschreiben.

P r o d u k t i o n. Ihrer Bodenbeschaffenheit und Kulturfähigkeit nach zerfällt die Insel Sansibar in zwei scharf getrennte Teile: das Kulturgebiet des Westens und das Korallenkalkland im Osten. Zu ersterem gehören die Hügelwellen zwischen der Stadt Sansibar und K o k o t o n i mit ihren Lehmen der Mikidanistufe bezw. deren Umlagerungs- und Verwitterungsprodukten, sowie das angrenzende Terrassenland mit ähnlichen Böden. Auch der Hügelzug von U s i n i - D u n g a, ungefähr im Zentrum der Insel, und einige kleinere Erhebungen bei M i u n g o n i und M a k u n - d u c h i im Südosten Sansibars tragen denselben Boden.

Charakteristisch für diese Gebiete ist vor allem der ausgedehnte G e - w ü r z n e l k e n b a u (Taf. 32 und 36). Der Baum wurde erst in den zwanziger Jahren des vorigen Jahrhunderts auf Sansibar eingeführt. Seine Kultur dehnte sich aber schnell auf der Insel aus, da die billigen Arbeitskräfte, die die Araber in ihren Sklaven besaßen, hier wie auf Pemba erhebliche Vorteile vor anderen Produktionsländern boten. Die »Sansibar-Nelken« (worin auch die von Pemba eingeschlossen sind) beherrschten daher bald und dauernd den Weltmarkt. Der Gewürznelkenbaum gedeiht

[1] Stuhlmann: Zur Kulturgeschichte Ostafrikas. S. 867.
[2] C. Chun: Aus den Tiefen des Weltmeeres. Jena 1900. S. 465.

127

in dem sandig-tonigen Boden des Hügellandes Sansibars vortrefflich und beherrscht heute die größten Gebiete des zusammenhängenden Kulturlandes des Westens. Meilenweit wandert man hier zwischen den duftenden, in geraden Reihen angepflanzten Bäumen mit der charakteristischen schlankpyramidenförmigen Laubkrone dahin. Seit Erschwerung der Sklavenzufuhr ging die Nelkenkultur zurück; die arabischen Pflanzer gerieten zumeist in Schulden, und die Sansibarregierung sah sich veranlaßt, durch verschiedene Maßnahmen ihnen zur Hilfe zu kommen, um die für die Insel einst so wichtige Kultur zu halten. So kommt es, daß Sansibar mit Pemba auch heute noch ziemlich den Weltbedarf befriedigen.[1]

Nächst dem Gewürznelkenbaum, der typischen Pflanze Sansibars, fällt der Kokospalme eine große Rolle auf der Insel zu. Die Palme findet sich überall im Kulturgebiet zerstreut, in zusammenhängenden alten Pflanzungen bei Unguja-ukuu, Bungi u. a. Orten, wo Nelken nicht mehr fortkommen. Jüngere Kokospflanzungen größeren Umfanges sind bei Kokotoni und Chweni vorhanden. In neuerer Zeit hat die Kokospalme wegen der geringeren Zahl der zu ihrer Kultur und Ernte benötigten Arbeitskräfte an Ausdehnung auf der Insel gewonnen und viele Palmen wurden an den verschiedensten Stellen angepflanzt.

Neben den Nelken ist die Kokosnuß (Kopra) für den Export Sansibars seit langem von größter Bedeutung. Die in der Nähe der Stadt Sansibar wachsenden Palmen werden vorwiegend zur Palmwein- (Tembo) Herstellung benutzt. Die Einfuhr der Kokospalmenkultur wird den sagenhaften Wadébuli zugeschrieben.

Außer im zusammenhängenden Kulturgebiete des Westens tritt die Kokospalme auch überall in den Ansiedelungen der Ostküste und den wenigen des steinigen Korallenlandes auf. Ebenso ist die Palme auf Tumbatu in erheblicher Menge angepflanzt.

Zusammen mit der Kokospalme wird vielerorts im Kulturgebiete Sansibars der Vegetationscharakter von dem Mangobaume bestimmt. Er tritt im ganzen Westen der Insel auf; auch in dem Gebiete vorwiegender Nelkenkulturen finden sich überall Mango- und Kokospflanzungen eingestreut. Sehr ausgedehnt ist die Kultur des Mangobaumes auch auf Uzi im Südwesten Sansibars und nördlich davon bei Bungi. Nach Osten überschreitet er das steinige Buschland nur ganz im Süden, wo er bei Makunduchi, Kisimkasi, Muyuni usw. zu finden ist, sonst ist er in den Dörfern der Ostküste nicht vorhanden.

Auch die anderen üblichen Fruchtbäume, wie Stinkfruchtbaum, Brotfruchtbaum, Orange, Mandarine, Zitrone,

---

[1] Näheres siehe im folgenden Kapitel.

128

Nelkenplantage auf Sansibar.

Nach Photographien.

Straßenbild in Sansibar.

Tafel 32

Guyave usw. sind wesentlich auf den tiefgründigen Boden des westlichen Kulturgebietes beschränkt. Sie alle spielen nur im Lokalhandel eine Rolle. Vorwiegend als Obstfrucht wird auch die B a n a n e kultiviert und zwar überall im westlichen Kulturgebiet, auf feuchtem Boden, an sumpfigen Stellen, an Bachufern und auch im Schutze von Mangobäumen u. a. Selbst an der Ostküste und auf Tumbatu trifft man die Banane noch an. A n a n a s sieht man viel zur Einfassung von Feldpfaden verwandt.

Z u c k e r r o h r wird überall auf Sansibar an sumpfigen Stellen, an den Ufern der Bäche, zum Eigengebrauch angepflanzt. Die Araber hatten früher große Pflanzungen davon am Mwerafluß, am Z i n g w e - Z i n g w e und seinen Zuflüssen und an anderen Stellen angelegt und Mühlen zur Melassegewinnung erbaut. Doch ist der wenig lohnende plantagenmäßige Anbau fast überall bald wieder eingestellt worden.

Unter den von der Negerbevölkerung Sansibars zum eigenen Nahrungsbedarf angebauten Kulturpflanzen ist der M a n i o k, zumal für die Sklavenbevölkerung, die wichtigste. Er gedeiht im westlichen Kulturgebiet, wo er überall zwischen den Nelken- und Kokospflanzungen angebaut wird und z. B. in der Gegend von Kichwele in ausgedehntem Maßstabe kultiviert wird, ebenso wie in dem steinigen Kalklande des Ostens und auf der Nebeninsel Tumbatu. Wichtiger für das Korallenkalkland ist aber die S o r g h u m h i r s e, da sie auch auf dem steinigen Boden noch in vorzüglicher Weise gedeiht und große Erträge liefert. Sie ist daher für die eingeborene, jetzt fast ganz aus den fruchtbaren westlichen Distrikten verdrängte Bevölkerung Sansibars von so hervorragender Bedeutung, und wir treffen die Sorghumhirse ganz vorwiegend im Osten und auf Tumbatu an, wo ihre riesigen, kräftigen Halme direkt dem nackten Felsen zu entsprossen scheinen.

Auch die K o l b e n h i r s e wird vornehmlich, jedoch in geringerem Umfange im steinigen Korallenlande angebaut. Der M a i s dagegen überwiegt im westlichen Kulturgebiete. Der R e i s, nur in geringer Quantität auf Sansibar kultiviert, ist auf die sumpfigen Gebiete der westlichen Hälfte der Insel beschränkt.

Süßkartoffel oder B a t a t e verlangt ziemlich fetten Boden und ist daher auf das westliche Kulturgebiet angewiesen. Y a m s und T a r o werden vielfach angeflanzt, spielen aber keine bedeutendere Rolle, ebenso T o m a t e n und K ü r b i s g e w ä c h s e (Gurkenmelone, Kürbis), die als Zwischenkultur gezogen werden. Der hier anzuschließende »M e l o n e n - b a u m« (Mpapay) besitzt erhebliche Wichtigkeit für die Wahadimu und Watumbatu, weil die überaus bescheidene Pflanze auch auf dem steinigsten Boden noch vorzüglich gedeiht. Der Baum findet sich daher gerade im felsigen Korallenlande in erheblicher Menge.

Von den Hülsenfrüchten ist der Bohnenstrauch auf der Insel am verbreitetsten und auch im steinigen Osten wie auf Tumbatu zu finden. Daneben kommen Vigna-, Lablab- und Mungobohne, weniger häufig Erdnuß- und Erderbse vor.

Roter Pfeffer, Tabak und Betelpfeffer werden im steinigen Korallenlande gezogen und von den Wahadimu ausgeführt. Zu den Gewürz- und Genußmittelpflanzen gehört auch die zierliche Betelnuß-palme, die überall im Kulturgebiete der Insel verbreitet ist. Daran anschließend seien auch noch die Ölpalme und die Mkindu- oder »wilde« Dattelpalme genannt, von denen die erstere in größerer Zahl in der sumpfigen Jangwani-Niederung im Südosten Sansibars kultiviert wird, während die letztere zwar nur wild vorkommt, aber zur Herstellung von Matten in der Hausindustrie der Swahili das Rohmaterial liefert (Siehe Kap. Bevölkerung, S. 280 des 1. Bandes). An einigen Plätzen, namentlich in den Gärten des Sultans, sieht man auch die Dattelpalme angepflanzt.

Von Ölpflanzen sind schließlich der überall zwischen den Negerhütten spontan auftretende Ricinus, dessen Öl mannigfache äußere Verwendung findet, und der Sesam zu nennen. Dieser letztere wird in ziemlicher Menge von Sansibar ausgeführt, jedoch nur der geringste Teil davon stammt von der Insel selbst, der übrige ist von der Küste herübergebracht. In den alten, früher zur Gewinnung des Kokosöles von den Arabern errichteten Mühlen wird jetzt viel Sesam gemahlen, sodaß der Neger das fertige Öl auf dem Markt kaufen kann.[1]

Die Viehzucht ist auf der Insel Sansibar von keiner großen Bedeutung. Die Wahadimu und sonstige schwarze Bevölkerung haben wie überall Ziegen und Hühner in mäßiger Zahl zumeist nur zum eigenen Gebrauch. Rindvieh scheint auf der Insel nicht besonders gut zu gedeihen, und das meiste Vieh, das in der Stadt zur Fleischnahrung verbraucht wird, kommt von auswärts nach Sansibar. Auch Pferde, nur in der Stadt als Luxustiere gehalten, werden fast stets von außen eingeführt. Dagegen werden schöne weiße Maskatesel und recht gute Halbblutesel auf Sansibar gezogen.

Von Wichtigkeit ist der Fischfang, den die Bewohner aller Küstendörfer Sansibars betreiben, zumal die Wahadimu an der fischreichen Ostküste, von wo Fische und andere Seetiere durch die ganze Insel zum Verkauf nach der Stadt Sansibar gebracht werden. Schildpatt und Ziermuscheln werden exportiert.[2]

---

[1] E. Werth: Die Vegetation der Insel Sansibar. S. 62 bis 86 (Kulturpflanzen).
[2] Baumann: Die Insel Sansibar. S. 27 bis 30.

130

Ein großer Teil des H a n d e l s des ostafrikanischen Küstengebietes und Innerafrikas geht noch immer über Sansibar, und die Bedeutung dieses Platzes als Umschlagshafen und Stapelplatz ist noch sehr erheblich. Im Jahre 1910 belief sich der Gesamthandel Sansibars auf ca. 28 Millionen Rupie. 13 445 000 Rp. gehen davon auf die Einfuhr, an der Asien und Afrika vorwiegend beteiligt sind, während Europa und Afrika den größten Teil der 14 669 000 Rp. betragenden Ausfuhr aufnehmen. Die Haupt-ausfuhrartikel sind Nelken[1] und Kopra und an zweiter Stelle Elfen-bein, Häute, Kautschuk, Kopal usw. Eingeführt werden, abgesehen von den afrikanischen Umschlagsgütern, Kohlen, Holz, Petroleum, Reis u. a. Die Einfuhr von Reis beträgt ca. 1/5 der Gesamteinfuhr[2] der Insel. Über Sansibar geht der Durchgangsverkehr in Reis von Rangoon nach Deutsch-Ostafrika. Auch auf Sansibar selbst ist der Verbrauch von Reis sehr groß. Es sind ferner an Einfuhrartikeln zu nennen Perlen, Draht, Zeuge, Gewehre, Pulver, Getränke und Kurzwaren für den Handel mit dem Innern, Baumwollstoffe und andere Bekleidungsmaterialien usw.

Im Ganzen ist der Handel Sansibars seit der deutschen und englischen Kolonisation in Ostafrika zurückgegangen. Der Wert des Handels hat in dem Zeitraum von 1890 bis 1910 um 20 % abgenommen.[3] Die frühere a b - s o l u t e Abhängigkeit des ganzen ostafrikanischen Handels von Sansibar ist damit zwar dahin, aber noch heute ist trotzdem Sansibar der wichtigste Hafen an der ostafrikanischen Küste, und auch jetzt noch haben die größeren deutschen Firmen ihre Hauptniederlassungen in der Stadt Sansibar. Es scheint daher zweifellos, daß der Hafen seine Bedeutung als Stapelplatz des tropischen Ostafrika nicht so bald verlieren wird. Auch als Zwischenhafen und Kohlenstation auf dem Wege nach den süd-afrikanischen Häfen hat Sansibar Anteil an dem gewaltigen Aufschwung der dortigen Gebiete.

Sansibar wird jährlich noch von etwa 200 Dampfern und 6000 Dhaus an-gelaufen. Es hat regelmäßigen Verkehr mit Ostafrika, Europa und Indien (Bombay) durch die Dampfer der deutschen Ostafrika-Linie, der Cie. des Messageries Maritimes, der Società di Servizi Marittimi, der Britisch India Steam Navigation Co, Union Castle Line, Clan-Elterman-Harrison Joint Line, Bullard, King & Co. Auch kommen dreimal im Monat die deutsch-ostafrikanischen Gouvernementsdampfer von Daressalam und einmal monatlich von Mombasa nach Sansibar. Außerdem ist die Stadt für den einheimischen Segelschiffverkehr zwischen der Küste und der Insel sowie

---

[1] Siehe Kapitel Wirtschaftsverhältnisse.
[2] Siehe Kapitel Wirtschaftsverhältnisse.
[3] K a r s t e d t a. a. O. S. 276.

9*

131

auch nach und von Arabien und Indien immer noch der Hauptsammel-
und Güterladeplatz.[1]

Einzelbeschreibung.

Ungefähr in der Mitte der Westküste der Insel liegt auf einem drei-
eckigen niedrigen, mit dem sandigen Ras Shangani endenden Land-
vorsprunge die Stadt Sansibar (Taf. 7 und 30), deren große weiße
Steinhäuser in arabischer und indischer Bauart z. T. dicht gedrängt die
Seefront bilden. Alle überragt das große, von Säulenhallen umgebene,
mehrstöckige, nüchtern aussehende Palastgebäude, das Bet el Ajab (= Haus
der Wunder), mit Uhrturm. Es ist mit dem älteren kleinen Palast und von
diesem aus mit dem großen Haremsgebäude durch überdachte Brücken-
gänge verbunden. Balkons und Türen der Gebäude, an die sich ein um-
mauerter Garten mit Dattelpalmen schließt, sind mit wertvollen Hand-
schnitzarbeiten versehen. Westlich vom Palast erhebt sich ein eiserner
Gitterleuchtturm und daneben, hinter dem Landungskai mit den Zoll-
gebäuden, das massige Fort mit seinen niedrigen Ecktürmen, das heute
als Magazin dient. Auf beiden Seiten des Palastes liegen Geschäftshäuser
europäischer Firmen. Das Regierungsgebäude (Gouvernement office)
steht auf der Landspitze (Ras Shangani) und südlich davon das britische
Konsulatsgebäude; die Konsulate der anderen Länder liegen weiter zurück
in der Stadt, das deutsche und das österreichische nicht weit vom Süd-
weststrande.

Die dreieckige Landzunge, auf der die Stadt liegt, ist nur durch einen
schmalen Strand- und Dünenwall im Südwesten mit dem Hauptlande der
Insel verbunden, sonst aber durch eine bei Ebbe trockenfallende, mit
zerstreuten Mangroven bestandene Lagune, das sogenannte Pwani ndogo
(kleiner Strand), abgetrennt. Jenseits dieser dehnt sich die umfangreiche
Negerstadt Ngambo (= Gegenüber) aus, und hinter derselben zieht
von Nord nach Süd dem Abfall der Küstenterrasse des Hauptlandes
entlang eine versumpfte Senke, die vielleicht den Verlauf einer zweiten
Lagune kennzeichnet.

Die Stadt Sansibar ist nicht so alt wie vielfach angenommen wird. Die
von den Portugiesen auf der Insel besuchten Städte dürften nicht an der
Stelle der heutigen Stadt gelegen haben, sondern bei Kokotoni im
Norden und bei Kisimkasi im Südwesten, wo auch lange Zeit die
Schechs von Sansibar residierten, deren Nachkommen als Wahadimu-
fürsten mit dem Titel Munyimkuu in Dunga inmitten der Insel ihren

---

[1] Baumann: Die Insel Sansibar. S. 46/47. Handbuch der Ostküste Afrikas, 1912. S. 222, 243.
H. Brode: Tippu Tipp. Berlin 1905. S. 149, Fonck: Deutsch-Ostafrika. S. 591.

132

Wohnsitz hatten. Neger vom Stamme der Walekwa sollen nach der Tradition beim Ras Shangani zuerst ein Dorf angelegt haben. Erst seit der Herrschaft der Imams von Maskat über die Insel Sansibar wurde die heutige Stadt der Hauptplatz. Der Statthalter Abdallah bin Jumah vergrößerte das schon vorhandene kleine Fort zu der noch heute ein Wahrzeichen der Stadt bildenden sogenannten Guereza, der genannten Feste (Taf. 22). Die Stadt wuchs an durch Zuzug von Swahili aus dem Norden wie Süden der Festlandsküste, wo sie durch Einfälle der Galla in Malindi und im Lamu-Gebiet und der Sakalaven in Chole (Mafia) beunruhigt waren. Aber als Seyid Said im Jahre 1822 nach Sansibar kam, war sie doch nicht viel mehr als eine reine Hüttenstadt, die die Feste und das Zollhaus fast als einzige Steingebäude überragten. Die kleine, heute noch als Ruine erhaltene alte Steinmoschee in Shangani und die Maskiti ya Jumah, die ursprüngliche, später erweiterte Sultanmoschee in der Nähe des Forts, waren damals auch schon vorhanden.

Unter Seyid Said entwickelte sich Sansibar dann aber schnell zu dem wichtigen Handelsplatz für das östliche und innere Afrika. Die Stadt erhielt zahlreiche Steinhäuser und dehnte sich allmählich fast über die ganze Landzunge aus. Die flachdachigen Bauten aus Korallenkalkstein verdrängten die Lehmhütten mehr und mehr. Regellos durcheinander, ganz willkürlich jedesmal dem momentanen Bedürfnis folgend, wurden die Bauten angelegt, die sich schließlich zu einem gänzlich regellosen Gewirr von Gassen und Gäßchen (Taf. 32) zusammenfügten, die in Breite und Richtung fortwährend wechseln; dadurch erhält die Stadt Sansibar ein echt orientalisches Gepräge. Manche Häuser fielen, noch ehe sie fertig waren, in Trümmer, da ein Aberglaube es verbietet, ein Haus zu vollenden, wenn der bisherige Erbauer gestorben ist; und so sieht man zwischen den bewohnten Häuserreihen, in den belebtesten Straßen, von dichter Vegetation mit prächtigem Blütenschmuck übersponnene Ruinen, in deren schattigem Gemäuer wohl eine Negerfamilie ihre Behausung aufgeschlagen hat.

Die Lehmhütten der Negerbevölkerung finden sich überall zerstreut in abgelegenen Winkeln zwischen den Steinbauten, hie und da auch noch in größeren Gruppen. Vorherrschend sind sie aber im Ngambo-Stadtteil enseits der Lagune (Tafel 22 oben). Seit den siebziger und achtziger Jahren des vorigen Jahrhunderts erst hat sich dieser zu dem umfangreichen Hüttenkomplex entwickelt. Zunächst wohnten jenseits der Lagune, die durch eine Brücke mit der Landzunge verbunden ist, Madagaskar-Leute (Wabuki), nach denen der Stadtteil auch als »Madagascar-town« bezeichnet wurde. Als aber die Negerbevölkerung durch Ausdehnung der Steinhäuserkomplexe in der Stadt immer mehr von der Landzunge ver-

133

drängt wurden und zugleich die Zahl der schwarzen Einwohner Sansibars hauptsächlich durch Zufuhr von der Festlandsküste wuchs, siedelten sich die Leute mehr und mehr in den Schamben jenseits der Lagune an und dehnten diesen Stadtteil immer mehr aus.

Die Breite und Sauberkeit der Straßen, das Grün der Kokos- und Mangobäume, die zwischen den Hütten verstreut stehen, und das behagliche, muntere Treiben der aus den verschiedensten Gegenden Afrikas zusammengekommenen Bevölkerung steht in angenehmem Kontrast zu dem Getriebe in den schmutzigen, engen und winkeligen, von den unglaublichsten »Düften« erfüllten Gassen der Inderstadt, die sich in der Gegend der Brücke auch noch in das Ngambo hineinzieht. In den dämmerigen, dumpfen Räumen zu ebener Erde ist hier Laden an Laden eingerichtet. Getrocknete Fische und Tintenfische, Petroleum, Seife, Reis, Bohnen, Hirse, Salz, Citronen, Zigaretten, Streichhölzer, Tücher und Bekleidungsstoffe für die Swahilineger und hundert andere billige Sachen werden hier feilgehalten. Seidenstoffe, bunte Stickereien, Kupfer- und Silberschmiedearbeiten, schöne und eigenartige Elfenbeinarbeiten, Ebenholz- und Sandelholzschnitzereien, japanische und chinesische Waren und andere Kuriositäten, die in besser eingerichteten Warenlagern zu haben sind, reizen auch die Kauflust des Europäers. Singhalesen von Ceylon haben in ihren Juwelenläden Kostbarkeiten ausgestellt, deren Wert richtig zu beurteilen nicht jedermanns Sache ist.

Sansibar hat kein besonderes Stadtviertel für die vielleicht 200 Köpfe zählenden Europäer.[1] Die Häuser der europäischen Handelsfirmen, Konsulate, Missionen, Hotels, liegen zusammen mit den Wohnungen von Arabern, Goanesen, Banjanen, Parsis u. a. Auf dem Platz des alten, berühmten Sklavenmarktes erhebt sich heute die zweitürmige englische Kathedrale. Von den Gärten der Kaiserin im Südosten der Stadt, die bei Gelegenheit des Regierungsjubiläums der Königin Viktoria vom Sultan geschenkt wurden, gelangt man auf die der Lagune entlangziehende M n a z i m o y a, die Esplanade Sansibars. Der neue Stadtteil auf der Südseite Sansibars ist mit graden Straßen nach europäischem Muster angelegt. Durch das Sansibar-Gouvernement sind – ohne den orientalischen Charakter der Stadt merklich zu stören – die größten gesundheitsschädlichen Übelstände beseitigt und Erholungsstationen für Europäer an verschiedenen Orten der Insel eingerichtet. Unter der Sansibar-Regierung steht auch das eine der beiden Krankenhäuser in der Stadt. Schon lange ist Sansibar im Besitz einer Wasserleitung, die von der Chem - chemquelle in den Masingini - Hügeln nordöstlich

[1] Insgesamt dürfte die Stadt etwa 40000 Einwohner zählen (Karstedt a. a. O. S. 276).

134

der Stadt gespeist wird und geeignetes, bakterienfreies Trinkwasser liefert.[1]

Eine Eisenbahn führt jetzt von der Stadt Sansibar nach B u b u b u. An M a r h u b i, einem mit Mauer umgebenen Garten des Sultans, und den mit üppiger Vegetation überwucherten Ruinen M t o n i und B e t e l - R a s vorbei geht sie durch üppige tropische Kulturlandschaft zwischen der See und der Hügelkette von M a s i n g i n i nordwärts. Bei Bububu liegt das geräumige Sultanslustschloß C h w e n i. Von hier führt der Weg weiter durch welliges, mit endlosen Nelkenpflanzungen bedecktes Gelände nach dem Distrikt M a n g a p o a n i, etwa 20 km nördlich der Stadt Sansibar an der Westküste der Insel. Die von Indern und Arabern hie und da errichteten Kramläden bilden kleine Siedelungsmittelpunkte in dem großen, geschlossene Ortschaften entbehrenden Schambengebiet, in dem die Wohnhäuser der meist arabischen Grundbesitzer mit einigen Sklavenhütten liegen. Bei Mangapoani sind die im ersten Kapitel näher beschriebenen Höhlen in dem Korallenkalkstreifen ausgebildet. Weiter nördlich in der Gemarkung B u m b w i n i erhebt sich ein Leuchtfeuer. Weiterhin biegt dann die Küste am R a s K i o n g w e zurück, und es öffnet sich die geräumige, mit dichtem Mangrowegebüsch erfüllte M w a n d a - Bucht, in die die Hauptflüsse der Insel, der Z i n g w e - Z i n g w e und der M w a n a k o m b o sich ergießen. Auf einer Insel in der Lagune und am gegenüberliegenden Ufer liegt das Dorf M w a n d a mit ca. 80 Hütten, eine der wenigen geschlossenen Siedelungen der Insel.

Östlich der Mwanda-Bai dehnt sich der große Schambenbezirk vom M k o k o t o n i aus mit einer riesigen, vom K i p a n g e - Bach durchflossenen Kokospflanzung, der ehemaligen Plantage des Engländers Frazer. Auf der Höhe des mit seiner Westseite steil abfallenden Mkokotonihügels bietet sich ein umfassender Blick auf das nahe Meer und die gegenüberliegende Insel T u m b a t u. Am Strande vom Mkokotoni residiert in einem geräumigen Steinhause ein arabischer V a l i. Eine Reihe von Bächen, die aus den fruchtbaren Nelkengebieten von D o n g e , M k w a j u n i , D o m b o u. a. herabkommen, fließen bei Mkokotoni in die See.

Weiter nördlich verschmälert sich die Insel Sansibar zu dem 17 bis 18 km langen Nordhorn, das auf der Westseite steil in zwei Terrassenstufen abfällt und teilweise mit fruchtbarem roten Boden überdeckt ist, in seinem erheblich größeren östlichen Teile aber steiniges, mit dichtem Busch

---

[1] O. Baumann: Die Insel Sansibar. S. 30 bis 32, 48. Handbuch der Ostküste Afrikas. 1912. S. 242 bis 44. P. Reichard: Deutsch-Ostafrika. Leipzig 1892, S. 58 bis 82. K. W. Schmidt: Sansibar. Ein ostafrikanisches Kulturbild. Leipzig 1888. Fonk: Deutsch-Ostafrika. S. 252 – 55. Von der Deckens Reisen in Ostafrika. Bd. 1. S. 1 – 15.

135

bestandenes Kalkland darstellt. Einige kleine, sargförmig gestaltete Hügel, Uemba, Kijini, Kigunguli, erheben sich über die höchste Terrassenfläche und verleihen diesem Teile Sansibars ein charakteristisches Gepräge. Bei Magagoni, Tumbatu gegenüber, liegt die schon erwähnte Ruine aus schirazischer Zeit. Auf der Nordspitze der Insel, dem Ras Nungwe, erhebt sich nördlich von den zwischen Kokospalmen gelegenen Hütten des Wahadimudörfchens Nungwe ein Leuchtturm, von dessen Höhe man den Sansibar-Kanal und die Festlandsküste mit dem Usambara-Gebirge überschaut. Auch an der Ostküste des Nordhornes haben die Wahadimu einige kleine Dörfer, wie Muyuni und Matemwe, mit Kokospalmen und Hirsefeldern. Muyuni gegenüber liegt auf der Westkante des durch einen tiefen Meeresarm von Sansibar getrennten Mnemba-Riffes das Sandinselchen gleichen Namens, das mit hohen Kasuarinen bewachsen ist und gelegentlich von Fischern aufgesucht wird.

Das östliche Korallenkalkland der Insel Sansibar, das in zwei Terrassenstufen ausgebildet ist, ist fast vollkommen unbewohnt und mit Busch- oder Buschsteppenvegetation bedeckt, abgesehen von der weithin mit einem sandigen, der Kokospalme zusagenden Vorlande versehenen unmittelbaren Küste. Hier liegt ca. 8 km südlich von Matemwe das ärmliche Fischerdorf Pwani-Mchangani mit Strohhütten und einem alten, den Wadébuli zugeschriebenen Brunnen. Der mit Kasuarinen und Pandanus bewachsene Sandstrand, der von dem breiten, prächtig entwickelten und durch eine weiße Brandungslinie gekennzeichneten Saumriffe begleitet ist, zieht weiter bis wenig nördlich von Pongwe, wo wieder der felsige Terrassenabbruch an die See tritt. Dann springt weiter südlich das Ras Uroa aus der im allgemeinen ziemlich glatten Küstenlinie heraus, und südlich davon öffnet sich die weite, verzweigte Chwaka-Bai, die sich in 3 Seemeilen Breite bis zum Chwaka-Head, der Nordspitze der Michamwi-Halbinsel erstreckt. Es ist dies die einzige Bucht auf der ganzen sonst ungegliederten Ostküste Sansibars, die aber so seicht ist, daß sie für die Schiffahrt kaum in Betracht kommt. Der größte Ort an der Bai ist das in der Südwestecke gelegene Chwaka mit einigen Dutzend Hütten unter Kokospalmen. Hier endigt die von der Stadt Sansibar quer durch die Insel führende Fahrstraße; auch befinden sich hier einige vom Sansibar-Gouvernement errichtete Bungalows als Erholungsstationen für die Europäer. Eine kleine Moscheeruine wird wieder von den Einwohnern auf die sagenhaften Wadébuli zurückgeführt. Gleich südlich Chwaka greift eine Auszweigung der Bai weit in das Land in die nach dem Usi-Kanal hinziehende Jangwani-Niederung hinein, die das Südostland Sansibars von dem Hauptteil der Insel abtrennt.

136

Dieses Südostland Sansibars ist zum größten Teil eine niedrige, nicht über das Niveau der untersten gehobenen Strandterrasse aufragende Kalktafel, die mit dichtem, nur von einigen Feldern der Wahadimu unterbrochenem Busch bestanden ist. In dem Gebiet von Jambiani nimmt die Vegetation stellenweise waldartigen Charakter an. Diese Busch- und Waldwildnis bildet ein kleines Dorado für den Zoologen, denn hier ist die Heimat des nur aus dieser Gegend bekannten Sansibar-Seidenaffen, der sich von den anderen Arten auf dem Festlande durch seine bunte Färbung und das Fehlen der langen Haarmähne auszeichnet, sowie des Sansibar-Baumschliefers; auch der Serval, das einzige katzenartige Raubtier der Insel, kommt hier noch vor.

Nur an zwei Stellen, ganz im Südosten bei Makunduchi und im Westen bei Muyuni und Miungoni, kommen wenig umfangreiche, mit fruchtbarem, rotem Lehm bedeckte Erhebungen im Südostlande vor. Diese bilden wahre Kulturoasen inmitten des ödesten, steinigen Korallenkalklandes. Bei Makunduchi gibt es Felder von Maniok, Sorghum, Tabak und Pfeffer, und neben Kokos gedeiht selbst der schöne, sonst im Süden Sansibars nicht zu findende Mangobaum hier. Die Wahadimu-Hütten des Distriktes liegen in den Pflanzungen zerstreut, deren Mittelpunkt eine alte Steinmoschee bildet. Mehrere Inder kaufen Peffer und Tabak auf und liefern zahlreiche Bedarfsartikel, die sie mit Segelbooten von der Stadt erhalten. Auch in Utende wenig weiter südlich gibt es einen Inderladen; die Erträgnisse der Kokospalmen des Ortes gehen mit Dhaus nach der Stadt.

Der auf der Westseite des Südostlandes am Usi-Kanal gelegene Hügelzug von Muyuni-Miungoni trägt einzelne Gewürznelkenpflanzungen und ist reich an Mangos, Kokos- und Arekapalmen. Südlich dieses fruchtbaren Distriktes liegt das Dorf Kisimkasi, dessen Hütten ebenfalls noch zwischen indischen Fruchtbäumen stehen. Es war früher ein bedeutenderer Ort, die Residenz der Schechs der Wahadimu und ohne Zweifel wohl eine schirazisch-arabische Niederlassung, deren zum Teil von Vegetation überwucherte Ruinen an dem von Palmen gekrönten, felsigen Strande liegen. Die Bewohner von Kisimkasi, ein Gemisch von Wahadimu und Küstenvolk, haben in späterer Zeit als Vermittler des Sklavenhandels eine traurige Rolle gespielt.

Die Hauptdörfer an der Ostküste des Südostlandes nördlich von Jambiani sind Bwejuu und Padye. Ersteres liegt auf dem sandigen Strandlande zwischen Palmen und hat etwa 200 Hütten und einen Inderladen. Ähnlichen Charakter hat auch Padye, wo die Wahadimu sehr hübsche Matten anfertigen, die ebenso wie Pfeffer und Tabak mit Dhaus nach der Stadt Sansibar gehen.

137

Westlich der Jangwani-Niederung, zwischen dieser und der Menai-Bai, dehnt sich auf dem Hauptlande der Insel Sansibar der fruchtbare, palmenreiche Distrikt Unguja ukuu aus, von kleinen Arabern, Swahili, Wahadimu und Indern bewohnt, deren Läden den Mittelpunkt der Siedelung bilden. Der Name (Unguja ukuu = Alt-Unguja) läßt auf eine alte Niederlassung schließen, doch sind Ruinen hier nicht bekannt. Von Unguja ukuu führt in nordwestlicher Richtung am Ufer der Kiwani-Bai entlang der Weg gegen die Stadt Sansibar zu. Zunächst wird die vorzugsweise von Arabern bewohnte Gemarkung Bungi mit schönen Kokos- und Mangopflanzungen erreicht, die sich an der genannten Bai entlang zieht, an deren Nordende Kiwani liegt, mit Palmpflanzungen und Gärten von Swahili. Die Kiwani-Kombeni-Bai ist die natürliche Fortsetzung der Mwera-Senkung, des Tales des gleichnamigen Flüßchens, von dessen Mündung jedoch hier an der Bai nichts zu entdecken ist, da das die ganze Ostseite der Masingini-Hügelkette entwässernde Rinnsal bei Kibondei-msungu ca. 4 km nördlich der Bai in einem Sumpfe verschwindet.

Auf der die Kombeni-Bai im Westen abgrenzenden südwestlichen Halbinsel Sansibars erhebt sich als einsame, steile Felskuppe der von Höhlen durchsetzte Hatajwa mit 63 m absoluter Höhe über das dortige Terrassenland, als ein Gegenstück zu den auf dem Nordhorn Sansibars aufragenden Kalkhügeln. Auf der steinigen Terrasse nordöstlich von Hatajwa liegen zwei mit Wasser erfüllte Einsturztrichter, die ebenso wie die Höhlen jenes Felshügels im ersten Kapitel (S. 52ff. des 1. Bandes) näher beschrieben wurden. Südlich vom Hatajwa wird die Halbinsel von den Distrikten Kombeni, Bweleo und Fumba eingenommen, in denen ziemlich viele Kokospalmen stehen, die teils in Händen von Arabern sind, teils aber Wahadimu gehören.

Das Land zwischen dieser Südwesthalbinsel und der Stadt Sansibar ist ziemlich fruchtbar und gut bebaut; es hat roten lehmigen oder sandigen und nur stellenweise steinigen Boden und ist von einigen Sumpfsenken durchzogen, in denen Reis gepflanzt wird; sonst herrschen Kokospflanzungen und Maniokfelder vor, und zahlreiche Arekapalmen beleben das Landschaftsbild. Die Weiber der hier ansässigen Neger, vielfach Küstenleute, betreiben die Töpferei, deren Erzeugnisse sie nach der Stadt zum Verkauf bringen. 8 km südlich der letzteren liegt auf der Höhe der Uferterrasse beim Ras Mbuyu das Sultansschloß Chukwani, von wo aus eine gute Fahrstraße, meist mit schönem Ausblick auf die See, nach der Stadt führt. Auf halbem Wege liegt links über dem durch bemerkenswerte Aufschlüsse geologisch interessanten Ras Mbweni die umfang-

138

reiche, von prächtigem Garten umgebene englische Mission gleichen Namens.

Von der Stadt Sansibar führt, wie schon gesagt, eine gute Fahrstraße durch die Insel nach der Ostküste bei C h w a k a. Sie geht östlich von der Stadt zunächst durch Kulturen von Kokos und Mangos, zwischen Maniok- und anderen Feldern hindurch und quert bei U e l e s o den südlichen Abfall des mit Nelkenpflanzungen bedeckten M a s i n g i n i höhenrückens. Dann steigt sie zur Talsenke des M u e r a herab, an dem die Sansibarregierung ein Rasthaus errichtet hat. Jenseits des Flusses erhebt sich ein zweiter, niedrigerer Hügelzug, auf dem die Distrikte P o n g w e im Süden und N d a g a a im Norden auf meilenweite Erstreckungen mit dem duftenden Gewürznelkenbaum bepflanzt sind. Am Mwera wird Zuckerrohr gezogen; Areka- und Kokospalmen, Bananen und andere Kulturpflanzen gedeihen in üppiger Fülle.

Um so überraschender ist die plötzliche Änderung des Vegetationsbildes beim Eintritt der Straße in die steinige, mit offener Buschsteppe überzogene Ebene, die sich in einer Breite von reichlich 3 km in nordsüdlicher Richtung weithin durch die Insel zieht (Siehe Profil S. 84 des 1. Bandes). Jenseits derselben erhebt sich die Hügelwelle von D u n g a - U s i n i bis ca. 50 m Meereshöhe; sie trägt wieder fruchtbaren, roten Lehmboden, auf dem Kokos- und Nelkenpflanzungen gedeihen, und ist von dem historischen Palaste des alten Wahadimufürsten (Vergl. weiter vorn S. 114) gekrönt, den das Sansibar-Gouvernement in einen komfortabeln Landsitz für Europäer umgewandelt hat. Südlich von Dunga liegt auf dem Höhenrücken die Landschaft T u n g u u mit einem von Wahadimu- und Stadtleuten bewohnten Ort inmitten von Nelken- und Kokospflanzungen. Nördlich von Dunga zieht die Bodenwelle durch den umfangreichen Distrikt U s i n i, wo sich mehrere Inderläden befinden und die Kunstindustrie der Türschnitzerei blüht. Es werden hier in zierlichen Arabesken ausgeführte Türrahmen für die Araberhäuser in Sansibar usw. aus dem Holz des Stinkfruchtbaumes hergestellt.

Nicht weit östlich von Dunga betritt die Straße das breite, wenig bebaute Korallenkalkland der beiden Terrassenstufen der Ostseite Sansibars, von dem die obere mit einem gut erhaltenen, alten Brandungskliff gegen die untere abfällt, und erreicht bei Chwaka die gleichnamige Bai am offenen Indischen Ozean.

Die kleine M n e m b a - I n s e l im Nordosten Sansibars wurde schon erwähnt, es erübrigt daher nur noch eine kurze Betrachtung der im Westen der Hauptinsel vorgelagerten Eilande. Von diesen sind nur drei besiedelt: U s i und Wundwe im Süden und T u m b a t u im Norden. Ersteres liegt auf der

139

Ostseite der Menai-Bai, von dem Südostlande Sansibars nur durch einen schmalen Kanal getrennt, der bei Unguja ukuu mit Mangroven erfüllt und bei Niedrigwasser passierbar ist. Die Insel wird von Wahadimu bewohnt, die Sorghum, Bataten, Mungobohne, etwas Maniok, sowie Kokos, Mangos und andere Fruchtbäume ziehen und sich als Seeleute und Fischer betätigen; sie bringen getrocknete Fische, Tabak, Pfeffer u. a. nach der Stadt Sansibar. Das Hauptdorf der Insel, U s i, mit Inderläden und einer Moschee, liegt im Norden, weitere an der Ostküste zwischen dichten Mangobäumen, Kokospalmen u. a. Die Westseite von Usi ist steinig und buschbedeckt. Auf demselben Riff mit Usi erhebt sich in dessen südlicher Verlängerung die felsige Insel Wundwe mit einem ärmlichen Dorf von ca. 40 Hütten.

Tumbatu, die größte aller Nebeninseln Sansibars, stellt eine von Norden nach Süden gestreckte Kalkplatte dar, die fast ringsum mit steilem Kliffufer abfällt und der in der Mitte der geschützten Ostseite eine niedrige Halbinsel von rezenten marinen Anschwemmungen vorgelagert ist. Das Kalkland ist mit dichtem »Inselbusch«, das alluviale östliche Vorland mit lichtem »Strandbusch« bestanden, der von den Kokospflanzungen der Watumbatu durchsetzt ist. Sonst bauen die letzteren Mais, Sorghum, Maniok, Bohnenstrauch, Papaya und Bananen. Wichtig aber ist für die Inselbewohner die Fischerei, die mit dem Einbaum, der hier nur o h n e Ausleger im Gebrauch ist, und mit Netzen betrieben wird. Fische und Ziermuscheln werden wie die Blätter der auf dem steinigen Insellande gezogenen Betelpflanze nach Muanda und Mkokotoni auf Sansibar verkauft. Die zwei Dörfer der Insel sind J o n g o ë im Süden und K i c h a n - g a n i etwa in der Mitte der Ostküste.

In der nördlichen Fortsetzung Tumbatus liegt auf demselben Riff die mit einem Leuchtturm versehene Buschinsel M w a n a - M w a n a und östlich auf der Riffkante P u o p o mit Pflanzungen, aber ohne Siedelung. Tumbatu gegenüber liegen am Nordhorn Sansibars die kleinen D a l o n i - I n s e l n.

Jedem Europäer Sansibars bekannt sind die kleinen, der Reede an der Stadt vorgelagerten Korallenkalkinseln: C h a p u a n i mit einem alten Friedhof und dichtem Euphorbienbusch, K e b a n d i k o, der sogenannte »Blumenkorb«, ringsum mit unterhöhlten Steilufern und von dichter Vegetation gekrönt, C h a n g u u, die »Gefängnisinsel« der Europäer, mit Gefängnis, Erholungshaus, einer kleinen Kokospflanzung und Steinbrüchen, und schließlich B a w e, die »Telegrapheninsel«, wo die aus verschiedenen Richtungen kommenden unterseeischen Kabel münden, teils sandig, teils aus buschbewachsenem Korallenfels bestehend.

140

Weiter südlich in der Breite des Hatajwahügels etwa beginnt mit der
auf einem großen Riff gelegenen, buschbedeckten und von einem Leuchtturm überragten Felsinsel Chumbe die Zahl der in südöstlich gestreckten
Zügen angeordneten Korallenkalkinseln in der Nachbarschaft des südwestlichen Sansibar. Zwischen Chumbe und der vom Hatajwa gekrönten Halbinsel liegen auf einem langgestreckten, bis 27 m Wassertiefen abschließenden
Riff die kleinen Tele-Inseln; in der ungefähren Verlängerung der
genannten Halbinsel sind die Komonda-Klippen, Kwale und Pungume
gelegen und einwärts davon in der Menai-Bucht Miwi und Nyamembe.
Alle sind mit dichtem Busch bedeckt und dienen zum Teil Fischern zum
vorübergehenden Aufenthalt. Die langgestreckte, teilweise bebaute Insel
Ukanga gliedert den innersten Teil der Menai-Bai in die westliche
Kombeni- und die östliche Kiwani-Bucht. Sie liegt schon auf dem
Saumriff der Insel Sansibar und ist mit dieser durch Mangrowegehölz
verbunden.[1]

VII. Die Insel Pemba.

Allgemeines.

Die Insel Pemba ist nicht nur durch einen weit tieferen Kanal von der
Festlandsküste getrennt als die beiden anderen großen Inseln Mafia
und Sansibar, sondern auch weiter vom Festlande und für die Küsten-
fahrer außer Sicht gelegen. Hierdurch wird es verständlich, daß die Insel
in der Geschichte keine besonders große Rolle spielt und auch in der
Neuzeit sich dem Ansturm der modernen Kultur am meisten wider-
setzt hat.

Der Name unserer Insel wird von dem Swahili-Zeitwort kupemba
abgeleitet, welches etwa »sich langsam, vorsichtig nähern« heißt, und von
den Schiffern herrühren soll, die durch die gefährlichen Riffe vor der Insel
mit Vorsicht an dieselbe heranzufahren gezwungen werden. Arabisch heißt
die Insel El Chotera oder El Húthera, »die Grüne«, ein wenig gebräuch-
licher Name.

Lange Jahrhunderte gehörte Pemba zum schirazischen Reiche Kilwa.
Aus dieser Periode mag das alte Zinnenfort stammen, das sich am Strande
bei dem jetzigen Hauptorte der Insel Chake-Chake erhebt und später,
wie die alten, dort erhaltenen Kanonen anzeigen, von Portugiesen besetzt
war.[2] Auch auf der Pemba im Südwesten vorgelagerten Nebeninsel

---

[1] O. Baumann: Die Insel Sansibar. Leipzig 1897. S. 30 bis 46.
   E. Werth: Tumbatu, die Insel der Watumbatu. »Globus«, Bd. LXXIV, 1898. S. 169 bis 173.
[2] Baumann: Die Insel Pemba. S. 14.

141

Makongwe finden sich nach Voeltzkow die Reste einer vermutlich schirazischen (altarabischen) Ansiedelung.[1] Ferner beschreibt derselbe Forscher (S. 575) eine Ruinenstadt aus der Gemarkung Pujuni, im südlichen Teil der Ostküste Pembas: Außer einigen Mauerresten, die auf eine alte Moschee schließen lassen, und einem halb verschütteten Brunnen bestehen diese Ruinen in der Hauptsache aus einer kreisförmigen Anlage von ca. 20 m Durchmesser. Die Häuser umschlossen, durch eine Mauer verbunden, diesen hofartigen Raum und bildeten somit, wie es scheint, eine kastellartige Anlage. Da Inschriften nicht vorgefunden wurden, so läßt sich nach Voeltzkow nur aus der ganzen Art der Anlage und dem festen Gefüge der Gemäuer die Zugehörigkeit der Bauwerke zur Zeit der ersten persischen Besitzergreifung vermuten. Desgleichen sind auf der die Adamson-Bai auf der Ostseite Pembas nach dem Meere zu abschließenden Insel bei Kojani Reste vielleicht schirazischer Bauten, eine Moschee und ein alter Brunnen, vorhanden.[2]

Während der Portugiesenzeit in Ostafrika wird Pemba mit dem Ende des 16. Jahrhunderts häufiger genannt. Portugiesische Soldaten und Kaufleute hatten sich auf der Insel angesiedelt und in verschiedenen Gegenden derselben Pflanzungen angelegt. Bei Ras Ukungwi sind aus jener Zeit die Reste einer Brücke erhalten. Nicht lange jedoch dauerte die ehemalige portugiesische Herrschaft auf Pemba. Die bedrückten Eingeborenen der Insel wurden aufständig und ermordeten in einer Nacht sämtliche Europäer, Männer, Weiber und Kinder. Dem mit den Portugiesen verbündeten Schech von Pemba gelang es, auf einem Fahrzeuge nach Malindi zu entfliehen. Mit Hilfe des dortigen portugiesischen Kommandanten wurde er wieder in Pemba eingesetzt, konnte aber nicht verhindern, daß wenige Jahre später (ca. 1590) abermals der Aufstand ausbrach, bei dem er endgültig von der Insel weichen mußte.

Obwohl der portugiesenfreundliche Schech, der sich sogar nach Goa begab und den Schutz des Vize-Königs von Indien anrief, nicht mehr nach Pemba zurückzukehren vermochte, scheint doch die portugiesische Herrschaft bald wieder über die Insel bestanden zu haben. Denn die Mannschaft des im Dezember 1608 Pemba besuchenden englischen Kapitäns Sharpey wurde durch die angeblich von den Portugiesen aufgestachelten Insulaner verräterisch überfallen.

Nach der aus dem Anfange des 17. Jahrhunderts stammenden Chronik

---

[1] Voeltzkow: Reise nach Ostafrika. S. 575.
[2] Voeltzkow a. a. O. S. 577. Nach einer Angabe auf der der Arbeit Baumanns über Pemba beigegebenen Karte befindet sich im Dorfe Kimeleani auf der Pemba im Westen vorgelagerten Insel Fundu eine Moscheeruine. Auch Voeltzkow erwähnt dieselbe.

142

von Rezende mußte Pemba den Portugiesen einen jährlichen Tribut von 600 Sack Reis liefern. Die Insel war damals stark bevölkert von Arabern (»Mauren«) und Negersklaven (»Kaffern«); eine portugiesische Niederlassung gab es damals auf der Insel aber nicht. Umfangreiche Pflanzungen von Reis, Kokospalmen, Sesam, Gemüsen und Fruchtbäumen werden von Pemba erwähnt, ebenso Vieh und wilde Schweine. Die Insel versorgte Mombasa und Mozambique mit Proviant.

Nach dem Rückgang des portugiesischen Regiments in Ostafrika gehörte letzteres, seit ca. 1745, nominell dem Imam von Maskat. Tatsächlich war es aber in verschiedene Gebiete geteilt, die einzelnen Satrapen und Häuptlingen unterstellt waren, die fast ständig gegen einander in Fehde lagen. Pemba unterstand damals eine zeitlang den Beherrschern von Patta, bis deren Statthalter Fumo Omari von dem Residenten des Imams in Mombas verjagt wurde. So kam Pemba unter die Mzara-Satrapen von Mombas. In diese Zeiten ewiger Kriege und Unruhen fällt wohl die Periode des westindischen Flibustiers Kapitän Kitt, der auf Pemba sein Hauptquartier hatte und von hier aus die Meere unsicher machte.

Nachdem Ostafrika endgültig durch Seyid Saïd erorbert worden war, spielte Pemba dadurch eine besondere Rolle, daß es ein Stützpunkt der Mombaser Mzara-Herrschaft war. 1822 wurde die Insel durch den Stadthalter Seyid-Saïds in Sansibar ohne Schwierigkeit erobert. Die Mzara landeten darauf mit einigen Schiffen bei Sisini im Nordosten Pembas und rückten gegen die feindlichen Besatzungen vor. Inzwischen wurden ihre Schiffe von einer bewaffneten Dhau aus Sansibar genommen, die zurückgeworfenen und von der Seereise abgeschnittenen Mzara waren gezwungen sich zu ergeben und erhielten gegen die feierliche Aufgabe Pembas freien Abzug. Trotzdem setzten sie kurz darauf von Mtangata aus abermals nach Pemba über, unterlagen aber wiederum den Maskaten von Sansibar. Nachdem die Mzara darauf den Schutz Englands anriefen, hißte Kapitän Vidal in Mombasa die britische Flagge und stellte das Gebiet der Mzara unter englische Oberhoheit. Da der darüber abgeschlossene Vertrag von der englischen Regierung nicht anerkannt wurde, zogen sich die Engländer 1825 wieder aus Mombasa zurück.

Nunmehr wurde die Oberhoheit der Sultane von Sansibar über Pemba nicht mehr angefochten, und auch heute noch gehört die Insel zu dem jetzt unter englischem Protektorat stehenden Gebiet des Sultans von Sansibar. Bei ihrer abgelegenen Lage und schwierigen Erreichbarkeit waren die Araber hier am längsten ungestört, und die Sklaverei blühte auf Pemba besonders. 1895 wurde endlich ein englisches Vizekonsulat auf

143

der Insel errichtet und damit eine geringe europäische Kontrolle ausgeübt. In Chaki-Chaki sitzt ein Statthalter (Vali) des Sultans von Sansibar, dem die Akiden in Weti und anderen Orten unterstellt sind.

Die in ungefährer Nordsüdrichtung gestreckte Insel Pemba ist etwa ²/₃ so groß wie Sansibar d. h. sie hat (nach Baumann a. a. O. S. 7) einschließlich der kleinen Nebeneilande einen Flächeninhalt von 964 qkm. Ihre Länge beträgt 64, die größte Breite 23 km. Gleich Sansibar erhebt sich Pemba in seiner westlichen Hälfte zu einem Hügelland bis zu 90 und 100 m Meereshöhe, während die Osthälfte der Insel größere Höhen nicht zeigt. Das Erhebungsgebiet auf der Westseite bildet auch bei Pemba den geologisch älteren Kern der Insel und besteht vorwiegend aus den rötlich verwitternden lehmig-sandigen Mikindanischichten, unter denen nur an wenigen Stellen jungtertiäre Kalke, wie in der Chaki-Chaki-Bucht und bei Weti auf geschlossen sind.[1]

Jüngere (jungdiluviale) Korallenkalke bilden auf der Ostseite der Insel in geringer Meereshöhe ein ziemlich ebenes Terrassenvorland, das aber nirgends die Breite des Korallenkalklandes auf der Insel Sansibar erreicht. Ebenso bestehen die die Westseite Pembas umsäumenden und stellenweise bis 20 m ü. M. hohen Inseln Njao, Fundu, Uvindje, Missale usw. aus Korallenkalk.[2] Zwischen dem westlichen Hügelland der Hauptinsel und dem östlichen Kalkstreifen sind zum Teil auch sandige Terrassenablagerungen in größerem Umfange vorhanden.

Wie schon im 1. Kapitel des 1. Bandes bei der Betrachtung über die Entstehung der Wallrifformen u. a. eingehender gewürdigt worden ist, zeichnet sich die Westseite der Insel Pemba im Gegensatz zu derjenigen Sansibars durch eine ungemein starke Gliederung ihrer Küstenlinie aus. Eine ganze Reihe stark verzweigter Meeresbuchten greift mehr oder weniger tief in das westliche Hügelland ein und bildet eine große Zahl guter Häfen (Port Kiuyu, Port George, Port Cockburn, Chaki-Chaki, Ngelema-Bai, Kingoje-Bai). Daß es sich auch hier wieder, wie bei den zahlreichen »Kreeks« der Festlandsküste, um vollgelaufene d. h. ertrunkene Talsysteme ehemaliger, einem tieferen Meeresstande angehöriger Flüsse und Bäche handelt, wurde ebenfalls schon gesagt. Auf dieser stark gegliederten Westseite der Insel zeichnet sich an vielen Stellen am Anstieg zu dem höheren Hügelgelände eine alte Strand-

---

[1] Bornhardt: Oberflächengestaltung. S. 413.

[2] Vergl. auch C. Crossland: The Coral Riffs of Pemba Island and of the East African Mainland. Proceedings of the Cambridge Philosophical Society. Vol. XII. 1902 – 1904. Cambridge 1904. S. 36 bis 43.

144

terrasse von 10 bis 20 m Höhe ab, die also mit der Oberfläche der vorgelagerten Inselkette korrespondiert und daher vermutlich mit dieser eines
Alters und einheitlicher Entstehung ist. Darüber erhebt sich nach
V o e l t z k o w [1] noch eine höhere Terrasse von 30 bis 50 m Meereshöhe, die
sich auch auf der Ostseite der Hügelkette wiederholt. So ergibt sich eine
reichliche Stufengliederung der Insel Pemba, die uns an die Verhältnisse im
nördlichen Teil Sansibars erinnert (Profil S. 23 des 1. Bandes).

Das lehmig-sandige Hügelgelände im Westen von Pemba ist wie dasjenige Sansibars durch große Fruchtbarkeit ausgezeichnet und trägt heute
einen Wald von prächtig gedeihenden G e w ü r z n e l k e n b ä u m e n neben
K o k o s p a l m e n und anderem. In den Talsenken findet sich auf Pemba
auch häufig die sonst in Ostafrika nur seltener anzutreffende Ö l p a l m e.

Obwohl das Klima Pembas, wie wir im 2. Kapitel des 1. Bandes gesehen
haben, erheblich feuchter ist als das der anderen beiden großen Inseln
Sansibar und Mafia oder irgend eines der Küstenplätze unseres Gebietes
— die Insel hat eine ähnliche jährliche Regenmenge aufzuweisen wie das
Regenwaldgebiet von Ostusambara (Amani) und ermangelt einer ausgesprochen trockenen Zeit überhaupt[2] —, so scheint doch die Vegetation
der Insel keineswegs in gleichem Grade von derjenigen der Festlandsküste
und der übrigen Inseln abzuweichen. Voeltzkow erwähnt zwar aus dem
Norden der Insel in der Nähe des Sisini-Kreeks wie auch aus der Gegend
bei Tondoni einen »echten U r w a l d mit Lianen und Orchideen«, doch
scheint es sich in beiden Fällen um Alluvialhochwald, wie wir ihn auch
im Küstengebiet des Festlandes antreffen, nicht um tropischen Regenwald zu
handeln. Voeltzkow beschreibt (S. 581) den Wald im Nordwesten Pembas
bei Tondoni folgendermaßen: Er ist »noch mehr wie der Wald bei Sisini
tropischer Wald mit vielen Schmarotzerpflanzen von Riesengröße, mit
wirrem Geflecht von Lianen und dichtem Unterholz, das ein Eindringen
abseits der gebahnten Pfade nicht gestattet. Vorherrschend sind zwar

---

[1] A. a. O. Profil. S. 591.

[2] Die Verteilung der Niederschläge im Laufe des Jahres auf der Insel Pemba ist die folgende:
Banani (Pemba), 5^0 15' S.-Br., 39^0 45' E. Lg., 15 m ü. M. (6 Jahre)

Jan.	Febr.	März	April	Mai	Juni	Juli	Aug.	Sept.	Okt.	Nov.	Dez.	Jahr
					Regenmenge:							
91	79	201	537	688	145	75	51	32	50	158	197	2282
					Regentage:							
8,7	5,0	12,5	21,3	24,2	15,9	15,2	11,3	5,5	6,2	12,0	15,8	133,6
				Die Temperatur zeigt folgenden Gang (6 Jahre):								
26,1	26,1	26,3	25,1	24,3	25,5	22,9	23,0	23,7	24,7	25,5	26,0	24,8,

Die Jahresschwankung beträgt $3,4^0$, die mittlere tägliche Temperaturschwankung (Monats-
mittel) $6,2^0$, die maximale $8 - 9^1/2^0$; die mittleren absoluten Jahresextreme sind 35,2 und 18,4
(Hann: Handbuch der Klimatologie, 3. Auflage 1910. 2. Band, 1. Teil S. 120 und 122).

10 Werth, Deutsch-Ostafrika. Band II.

145

Bäume mittlerer Größe, jedoch finden sich auch eingesprengt alte, ungemein hohe und starke Bäume«.

Das durch schwer durchlässigen, fruchtbaren, roten Lehmboden ausgezeichnete westliche Hügelland Pembas ist, wie gesagt, fast ganz von Nelkenplantagen eingenommen. »Wohin man blickt Nelken und abermals Nelken, mit und ohne Unterholz, je nach der Sorgfalt, welche der Besitzer seiner Schamba zuwendet, und entsprechend den zur Verfügung stehenden Arbeitskräften, die seit Einschränkung der Sklaverei an allen Orten fehlen. Die Verwilderung der Nelken geht soweit, daß an Stelle einer Nelkenplantage ein förmlicher Wald vorgetäuscht werden kann. Eingestreut finden sich Bestände von Kokospalmen und Mangobäumen, ohne jedoch das Gesamtbild wesentlich zu verändern« (Voeltzkow a. a. O. S. 582).

Wo im Hügelland die Kulturpflanzen zurücktreten, findet sich, wie z. B. auf dem Gipfel der Mesa-miumbi genannten höchsten Erhebung des Südbezirkes der Insel, ein dichter Busch mit Bäumen. Wir dürfen daraus schließen, daß das Hügelland Pembas vor seiner Kultivierung ebenfalls wie die entsprechenden Distrikte des übrigen Küsten- und Inselgebietes von dem Küstenbusch oder Buschwald bedeckt war.

Das Korallenkalkland im Osten und Nordosten Pembas ist mit ziemlich niedrigem Gebüsch bewachsen, aus dem vereinzelte Adansonien (Affenbrotbäume) aufragen, während die sandigen Gebiete zwischen dem westlichen Hügelland und dem Kalkstreifen des Ostens in seiner Vegetation Buschsteppencharakter zu tragen scheinen. Auch die westlich Pemba vorgelagerte Inselkette ist mit gewöhnlich niedrigem, vielfach aber in waldartige Bestände übergehendem Busch bestanden. In sumpfigen Niederungen Pembas ist der Pflanzenwuchs ungemein üppig. Die Bäche sind mit der auch auf Sansibar vorkommenden Riesenarazee (Thyphonodorum) bestanden, und in den Senkungen und Tälern bildet die durch riesenhafte Wedel ausgezeichnete Raphiapalme geschlossene Bestände; seltener trifft man Komplexe hoher Bambusen an. Für weite Alluvialflächen scheint auch auf Pemba die Borassuspalme charakteristisch zu sein, deren hohe Säulenstämme einsam in die Luft ragen; gleichwohl mag diese Palme bei dem feuchteren Klima Pembas hier auch auf durchlässigeren Böden vorkommen, da sie von den Inseln im Westen, zumal von Fundu, und aus der Sandebene des Ostens erwähnt wird. Auf Fundu kommt nach Voeltzkow auch die Dumpalme vor.

Am Strande Pembas wachsen Casuarinenbäume und Schraubelpalmen (Pandanus).

Aus der Tierwelt Pembas ist wenig Besonderes und Eigenartiges bekannt. Voeltzkow schildert sie als arm und wenig hervortretend. »Stunden-

146

lang kann man weite Gebiete durchwandern, ohne einen Vogel zu Gesicht
zu bekommen, mit Ausnahme des Schmarotzermilans und der weiß-
brüstigen Krähe, kaum daß hin und wieder ein Schmetterling über den
Weg fliegt«. Von Insekten sind am reichlichsten Hemipteren und
Orthopteren vertreten. »Von Säugetieren sieht man wenig, wenngleich
eine Ginsterkatze und ein Wildschwein nicht selten sind. Am bemerk-
barsten macht sich ein kleiner Halbaffe, Komba der Suaheli, der mit
Hereinbrechen der Dunkelheit sein klagendes Geschrei anhebt.« Der
Urwald im Norden Pembas beherbergt die Tumbili-Meerkatze, die
auch auf die Eingeborenenfelder hinausgeht und plündert. Im Busch leben
Zwergantilopen und Perlhühner.

Die kurze Liste der Säugetiere Pembas enthält zugleich die
charakteristischsten Formen der Säugerfauna Sansibars und läßt keinen
wesentlichen Unterschied zwischen beiden Inseln erkennen, trotz der Ab-
trennung Pembas durch den tiefen und nicht mehr (wie der Sansibarkanal
während der letzten Hebungsperiode, also bei Bildung der heute untergetauchten Flußtäler) trockengelegten Grabenbruches vom Festlande.
Nur der Tumbili-Affe macht (falls nicht vielleicht eine [Namens-] Ver-
wechselung vorliegt) eine Ausnahme und wird auf Sansibar durch den
Kima vertreten.

Von der eingeborenen menschlichen Bevölkerung Pembas spielen
die Wapemba die Rolle der Wahadimu auf Sansibar. Sie sind zweifellos
das älteste Bevölkerungselement der Insel, obwohl sich bei ihnen die
Tradition ihrer Herkunft von der Festlandsküste erhalten hat. Sie schließen
sich in Tracht und Sitte den übrigen Swahili bezw. swahilisierten Küsten-
völkern an. Die Wapemba sind im allgemeinen von gutem Wuchs und
scheinen ziemlich viel fremde Blutmischung erfahren zu haben, denn neben
sehr dunklen Individuen sieht man unter ihnen viele lichtfarbene Leute.
Sie gelten als intelligent und lebenslustig und haben sich durch ihre Lieder
und Dichtungen, die an der Festlandsküste eine weite Verbreitung erlangt
haben, einen gewissen Ruf erworben. Die Swahili-Mandoline ist sehr verbreitet auf Pemba, und allgemein versteht man sie zu spielen.

Durch die oman-arabische Invasion sind die Wapemba zum Teil aus
ihren früheren Sitzen im fruchtbaren Westen der Insel verdrängt worden
und haben sich in sumpfige und unfruchtbare Gegenden zurückgezogen. Sie haben zu Chokocho, Livini und Kodyani geschlossene
Dörfer. Früher einem Jumben unterstellt, der in Finjanso, im Süden
Pembas, seinen Sitz hatte, haben sie jetzt kein nationales Oberhaupt
mehr.[1]

---

[1] Baumann: Insel Pemba, S. 9.

10*

Bei T u m b e , im Norden Pembas, wohnen von anderen altansässigen Swahili aus L a m u stammende W a g u n j a , die den Ruf geschickter Bootbauer genießen und auch die Kunst, die genähten Fahrzeuge (T e p e) herzustellen, aus dem Mutterlande mit nach unserer Insel gebracht haben.

K o m o r e n s e r , S h a t i r i und S h e h e r - A r a b e r sind auf Pemba selten. Die dem Stamme der Mombaser M z a r a angehörigen sind wohl die ältesten der auf Pemba ansässigen ibathitischen Maskater. Es sind alle auf der Insel geborene, sich kaum von den Swahili unterscheidende Mischlinge.

Die Zahl der echten M a s k a t - A r a b e r auf Pemba ist sehr groß, nach Baumann größer als im ganzen übrigen Ostafrika zusammengenommen. In den ersten Jahrzehnten des vorigen Jahrhunderts unter der Herrschaft Seyid-Saïd ben Sultan von Sansibar fing ihre Zuwanderung auf Pemba an, dessen Bewohner ihnen wenig Widerstand leisteten. So gelangten bald die fruchtbarsten Teile der Insel in arabischen Besitz, wo Gewürznelken- und andere Pflanzungen angelegt wurden. Die billige Sklavenarbeit ließ namentlich die Nelkenkultur schnell aufblühen und schaffte ihren Besitzern große Reichtümer. Auch als später europäische Kriegsschiffe auf Sklavenfahrzeuge zu kreuzen begannen, boten die zahlreichen kleinen und seichten Buchten und Winkel der Insel den arabischen Booten sichere Schlupfwinkel. Zudem war die Fahrt zur Festlandsküste nur kurz und konnte in einer dunklen Nacht zurückgelegt werden, um neue Sklavenzufuhr zu beschaffen. So blieb Pemba noch lange das gesegnete Land für die Araber, als es sonst mit ihrer Herrlickeit in Ostafrika schon stark herunterging. Neue arabische Zuzüge von der Festlandsküste und der Insel Sansibar waren die Folge. So ist Pemba fast bis heute ein »Emporium des Arabertums alten Stiles« geblieben, und allen Pemba-Arabern wird eine europäerfeindliche Gesinnung nachgesagt. Viele der Pemba-Araber sind auf der Insel geboren. Daneben gibt es aber auch in Maskat geborene, die die Swahilisprache nur mangelhaft beherrschen.

Die Pembaer S k l a v e n b e v ö l k e r u n g stammt jetzt zumeist aus dem Süden der deutschen Kolonie; es sind W a h i a o , W a n j a s s a , W a n g i n d o u. a.; daneben trifft man auch Leute aus dem Pemba gegenüberliegenden Küstengebiet, aus Wanga, Nyanjani, Mtangata usw.

Natürlich fehlen auch auf Pemba die indischen Händler nicht. Zumeist sind es mohamedanische I n d e r , der B o h o r a - Sekte angehörig, die in den beiden Hauptorten der Insel, Chaki-Chaki und Weti, sowie auch an anderen Plätzen Läden unterhalten. Sie sind alle Agenten von indischen Großfirmen in Sansibar. K o j a sind auf Pemba seltener, B a n y a n s , d. h. vedagläubige Hindu, nur ganz vereinzelt.

Was die Hauptprodukte Pembas angeht, so bauen die Wapemba viel Reis in den sumpfigen Niederungen der Insel. Maniok (Mhogo) und Sorghumhirse werden, auch in dem steinigen Osten der Insel, reichlich als Hauptnahrungspflanzen kultiviert. Als Handelsgewächse werden in ziemlicher Menge Tabak und Betelpfeffer gepflanzt. Auch roter Pfeffer wird produziert. Überall gedeiht zahlreich die Kokospalme, die reichlich Kopra zur Ausfuhr liefert. Auf Pemba ist die Nazi ya Pemba genannte Varietät derselben einheimisch; sie ist von niedrigem Wuchs, hat gelbrote Nüsse und ist jetzt auch auf Sansibar und an der Küste eingeführt. Die zierliche Arekapalme ist besonders charakteristisch für das Kulturgebiet Pembas und liefert reichlich Früchte. Das häufige Vorkommen der Ölpalme auf Pemba wurde schon erwähnt. Dieser wahrscheinlich von den Portugiesen aus Westafrika herübergebrachte Baum wächst halbwild im Busch; seine nur kleinen Kerne werden exportiert.

Von Fruchtbäumen sind Orange, Citrone, Yakfrucht und besonders der Mangobaum zu nennen, dessen Varietät »Mwembe Dodo« mit großen, leicht rötlichen Früchten für die vorzüglichste Ostafrikas gilt und von Pemba aus über die Küste verbreitet ist.

Die Hauptkultur Pembas ist, wie gesagt, die der Gewürznelke, die hier eine ungewöhnliche Höhe und Üppigkeit erreicht. Die Nelkenproduktion ist bedeutend größer als die Sansibars; die Qualität steht an sich der Sansibars nicht nach, leidet aber durch die Überführung nach dieser Insel in den feuchten arabischen Dhaus. Der Nelkenbaum, erst später als auf Sansibar eingeführt, drängte auf Pemba bald alle anderen Kulturen zurück.

Von wildwachsenden Nutzpflanzen Pembas ist die Kautschukliane zu erwähnen, deren Produkt in nicht bedeutenden Mengen zur Ausfuhr gelangt.

Früher soll von den Wapemba viel Rindvieh gezüchtet sein, das aber durch die Viehseuchen arg dezimiert wurde. Ziegen und Hühner sind heute vorherrschend.

Einzelbeschreibung.

Der Hauptort Pembas ist Chaki-Chaki, das auf der 12 m hohen Uferrampe an einem der inneren wegen ihrer Seichtheit schwer zugänglichen Zipfel der am tiefsten in die Insel eingeschnittenen Bucht gleichen Namens gelegen ist. Die Stadt, die aus Negerhütten und ziemlich verfallenen, teilweise mit Wellblech bedeckten Steinhäusern besteht, dehnt sich in weit verzweigtem Straßennetz in malerischer Lage zwischen Mangobäumen und Kokospalmen am Kreek aus. Chaki-Chaki ist Sitz des

149

.

175

Gouvernements von Pemba und eines englischen Vizekonsuls. Es befindet sich in der Stadt, die früher als Kauriausfuhrplatz eine Bedeutung gehabt hat, ein Zollamt, ein Hospital mit europäischem Arzt, zahlreiche Handelshäuser der Inder u. a. Die Einwohnerzahl mag etwa 1½ Tausend betragen.

Auf der Südseite der Chaki-Chaki-Bucht liegt zwischen Kap Fundauwa und Kap Banani die englische Missionsstation Banani, wo seit Jahren regelmäßige meteorologische Beobachtungen gemacht werden. Südwestlich benachbart liegt die große Nelken- und Kokosplantage des Gouverneurs von Sansibar.

Der Hauptort Pembas besitzt im Gegensatz zu demjenigen Sansibars in der Chaki-Chaki-Bai einen leicht zugänglichen, Schiffen jeder Größe bei allen Winden Schutz bietenden Hafen, wenn auch die Wassertiefen in großen Teilen der Bucht zum Ankern ungeeignet sind.

Nördlich von Chaki-Chaki erstreckt sich, Port Cockburn und die Weti-Bucht umfassend, ein Hügelland, das von zahlreichen Bächen durchfurcht wird und auf seinem fruchtbaren Boden ausgedehnte Plantagen trägt. Auf der Halbinsel Mkumbuu befindet sich bei Gundani die nahezu 100 m betragende höchste Erhebung Pembas. Weiter südlich liegt in dem geschlossener Ortschaften fast ganz ermangelnden Bezirk die Niederlassung Kidichi und auf dem weit südwärts in Port Cockburn vorspringenden Ras Kinazini ein großes Dorf, das den in genanntem Hafen ankernden Seeschiffen Proviant liefert. Wete (oder Weti) auf der Nordseite des der inneren Chaki-Chaki-Bai ähnelnden Wete-Kreeks ist ebenfalls Zollstation sowie Sitz eines arabischen Vali und liegt auf der 12 bis 15 m hohen Uferterrasse, die auf der Westseite der Insel Pemba weithin zu verfolgen ist. Die Palmblatthütten des Ortes werden von großen Nelkenpflanzungen umgeben.

Auch nördlich von Weti dehnen sich in den Gemarkungen von Kishi-Kashi und Kiuju reiche Nelkenbestände aus. In Kiuju, das an der gleichnamigen und nördlichsten der die Westküste Pembas so sehr auszeichnenden Riasbuchten liegt, befinden sich auch Inderläden. Die Küste ist im übrigen in dieser Gegend weniger bevölkert als an den südlicheren Häfen.

Südlich des Chaki-Chaki-Kreeks greifen noch zwei größere Buchten in das Land ein; an der südlicheren, der Kingoje-Bai, liegt Jambangome, wo ebenso wie in dem westlich benachbart gelegenen Distrikt Mkoani auch indische Händler ansässig sind. Beide Bezirke sind fruchtbar und dicht bepflanzt. Dasselbe gilt für das Gebiet weiter südlich bis zur Südküste Pembas, deren Hauptplatz Fufuni ist. Der weitläufig gebaute Ort ist von mittlerer Größe; seine Hütten sind fast vollständig unter Kokospalmen,

150

Mangobäumen und Gewürznelken versteckt. Er ist Zollstation, sein schlechter Hafen ist nur bei Hochwasser zugänglich. Nördlich von Fufuni ragt der 91 m hohe von dichtem Busch bedeckte Mesa miumbi-Hügel auf, der ringsum von Nelkenpflanzungen umgeben ist.

Die Ostküste Pembas ist niedrig, zumeist von senkrechten oder überhängenden, d. h. von der Brandung unterwaschenen, buschbestandenen Korallenkalkwänden gebildet und von einem schmalen, steil abfallenden Riff eingefaßt, auf dem eine starke Brandung steht. Nach C r o s s l a n d[1] unterscheidet sich das Saumriff an der Ostküste Pembas von demjenigen Sansibars durch erheblich geringere Breite und durch die mangelhafte Ausbildung eines geschützten Bootskanals innerhalb der Riffkante. Von der Ostküste Sansibars weicht auch diejenige Pembas durch eine Anzahl teils kürzerer, teils aber weiter in das Land eingreifender Buchten und Kanäle ab, durch welche Halbinseln und Inseln abgeschnürt werden. Das M t a n g a n i - Fahrwasser kann von kleinen Fahrzeugen aufgesucht werden, und eine Bootspassage verbindet ihn südwärts mit dem K i w a n i - K r i e k, an dem im Innern der Ort K i w a n i gelegen ist. Ungefähr C h a k i - C h a k i gegenüber liegt auf der Ostseite Pembas der Distrikt Pujini. Pujini ist etliche Kilometer vom Meere entfernt; am Wege zum Hafen, der das Ende eines bei Ebbe trocken fallenden Meeresarmes darstellt, liegt die weiter vorn beschriebene Ruinenstadt.

In die nördliche Hälfte des östlichen flachen Geländes Pembas ist die ausgedehnte, aber flache Bai von K o d y a n i eingelassen mit der gleichnamigen Niederlassung, wohl der größten der Ostseite, die ein geschlossenes Wapembadorf darstellt. Kodyani liegt auf einer die Bai nach dem offenen Ozean abschließenden Insel, die im Süden durch den schmalen, aber tieferen M c h e n g a n g a z i - P a s s, im Norden durch die breite, aber unzugängliche A d a m s o n - B a i begrenzt wird. Kodyana ungefähr gegenüber liegt auf der Hauptinsel K i w u a n i.

Von der Adamson-Bai aus verläuft die Ostküste Pembas fast geradlinig nordwärts nach R a s Kiuyu, der Nordspitze der Insel Pemba. Zwischen dieser und dem Ras K i k o m a s h a, der Nordwestspitze der Insel, liegt die eigenartig gestaltete N o r d k ü s t e, deren unruhiger Verlauf von einem breiten Riff eingefaßt ist, außerhalb dessen in mehr oder weniger großer Entfernung von der Insel eine Anzahl isolierter Riffe, die sogenannten P e m b a - K n o l l s, gelegen sind. Der K i u y u - und der S i s i n i - K r i e k greifen weit in den östlichen Teil der Nordküste ein, während im Westen

[1] C. C r o s s l a n d: The Coral Formations of Zanzibar und East Africa. Report of the 75. Meeting of the British Association for the Advancement of Science, 1905. London 1904. S. 685 bis 687.

151

die weite Msuka-Bai einen guten Ankerplatz gewährt. Hier werden von den Eingeborenen viele Dhaus (Segelschiffe) gebaut. Zwischen der Bai und der Westküste Pembas liegt nahe dieser der aus ein paar Hütten bestehende Ort Tondoni.

Zwischen der Msuka-Bai und dem Sisini-Kriek sind mehrere Niederlassungen an der Küste: Unge, Chaleni, Kinoe, Paji u. a. Das ganze Gebiet ist gut bebaut. Am inneren Westufer des Sisini-Krieks liegt Sisini, bei dem vier kleine Süßwasserseen sich befinden, deren Wasserspiegel fast ganz mit Lotosblumen bedeckt ist. Das ganze Land nordöstlich von Sisini besteht aus Kalk, in welchem die im ersten Kapitel des 1. Bandes beschriebenen Höhlen ausgebildet sind. Der steinige Boden ist mit niedrigem Busch bestanden, und nur hie und da in Kultur genommen und mit Maniokfeldern bedeckt. Der Hauptort scheint Masiva-Ngombe am Kiuyu-Kriek zu sein; Masiva-Ngombe heißt Kuhmilch. Der Name hängt nach Voeltzkow (a. a. O. S. 580) mit der großen Zahl Rinder zusammen, die früher hier gehalten wurden.

Zum Schluß sei noch kurz der Pemba zumal auf der West- und Südwestseite umgürtenden Inseln gedacht. Im Westen schließt sich eine fast gradlinig verlaufende Kette von Inseln (und Riffen) im Norden an das Korallenkalkland des nördlichen Teiles der Hauptinsel eng an. Durch die »Njao-Einfahrt« von letzterer getrennt ist Njao, die nördlichste der Inseln; sie ist bewohnt wie Fundu, die südwärts folgende und mit 5¹/₄ Seemeilen Länge größte Insel, die zwei mit Brunnen versehene Dörfer und ausgedehnte Felder trägt. Es folgen Uvinje, mit Kokospflanzungen, Kashani, Vikunjuni und schließlich das unbewohnte und buschbedeckte Misale. Einwärts, zwischen Port Cockburn und der Wete-Bucht liegen noch Mapanya, von wenigen Leuten bewohnt, Kokota und die gleichfalls besiedelten und mit Kokos und Bananen bepflanzten Inseln Funzi und Pembe. Auf Funzi befindet sich ein Materiallager der britischen Marine.

Die im Südwesten Pemba vorgelagerte Gruppe von Inseln hält sich in größerer Nähe der Hauptinsel und ist zumeist nur durch seichtes Wasser von ihr getrennt. Die nordöstlichste dieser Inseln ist Makongwe; sie ist leicht hügelig, hat fruchtbaren Boden, ist bewohnt und bepflanzt. Westlich von ihr liegt Kwata. Dann folgen auf einem einheitlichen Riff von Nordwest nach Südost: Middle-Island, Matumbi-Makupa, Matumbini, Panga, Panani, Yombi, Hinsuani u. a., die aus Korallenkalk aufgebaut sind und z. T. von Mangrowengebüsch eingefaßt werden. Sie scheinen alle unbewohnt zu sein.

VII. Kapitel.
WIRTSCHAFTLICHE VERHÄLTNISSE
des deutsch - ostafrikanischen Küstenlandes und der vorgelagerten Inseln.

1. Einleitung.

Die Geschichte der Gründung der deutschen Kolonie in Ostafrika ist zweifellos vielen noch in frischer Erinnerung oder doch durch die zahlreichen zusammenfassenden Darstellungen,[1] die dieselbe im Laufe der Jahre erfahren hat, hinreichend bekannt. Es genügt daher an dieser Stelle, lediglich einer gewissen äußeren Vollständigkeit halber, die wichtigsten Daten aus derselben noch kurz anzuführen.

Im Jahre 1884 gründete sich die »Gesellschaft für deutsche Kolonisation«, und noch in demselben Jahre wurde von Dr. K. Peters und anderen Beauftragten genannter Gesellschaft eine Reihe von Verträgen mit verschiedenen Dorfhäuptlingen im Hinterlande des mittleren Teiles unseres heutigen Küstenstriches, in den Landschaften Useguha, Ukami, Usagara und Unguru geschlossen. Nachdem diesen Verträgen am 27. Februar 1885 der kaiserliche Schutzbrief nicht versagt wurde, begann damit, wenigstens formell, die deutsche Herrschaft über unser jetziges Schutzgebiet. Wenig später, am 27. April 1885 wurde durch den neuernannten deutschen Generalkonsul in Sansibar, Gerhard Rohlfs, der Sultan Seyid Bargasch zur Anerkennung der Landverträge aufgefordert. Dies geschah auch nach anfänglicher Weigerung und Zögerung, nachdem durch ein deutsches Geschwader und durch Stellung eines Ultimatums der Forderung ein gebührender Nachdruck verliehen worden war, am 14. August 1885. Am 25. Mai 1885 war der deutschen Regierung von der englischen die Bildung einer »Englischen Ostafrikanischen Gesellschaft« mitgeteilt worden, die sich ebenfalls auf Landerwerbguen, und zwar im Kilimandjarogebiete stützte. Im Oktober 1885 wurde darauf zur

---

[1] Reichard, P.: Deutsch-Ostafrika. Das Land und seine Bewohner, seine politische und seine wirtschaftliche Entwicklung. Leipzig 1892.
Schmidt, R.: Geschichte des Araberaufstandes in Ost-Afrika. Seine Entstehung, seine Niederwerfung und seine Folgen. Frankfurt a. O. 1892.
Schmidt, R.: Deutschlands Kolonien, ihre Gestaltung, Entwicklung und Hilfsquellen. Berlin 1894.
Stuhlmann, F.: Beiträge zur Kulturgeschichte von Ostafrika. Berlin 1909.
Meyer, Hans: Das deutsche Kolonialreich. Leipzig und Wien 1909.

153

Festlegung der Grenzen der deutschen Interessensphäre gegen das Sultansgebiet wie auch das portugiesische im Süden eine Kommission ernannt,
in deren Folge Ende 1886 ein Grenzvertrag zustande kam.

Die aus der »Gesellschaft für deutsche Kolonisation« inzwischen hervor-
gegangene »Deutsch-Ostafrikanische Gesellschaft« gründete in Usagara,
Useguha, Usaramo, wie am Kilimandjaro Stationen und ließ sich mit Ein-
willigung des Sultans von Sansibars an den Küstenplätzen Daressalam und
Pangani nieder. Dieselbe Gesellschaft schloß sodann nach dem Tode von
Seyid Bargasch mit dessen Thronerben Seyid Chalifa am 18. April
1888 einen Vertrag, nach welchem die ostafrikanische Küste vom Umba
im Norden bis zum Rovuma im Süden der Gesellschaft zur Zollerhebung
verpachtet wurde. Es wurde darauf alsbald die Gesellschaftsflagge neben
der des Sultans an den verschiedenen Zollplätzen des Küstenlandes gehißt,
und nunmehr gingen die Zollhäuser in die Verwaltung der Gesellschaft
über. (Mitte August 1888). Dies ließ jedoch den langunterdrückten Haß der
Küstenaraber zu hellen Flammen auflodern, und es brach sofort an der
ganzen Küste der Aufstand los, den man vergebens durch eine deutsch-
englische Blockade zu dämpfen versuchte (Dezember 1888). Die Deutschen
wurden, nicht ohne Verluste an Gut und Leben, aus dem Lande verjagt.

Am 30. Januar 1889 bewilligte dann der deutsche Reichstag die Mittel zur
Bildung einer Schutztruppe aus farbigen Soldaten mit deutschen Offizieren,
und Herman von Wissmann wurde vom Kaiser zum Befehlshaber
derselben ernannt. In kürzester Zeit gelang es diesem mit seinen Offizieren,
eine Sudanesentruppe anzuwerben und auszubilden. Bald wurden damit
im Verein mit der deutschen Marine die unter ihrem Hauptführer
Buschiri erbittert kämpfenden Aufständischen in einer Anzahl siegreicher
Gefechte niedergeworfen und im ganzen Küstengebiete die Ruhe wieder-
hergestellt. Das alles geschah im Namen des rechtlichen offiziellen Landes-
herrn, des Sultans von Sansibar. Damit war durch Wissmanns und
seiner Offiziere energisches und zielbewußtes Vorgehen und durch die
Tapferkeit der von ihm gebildeten kleinen farbigen Armee, die den
Grundstock unserer jetzigen ostafrikanischen Schutztruppe gebildet hat,
die tatsächliche Besitzergreifung der deutsch-ostafrikanischen Kolonie
geschehen.

Infolge dieser Wendung der Dinge übernahm das Reich die Rechte der
deutsch-ostafrikanischen Gesellschaft (Ende 1890) und am 14. Februar 1891
wurde Freiherr von Soden zum ersten Gouverneur von Deutsch-
Ostafrika ernannt. Schon im Juli 1890 wurde zwischen Deutschland und
England das gegenseitige Interessengebiet festgesetzt und ein Übereinkommen geschlossen, wonach Deutschland vom Sultan von Sansibar die

154

Küste für 4 Millionen Mark überlassen wurde (November 1890), während gleichzeitig die Insel Sansibar, das bisherige Handelszentrum für die ganze Küste von Somalilande bis Mossambique, der englischen Schutzherrschaft unterstellt wurde, an die am 20. Oktober 1891 die Verwaltung überging. 1892 wurde die Verwaltung des Sultansgebietes im Somaliland von Italien übernommen und 1895 von der englischen Regierung diejenige des jetzigen Englisch-Ostafrika.

Mit Niederwerfung des großen Araberaufstandes in Ostafrika wurde die endgültige Basis zu weiterer friedlicher wirtschaftlicher Entwicklung gelegt, und alle späteren Feindseligkeiten und Aufstände haben weit weniger tief in das Wirtschaftsleben des Landes eingegriffen.

Nach der Beruhigung des Landes begann bald eine rege und umfangreiche Pflanzungstätigkeit; es wurde K a f f e e, B a u m w o l l e und T a b a k gebaut. Das Hinterland von T a n g a mit dem der Küste am nächsten gelegenen Gebirgslande von U s a m b a r a wurde zunächst als Plantagengebiet in Angriff genommen und bald auch die dorthin führende »Usambarabahn« zu bauen begonnen. 1903 begann man die Kultur von S i s a l in größerem Umfange zu betreiben, und bald folgten die ersten größeren Anpflanzungen des wichtigen M a n i h o t - K a u t s c h u k b a u m e s. Mit der größeren Sicherheit des Landes unter der deutschen Verwaltung setzte auch eine starke Hebung des Küstenhandels ein, der bald anfing, sich mehr und mehr von Sansibar freizumachen. Kurzum, es entwickelten sich allmählich die wirtschaftlichen Verhältnisse, wie wir sie heute in unserem Gebiete antreffen und wie sie hierunter noch näher dargestellt werden sollen.

Bei der nachfolgenden Darstellung stütze ich mich vornehmlich auf die amtlichen Berichte und Statistiken,[1] sodann boten die ausführlichen Darlegungen des Gegenstandes in dem großzügigen S t u h l m a n n'schen Werke[2] eine dauernde Grundlage bei Abfassung der folgenden Abschnitte. Dann lieferte mir auch das »Kolonialreich« von H a n s M e y e r[3] zahlreiche Angaben. Ferner stand mir eine ganze Reihe anderer allgemeiner Darstellungen der Wirtschaftsverhältnisse Ostafrikas (z. T. in größeren

---

[1] D i e d e u t s c h e n S c h u t z g e b i e t e in Afrika und der Südsee 1912/13. Amtliche Jahresberichte, herausgegeben vom Reichskolonialamt. Berlin 1914.
D a s s e l b e für 1911/12 und frühere Jahre.
D e r Pflanzer. Zeitschrift für Land- und Forstwirtschaft in Deutsch-Ost-Afrika. Jahrgang XI, 1914.
D e r s e l b e. Jahrgang 1913 und frühere.
[2] S t u h l m a n n, F. Beiträge zur Kulturgeschichte von Ost-Afrika. »Deutsch-Ostafrika«, Bd. X. Berlin 1909.
[3] M e y e r, Hans. Das deutsche Kolonialreich, Bd. I, S. 374 – 406.

155

Werken enthalten) zur Verfügung.[1] Auf alle diese Bücher und Schriften
wurde nicht an jeder Stelle nochmals besonders verwiesen; dies geschah

[1] C. C. von der Deckens Reisen in Ost-Afrika in den Jahren 1859 – 1861. Bearbeitet von
Otto Kersten: Leipzig und Heidelberg. 1869.
Grimm: Der wirtschaftliche Wert von Deutsch-Ostafrika. Eine Zusammenstellung von Aus-
sprüchen hervorragender Forscher nebst einem Abrisse der Geschichte Sansibars. Berlin 1886
Schmidt, K. W.: Sansibar. Ein ostafrikanisches Kulturbild. Leipzig 1888.
Baumann, O.: In Deutsch-Ostafrika während des Aufstandes. Reise der Dr. Hans Meyerschen
Expedition in Usambara. Wien und Olmütz 1890.
Baumann, O.: Usambara und seine Nachbargebiete. Berlin 1891.
Engler, A.: Die Pflanzenwelt Ost-Afrikas und der Nachbargebiete. Teil B. Die Nutzpflanzen
Ost-Afrikas. Berlin 1895.
Werth, E.: Die Vegetation der Insel Sansibar. Berlin 1901 (Kulturpflanzen S. 62 – 86).
Sadebeck, R.: Die Kulturgewächse der deutschen Kolonien und ihre Erzeugnisse, Jena 1899.
Schawe, M.: Streifzüge durch Deutsch Ost- und Süd-Afrika. Berlin 1900.
Uhlig, C.: Wirtschaftskarte von Deutsch-Ostafrika. Blatt 1 und 2 mit Erläuterungen.
Berlin 1904.
Hahn, E.: Die Haustiere und ihre Beziehung zur Wirtschaft des Menschen. Leipzig 1896.
Hahn, E.: Die Entstehung der wirtschaftlichen Arbeit. Heidelberg 1908.
Hahn, E.: Das Alter der wirtschaftlichen Kultur der Menschheit. Heidelberg 1905.
Hahn, E.: Die Wirtschaft der Welt am Ausgange des 19. Jahrhunderts. Heidelberg 1900.
Semler, H.: Die tropische Agrikultur. 4 Bände; 2. Auflage – Band 1 – 3. Weimar.
1897 – 1903.
Dove, K.: Wirtschaftliche Landeskunde der deutschen Schutzgebiete. Leipzig 1902.
Hehn, V.: Kulturpflanzen und Haustiere. 8. Auflage. Berlin 1911.
Fesca, W.: Der Pflanzenbau in den Tropen und Subtropen. 3 Bände. Berlin 1904 – 1911
Wirtschafts-Atlas der deutschen Kolonien, herausgegeben von Kolonial-Wirtschaftlichen
Komitee E. V. Berlin 1906.
Dernburg, B.: Zielpunkte des deutschen Kolonialwesens. Berlin 1907.
Fonk, H.: Deutsch Ost-Afrika, Heft 1, Die Schutztruppe, ihre Geschichte, Organisation und
Tätigkeit. Berlin 1907.
Blum, O. und Giese, E. Wie erschließen wir unsere Kolonien? Bearbeitet im Auftrage.
der deutschen Kolonialgesellschaft. Berlin 1907.
Reinhardt, L.: Die Kulturgeschichte der Nutzpflanzen. München 1910.
Eckhardt, W. P.: Die Landbauzonen der Tropen in ihrer Abhängigkeit vom Klima. Bei-
heft zum Tropenpflanzer, Jahrg. XV, No. 8, Aug. 1911. S. 403 – 508.
Schenk, U.: Tropische Nutzpflanzen, II. 6 Tafeln. Jena 1911. Vegetationsbilder Reihe 8, 48.
Paasche, H.: Deutsch-Ostafrika, wirtschaftliche Studien, Berlin 1906.
Rohrbach, P.: Wie machen wir unsere Kolonien rentabel? Halle 1907.
Rohrbach, P.: Die Eingeborenpolitik der europäischen Kolonialmächte in Afrika. Preußische
Jahrbücher 1908. S. 275 – 316.
Wohltmann: Handbuch der tropischen Agrikultur. 1. Band: Die natürlichen Faktoren der
tropischen Agrikultur.
Köbner, O.: Einführung in die Kolonialpolitik. Jena 1908.
Perrot, B.: Die Zukunft Deutsch-Ost-Afrikas. Berlin 1908.
Jöhlinger, O.: Deutschlands Kolonialwirtschaft im Jahre 1911. Kol. Rundschau I, 36 – 56.

156

jedoch mit allen Arbeiten speziellen Inhaltes in den Fußnoten der nachfolgenden Seiten.

Bei der Betrachtung der wirtschaftlichen Verhältnisse glaubte ich mich
nicht zu umfangreich fassen zu müssen, weil bei der durch ihre natürliche
Lage begründeten notwendigen Einbeziehung der Inseln Pemba und
Sansibar das behandelte Gebiet politisch und damit in hohem Grade
auch wirtschaftlich zerschnitten wird. Dies bedingt eine große Schwierigkeit
und Weitläufigkeit in der Behandlung mancher wirtschaftlichen Fragen,
die überdies besser in eine Gesamtbehandlung einer Kolonie ein-
zupassen sind. Es kommt eben hinzu, daß die handelsstatistischen und
anderweiten Angaben zumeist keinen Einblick in die Verhältnisse der
einen hier ausschließlich zu behandelnden natürlichen Landschaft bieten,
sondern sich auf die ganze Kolonie beziehen. Aus allen diesen Gründen
glaubte ich daher, diesem Kapitel mehr als den bisherigen die Form einer
Übersicht geben zu müssen, während ich mich nur im Abschnitte Produktion bei einigen mir für das Küsten-Land besonders wichtig er-
scheinenden Artikeln etwas ausführlicher auslassen werde.

II. Die Produktion.

Produkte von wildlebenden Pflanzen.

Die Sammeltätigkeit der Eingeborenen Deutsch-Ostafrikas nimmt, man
kann wohl sagen erfreulicherweise, immer mehr ab und läßt in gleichem
Maße neuen Eingeborenenkulturen Zeit zur Betätigung. Die Blütezeit für
die Sammelprodukte war die Periode der europäischen Handelshäuser in
Sansibar unter der omanarabischen Vorherrschaft des Plantagenbaues.
Seit dem Beginn der deutschen Kolonisation und der bald folgenden ersten
Anlage von Plantagen durch Europäer hat sie mehr und mehr an Bedeutung verloren, soweit sie nicht an sich als wucherndes Raubbausystem
sich selbst diese Bedeutung untergrub.

Für das Küstengebiet kommen als Produkte der Sammeltätigkeit im
wesentlichen nur wilder Kautschuk und Kopalharz in Betracht. Die
hohen Kautschukpreise im Anfange des Etatsjahres 1910/11 bewirkten
eine vorübergehende Steigerung der Sammeltätigkeit. An Wildkautschuk
wurden 1910 329811 kg im Werte von 2902945 Mark aus der Gesamt-

Fruwirth, C.: Die Züchtung der landwirtschaftlichen Kulturpflanzen. Band V. Die Züchtg.
kolonialer Gewächse. Berlin 1912.

Zimmermann, E.: Die ostafrikanische Zentralbahn, der Tanganyikaverkehr und die ostafrikanischen Finanzen. Berlin.

Hillmann: Studienreise nach Deutsch-Ostafrika. Jahrbuch der deutschen Landwirtschaftsgesellschaft. Band 26, 1911. S. 619–629.

157

kolonie ausgeführt.[1] In den folgenden Jahren ging die Menge des gesammelten Wildkautschuks jedoch wieder zurück; es wurden geliefert 1911: 152076 kg im Werte von 1058301 Mark und 1912: 172699 kg im Werte von 1119006 Mark. In beträchtlichen Mengen wird guter Kautschuk in den Bezirken Daressalam und Kilwa gewonnen. Für das Küstengebiet kommen als Kautschuklieferanten in Betracht verschiedene Landolphia-Lianen-Arten (Mpira) (zumal die kleinblütige L. Kirkii) die namentlich im Süden von den Eingeborenen angezapft werden, jedoch auch weiter nördlich in den Alluvial- und Buschwäldern verbreitet sind, sowie der Mascarenhasia elastica-Strauch (Mgoa) der trockneren Buschgehölze.

Mpira (Kautschuk) ist ursprünglich die Bezeichnung für Gummibälle aus dem Saft der Landolphia-Liane, welche den Swahilikindern als Spielzeug dienten (kucheza mpira = Ball spielen). Die Entwicklung des ostafrikanischen Kautschukhandels soll Sir John Kirk zu verdanken sein (Stuhlmann a. a. O. S. 633), der Ende der 60 ger Jahre des vorigen Jahrhunderts die Eingeborenen der Küste veranlaßte, den Saft der genannten Schlingpflanze zu sammeln. Sansibar war für den Kautschukhandel die Hauptzentrale, wenngleich auf der Insel selbst nur geringe Mengen des Stoffes gewonnen sein werden. Nächst Madagaskar und der Mossambique-Küste kam der meiste Kautschuk des Sansibar-Handels aus dem Süden der jetzigen deutschostafrikanischen Küste, aber auch Daressalam und Bagamajo waren beträchtlich am Handel beteiligt. Gedankenloser Raubbau erschöpfte bald die natürlichen Bestände, und die Sammeltätigkeit wandte sich immer weiter ins Innere, da auch die Nachfrage nach dem Artikel immer größer wurde.

Aus Sansibar wurde Kautschuk ausgeführt: 1904 für 659540 Rp., 1905 nur für 316916 Rp., und allmählich hat sich der Kautschukhandel von der Vermittelung Sansibars ganz unabhängig gemacht.

In der Produktion von **Kopal,** dem Harz des Leguminosenbaumes Trachylobium verrucosum, der ebenfalls in den Buschgehölzen des Küstenlandes heimisch ist, war in den letzten Jahren eine Zunahme nur im südlichsten Küstenstrich (Mikindani) zu verzeichnen, sonst macht sich ein allgemeiner Rückgang in der Lieferung dieses Sammelproduktes bemerkbar, derart, daß z. B. die Gesamtausfuhr aus der Kolonie im Jahre 1910 um 30 000 kg zurückgegangen ist. An dieser Abnahme sind als Produktionsbezirke Bagamojo und Kilwa, als Ausfuhrhafen Daresalam hauptsächlich beteiligt. Auch im Jahre 1911 ist wiederum ein Rückgang um ca. 16000 kg gegen das Vorjahr festzustellen (Gesamtausfuhr 1911: 95278 kg im Werte

[1] Wieviel davon aus dem Küstengebiet stammt, läßt sich aus den Statistiken nicht ersehen.

158

von 107 409 Mark). Nur eine kleine, sicher nur vorübergehende Steigerung erfuhr die Kopalausfuhr dann wieder im Jahre 1912 (Gesamtausfuhr 1912: 107 862 kg im Werte von 119 718 Mark).[1] Nur das in primitiver, von 30 bis 50 cm Tiefe reichenden Wühlarbeit aus dem Boden geholte fossile Harz ist von größerem Wert und wird bekanntlich zur Lackfabrikation benutzt. Das Hauptvorkommen des Kopalbaumes ist das unmittelbare Küstenhinterland einwärts des eigentlichen Terrassenlandes.

Das fossile Harz wird heute an Stellen gefunden, wo keine lebenden Bäume vorkommen, und es sind die Lagerstätten des fossilen Harzes, wie Stuhlmann (a. a. O. S. 615) hervorhebt, entschieden s e k u n d ä r. Das Harz liegt augenscheinlich in Zusammenschwemmungen, in Tiefen von $1/2$ bis $2^1/2$ m, meist in Sanden der »jungen Deckschichten«, seltener in Ton (nach Stuhlmann wurde in Sansibar Kopal früher auch auf den Höhenzügen (Uelezo) [= altquartäre Mikindani-Schichten wohl] gegraben). Da das frische Harz auf dem Wasser schwimmt, während das fossile untersinkt, so kann das frische durch Flüsse usw. meerwärts transportiert, dann von den Sedimenten festgehalten und in die Strandablagerungen der jetzt gehobenen jungquartären Terrassen eingelagert sein. Sein reichliches Vorkommen in diesen zeugt von der weiten Verbreitung des Kopalbaumes im unmittelbaren Küstengebiete jener Zeit.

Neben Mafia, Kilwa und Saadani war noch in den achtziger Jahren Daressalam der Hauptausfuhrplatz für Kopal, und für die indischen Händler war das Harz damals der Hauptartikel. Seit 1891 ist ein starker Rückgang eingetreten. Daressalam liefert jedoch auch heute noch fast die Hälfte der Ausfuhr aus Deutschostafrika. Daneben kommen als Ausfuhrhäfen noch Bagamojo und Lindi in Betracht. Der Export des Kopals von Sansibar ist hauptsächlich von der Zufuhr desselben aus dem deutschen Küstengebiet abhängig, welches ca. $4/5$ der Sansibareinfuhr an Kopal liefert. Wahrscheinlich ist den Eingeborenen das Kopalgraben zu mühevoll und wenig lohnend, als daß sie bei den heutigen vielfachen Arbeitsgelegenheiten an der Küste sich ihm unterziehen möchten.

Kurz erwähnt sei die **Orseille-Flechte** die an der ganzen Küste auf Bäumen auftritt und früher im Sansibar-Handel eine große Rolle spielte. Durch Extraktion mit Sodalauge und Ammoniak wird aus derselben ein roter Farbstoff gewonnen, der durch die Konkurrenz der Teerfarben heute kaum noch eine Bedeutung für den Handel besitzt. Auch F a r b - h ö l z e r und andere pflanzliche Farbstoffe spielen im Handel keine besondere Rolle mehr.

---

[1] Die deutschen Schutzgebiete 1912/13. Amtliche Jahresberichte, S, 24.

159

Produkte der von den Eingeborenen kultivierten Pflanzen.

Die wichtigsten Kulturpflanzen der Eingeborenen wurden im Kapitel Bevölkerung schon eingehender (S. 254–270 des 1. Bandes) besprochen. Ich kann mich daher hier darauf beschränken, das für den Export wichtigste ergänzend hinzuzufügen.

Charakteristisch und von großer Wichtigkeit für das Küstengebiet ist die Kultur der Kokospalme[1], die immer mehr von den europäischen Plantagenbesitzern wieder verlassen und daher allmählich wohl ganz wieder in die Hände der Eingeborenen übergehen wird; denn der überwiegende Teil der Kokospalmpflanzungen ist von Arabern und Küstennegern angelegt worden (Taf. 29 unten und 33). Dient sie diesen letzteren zunächst auch für den täglichen Bedarf, so werden doch auch große Mengen von ihnen in den Handel gebracht. Aus unserem Gebiet wurden an Kopra ausgeführt:

1908	3508 t im Werte von		806 000 Mark	
1909	3027 t „	„	„ 797 000	„
1910	5338 t „	„	„ 1 909 329	„
1911	5421 t „	„	„ 1 844 971	„
1912	4242 t „	„	„ 1 563 042	„ .

Die Ernte an Kokosnüssen war in den letzten Jahren meist gut, vielfach vorzüglich. Im Bezirk Bagamojo ist z. B. die Ausfuhr um 300% im Wert und 200% im Gewicht gestiegen. Der Wert der Kokospflanzungen hat sehr zugenommen; ein Baum, der früher auf 5–6 Rupie kam, kostet jetzt 12–14, ja neuerdings bis zu 20 Rupien. Der Rückgang der Ausfuhr im letzten Berichtsjahre (1912) ist wohl in erster Linie auf die große Menge von Saatnüssen zurückzuführen, die zur Vergrößerung der Pflanzungen zurückgehalten wurden (Denkschrift f. 1912/13). Nur im Norden bei Muoa, bei Daressalam und auf der Insel Mafia sind Kokospflanzungen noch in Händen von Europäern.

Das Trocknen der Kopra geschieht bisher meist noch einfach in der Sonne; eine bessere Ware ist durch Dörreinrichtungen zu erzielen, die jedoch für den Eingeborenenbetrieb kaum in Betracht kommen werden.[2] Die Gesamtausfuhr der Kopra aus Deutschostafrika geht nach Deutschland, wo sie zur Herstellung von Kunstbutter, sowie zur Seifenfabrikation ver-

---

[1] Siehe die Binnengrenze der Kokospalme und die wichtigsten Kokospflanzungen im Großbetrieb auf der Karte der Verbreitung einiger wichtiger Kulturformen.

[2] Preuß, P.: Die Kokospalme und ihre Kultur. Berlin 1911.
Zaepernick, H.: Die Kultur der Kokospalme. Beihefte zum »Tropenpflanzer«, XV, Nr. 10, Oktober 1911.

160

Kokospalmenpflanzung in einem in die Küstenterrasse eingeschnittenen Tälchen; im Grunde Bananenstauden.
Nach Photographie von C. Vincenti-Daressalam.

Tafel 33

187

wendet wird.[1] Eine große Zahl der Nüsse benutzen die Eingeborenen, wie gesagt, als tägliche Nahrung und zwar vornehmlich zum Fetten der Speisen; der Kern hat einen Fettgehalt von 67,00%. So wurden auch Tausende von Kokosfrüchten von der Zentralbahn in die Arbeiterlager der Neubaustrecke getragen. Stuhlmann schätzt den Verbrauch der Nüsse im Lande selbst auf etwa die Hälfte der Ausfuhrmenge. Der Export hat sich im Laufe der letzten 20 Jahre enorm gehoben. Die ersten Exporthäfen sind Tanga und Daressalam; letzteres führt allerdings auch die ganze Ernte von Mafia, wo sehr viele Palmen gezogen werden, aus. Große Kokospflanzungen besitzen auch seit langem die Inseln Pemba und Sansibar. Hier liegt der Export der Kopra (Kokoskerne) außer in den Händen von französischen und italienischen Handelshäusern in erster Linie in denen der Hamburger Firma Wm. O'Swald & Co.

Die Kokospalme stellt keine besonders hohen Ansprüche an den Boden und gedeiht in guter Qualität schon auf den durchlässigen Sandböden der modernen marinen Anschwemmungen, wie auch der gehobenen Küstenterrasse. Für die jungen Anpflanzungen bilden starke Dürrejahre, sonst auch Heuschreckenschwärme und Nashornkäfer (siehe unter Tierwelt), eine große Gefahr und Plage. Eine energisch in Angriff genommene Schädlingsbekämpfung hat die Zahl der absterbenden Palmen im letzten Berichtsjahre ganz erheblich vermindert (Denkschrift, S. 15).

Heute ist man immer mehr bestrebt, die Kultur der Palme auch in das Innere des Landes zu tragen, wie es scheint, nicht ohne Erfolg. Das Hauptgebiet derselben wird aber immer der Küstenstrich bleiben. Die Bezirke Kilwa (mit Mafia), Bagamojo und Mohoro sind bisher für die Kokoskultur die wichtigsten; dagegen wird in den übrigen Küstenbezirken von den Eingeborenen noch kaum über den eigenen Bedarf hinaus produziert. Das geschlossene, weitere Vordringen der Kokos im mittleren Küstengebiete, in Usaramo, wurde schon bei der kulturgeschichtlichen Betrachtung eingehender gewürdigt.

Größere Beachtung als bisher sollte der Verwertung der jetzt bei der Kopragewinnung nutzlosen Fruchtfaser zur Anfertigung von Stricken geschenkt werden. Solche werden von den Eingeborenen zum eigenen Gebrauch wie auch für die arabischen und indischen Schiffe (Dhaus u. a.), wie wir gesehen haben, in vorzüglicher Qualität hergestellt. Zweifellos ließe sich aus dieser Betätigung ein lohnender Eingeborenenindustriezweig entwickeln, wenn die Regierung wie die europäischen Handelshäuser für einen genügenden Absatz der sicher sehr brauchbaren Ware Sorge tragen würden.

[1] Adlung: Tropenpflanzer 16, 1912. S. 614.

11 Werth, Deutsch-Ostafrika. Band II.

Die Ölpalme[1] spielt im ostafrikanischen Küstengebiet, wo sie nur hie und da, z. B. bei Tanga und Daressalam, in kleinen Gruppen angepflanzt ist, noch kaum eine Rolle für den Handel. Neuerdings bemüht sich das Gouvernement unter Mithilfe des Kolonial-Wirtschaftlichen Komitees um die Förderung des Ölpalmanbaues in Ostafrika (Pflanzer, 1914, S. 281). 1909 legte das K. W. K. in Mpanganja am Rufiji eine Ölpalmen-Versuchspflanzung an. Größere Anpflanzungen finden sich auf Sansibar und Pemba. Auf Pemba scheint die Palmkern-Ernte letzthin jedoch sehr zurückzugehen; während 1903 noch für 384 £ und 1904 für 330 £ Palmkerne hier zur Ausfuhr gelangten, fehlen solche seit 1904 gänzlich in den Ausfuhrlisten der Insel.[2]

Neben der Kokospalme spielt als Ölfrucht für die Eingeborenenkulturen des Küstenlandes der Sesam die bedeutendste Rolle. Zum täglichen Gebrauch als Speiseöl hat die Pflanze zunächst eine Bedeutung an der Küste. Die Mrimaleute braten ihre Fische, ihre Reiskuchen und anderes in dem Öl. In allen größeren Küstenplätzen wird das Öl in einfachen, durch Kamele angetriebenen Göpelwerken ausgepreßt.

Die Ausfuhr an Sesam betrug:

1908	849 t	im Werte von	199 000	Mark
1909	1308 t	„ „ „	290 000	„
1910	914 t	„ „ „	240 751	„
1911	1635 t	„ , „	403 829	„
1912	1881 t	„ „ „	523 719	„

Im Jahre 1911 lieferte der Hauptproduktionsbezirk Kilwa mit 524 Tonnen fast ein Drittel der Gesamtausfuhr.

Der Sesam wird von den Eingeborenen fast überall im Küstengebiete, augenscheinlich recht gern, angebaut, da er vorzüglich in ihren ganzen Hackbaubetrieb hineinpaßt. Auch wird durch kostenlose Abgabe guter Saat von seiten der Bezirksämter das Interesse an der Sesamkultur gefördert. Es wäre daher zu wünschen, daß der Export durch Abnahme der Ware und Unterstützung des Transportes zum Ausfuhrplatz nach Möglichkeit gehoben würde, da die Absatzmöglichkeit in der Heimat für das deutsche Kolonialprodukt noch großer Ausdehnung fähig ist. In größerem Umfange wird der Sesam besonders im Hinterland von Kilwa und Lindi angebaut.

Auch die Erdnuß (Arachis hypogaea) ist eine fast ausschließlich

---

[1] Vergl. H u p f e l d: Palmöl in den deutschen Kolonien. Der Tropenpflanzer, 18. Jahrgang, 1914. S. 429 – 446.

[2] H. S c h a d: Die geographische Verbreitung der Ölpame (Elaeis guineensis). Der Tropenpflanzer, 18. Jahrgang, 1914, S. 359 – 381, 447 – 462.

162

von den Eingeborenen kultivierte Ölfrucht, die jedoch im Küstenlande noch nicht die Bedeutung hat, die ihr vielleicht zukommen könnte. Sie wird hier namentlich im Hinterlande von Kilwa, Lindi und Mikindani wie im Bezirk Mohoro angebaut, aber auch hier noch nicht in dem Maße, wie im südlich angrenzenden portugiesischen Gebiete, von wo die Kultur der Pflanze herübergekommen zu sein scheint. Exportiert wurden an Erdnüssen 1910: 3099 t im Werte von 595000 Mark aus der ganzen Kolonie, wovon allein etwa die Hälfte oder mehr auf den Binnenbezirk Muansa entfallen dürften.

Von den Getreidearten sind Sorghum (Andropogon Sorghum) und Mais in der Eingeborenenkultur des Küstenlandes heute am verbreitetsten; und von beiden Arten werden neben der für eigenen Verbrauch bestimmten nicht geringen Menge auch ziemlich beträchtliche Quantitäten für die Ausfuhr geliefert.[1] Sorghum, das Mtama der Küstenleute (Taf. 34 oben), wird nur nach tropischen und subtropischen Ländern exportiert. Für das deutschostafrikanische Küstengebiet kommt neben Indien und Arabien vor allem wegen des kurzen Transportweges und der zahlreichen Transportgelegenheiten Sansibar in Betracht. Es wäre zu wünschen, daß von dieser günstigen Absatzgelegenheit die Mtama bauenden Küstenneger in ausgiebigerem Maße als bisher Gebrauch machten. Vielleicht ließe sich amtlich in irgend einer Weise dem starken Eigenverbrauch an Hirse zur Pombebereitung (siehe Kapitel Bevölkerung) entgegenwirken. Stuhlmann (a. a. O. S. 174) macht auf die merkwürdige Tatsache aufmerksam, daß Sorghum zwar im ganzen deutschostafrikanischen Küstengebiete angebaut wird, aber nördlich vom Panganifluß nur in ganz unbedeutendem Maße, derart, daß es z. B. im Bondeilande beinahe fehlt und durch Mais und Maniok fast verdrängt ist.

Der Mais wird vor allem gerade im Küstengebiete in größerer Menge auch für den Export angebaut, wenngleich der Verbrauch im Lande selbst nicht unbedeutend ist. Es wurde z. B. Mais ausgeführt aus der Kolonie im Jahre 1907 über die Küste für 20479 Mark gegen nur 710 Mark über die Binnengrenze. Nachdem die Maisausfuhr von 591 Tonnen im Jahre 1910 auf 103 Tonnen im Jahre 1911 (aus der gesamten Kolonie) zurückgegangen war, hat sie im letzten Berichtsjahre (1912) wieder 735 Tonnen im Werte von 59793 Mark erreicht. Der Verbrauch an Mais ist aber im Heimatlande vonseiten der Landwirtschaft ein so großer, daß, genügend billige Transportkosten vorausgesetzt, die Ausfuhr u. a. auch aus Ostafrika noch unvergleichlich größer sein könnte.

[1] An Sorghumhirse (Mtama) wurden 1912 aus der Gesamtkolonie 1206 t im Werte von 150000 Mark ausgeführt; 1177 Tonnen gingen davon nach Sansibar.

11*

163

Kolbenhirse (Pennisetum spicatum) wird im Küstengebiete sehr wenig, **Eleusinehirse** (Eleusine coracana) garnicht angebaut. Von großer Wichtigkeit für das ostafrikanische Küstengebiet ist der **Reis.** Nur an der seit 2 Jahrtausenden von Asien beeinflußten Küste ist er für den Lebensunterhalt der Eingeborenen von wesentlicher Bedeutung. Das Küstengebiet baut aber lange nicht genug für den eigenen Gebrauch und führt große Mengen aus Sansibar und Indien ein (Vergl. die Übersicht weiter unten). Er wird zwar in erheblichen Quantitäten aus Deutsch-Ostafrika exportiert, aber fast nur über die Binnengrenze nach Britisch-Ostafrika. Es müßte mit allen Mitteln danach gestrebt werden, die Einfuhr durch die Produktion in der Eingeborenenkultur zu unterdrücken. Ausgedehnte Reisfelder treffen wir z. B. im Überschwemmungsgebiet des Rufiji an, die eine ausgezeichnete Ware liefern, derart, daß die auf den Reis sich wohl verstehenden Inder und Araber sie dem importierten Reis vorziehen. Ebenso wird in den Niederungen anderer Küstenflüsse von den Eingeborenen Reis gebaut. Bemerkenswert ist, nach der neuesten Denkschrift über die Kolonien, eine Art von genossenschaftlicher Organisation der Arbeit beim Reisbau, speziell im Bezirk Daressalam.

Auch auf den Inseln P e m b a , S a n s i b a r und M a f i a wird überall an und in den Sümpfen Reis gezogen. Während auf M a f i a noch nicht soviel gebaut wird, um den eigen Bedarf der Bevölkerung zu decken, erzeugt Pemba große Mengen einer guten Ware. Auf S a n s i b a r wurde ehedem viel Reis gebaut und exportiert; die Kultur ist aber durch Einführung der Gewürznelke stark zurückgedrängt worden.

Im Ganzen ist die Reiskultur in unserer Kolonie in immer weiterer Ausdehnung begriffen, und es steht zu hoffen, daß in absehbarer Zeit das Land von einer Reiseinfuhr sich unabhängig machen und sogar einen nicht unbedeutenden Export darin betreiben wird. Über die Binnengrenze (Uganda) gehen schon jetzt, wie gesagt, bedeutende Mengen dieser Körnerfrucht.[1]

Es ist in unserer Kolonie genügend für Reisbau geeignetes Land vorhanden, um nicht nur den eigenen Bedarf zu decken, sondern um auch Sansibar und andere ostafrikanische Küstenstriche damit zu versehen.[2]

Von den von K o e r n i c k e unterschiedenen Varietäten des Reis (Oryza sativa) sind nach K. Braun[3] die folgenden aus dem Küstengebiete Deutsch-Ostafrikas bekannt geworden:

---

[1] C. Bachmann: Der Reis. Geschichte, Kultur und geographische Verbreitung, seine Bedeutung für die Wirtschaft und den Handel. Beihefte zum Tropenpflanzer, Band XIII, Nr. 4 (August 1912, S. 209 – 386).   [2] Denkschrift 1911/12. S. 11.

[3] K. B r a u n: Der Reis in Deutsch-Ostafrika. Berichte über Land- und Forstwirtschaft in Deutsch-Ostafrika. Herausgegeben vom kaiserlichen Gouvernement von Deutsch-Ostafrika. Dritter Band, Heft 4. S. 167 – 217.

164

Italienischer Reis, var. Italica, von Tanga, Pangani, Bagamojo, Daressalam, Mohoro, Kilwa, Lindi.

Java-Reis, var. javanica, von Tanga, Bagamojo, Mohoro, Kilwa.

Sunda-Reis. var. sundensis, von Tanga, Bagamojo, Daressalam, Mohoro, Kilwa, Lindi.

Baumanns Reis, var. Baumanni, von Tanga, Pangani, Bagamojo, Daressalam, Mohoro, Kilwa, Lindi.

Gewöhnlicher Reis, var. vulgaris, von Tanga, Pangani, Bagamojo, Daressalam, Mohoro, Kilwa Lindi.

Violettgranniger Reis, var. janthoceros, von Tanga, Pangani, Daressalam, Mohoro, Kilwa Lindi.

Rotfrüchtiger Reis, var. pyrocarpa, von Tanga, Pangani, Bagamojo, Mohoro, Kilwa, Lindi.

Großklappiger Reis, var. grandiglumis, von Bagamojo, Mohoro.

Rotgranniger Reis, var. erythroceros, von Bagamojo, Mohoro, Kilwa.

Paraguay-Reis, var. paraguayensis, von Daressalam, Mohoro.

Weißgranniger Reis, var. leucoceros, von Daressalam, Mohoro.

Desvaux's Reis, var. Desvauxii, von Daressalam, Mohoro, Lindi.

Rundkörniger Reis, var. cyclina, von Mohoro.

Diese Varietäten gehen unter verschiedenen, mit Eingeborenennamen versehenen Sorten. Von solchen beschreibt K. Braun in der genannten Arbeit aus dem Küstenland allein fast ³/₄ Hundert Stück. Fast alle diese Sorten sind aus mehreren der wissenschaftlichen Varietäten gemischt und stimmen auch für verschiedene Gegenden nicht überein.

Die folgenden Zahlen geben einen Überblick über Ein- und Ausfuhr von Reis in Deutsch-Ostafrika von 1891 bis 1906.

Jahr	Einfuhr	und	Ausfuhr in Kilogrammen.
1891	193635		2949723
1892	918457		1420901
1893	1161385		3386032
1894	2905102		669597
1895	8180913		3409
1896	4656327		3727
1897	2979202		15074
1898	4490521		985
1899	10089209		4220
1900	6748784		20786
1901	5574907		38538
1902	4683776		21001

165

Jahr	Einfuhr	und	Ausfuhr in Kilogrammen.
1903	2440644		32026
1904	3966098		22442
1905	6236035		9591
1906	7796499		701243

Das abnorme Sinken der Ausfuhr in den Jahren 1895 bis 99 findet seine Erklärung in dem massenhaften Auftreten von Heuschrecken, welche die Leute vor dem Anbau entmutigte. Der Rückgang 1905 muß mit dem Aufstand in Zusammenhang gebracht werden, während die hohe Ausfuhrzahl 1906 wahrscheinlich dadurch zustande gekommen ist, daß von diesem Zeitpunkt an der über Muansa gehende Binnenverkehr in die Statistik Aufnahme fand. Zur Zeit wird noch für 3½ Millionen Mark indischer Reis importiert (neueste Denkschrift über Deutschostafrika).

Die Einfuhr nach Deutsch-Ostafrika betrug
> 1910: 14 266 Tonnen im Wert von 2 522 748 Mk.,
> 1911: 17 610 „ „ „ „ 3 485 016 „ .

Die Ausfuhr betrug
> 1910: 660 Tonnen im Wert von 103 456 Mk.,
> 1911: 599 „ „ „ „ 120 368 „ .

»Demnach war der abgerundete Wert einer Tonne Reis bei der Einfuhr 1910: 177 Mark, 1911: 198 Mark, bei der Ausfuhr 1910: 157 Mark, 1911: 203 Mark, d. h. im Berichtsjahr stand der Verkaufspreis des eingeführten Reises, auf welchem Transportkosten und voraussichtlich recht hoher Verdienst des Zwischenhändlers usw. lagen, noch niedriger als der Ausfuhrwert des inländischen Reises, was die überlegene Qualität des ostafrikanischen Reises beweist« (Denkschrift 1911/12 S. 17).

In Sansibar ist der Reis das Hauptnahrungsmittel der zahlreichen Bevölkerung, von welchen die asiatischen Einwanderer den Reis jeder anderen Speise vorziehen. Die Einfuhr nach Sansibar ist im Steigen begriffen:

> 1905 2,3 Mill. Rup.
> 1906 1,99 „ „
> 1907 2,99 „ „

Letztere Zahl ist mehr als 4 Mill. M. und bei einer Gesamteinfuhr von 19,4 Mill. = 20%.[1]

Während der Reisbau im Küstengebiet wie überhaupt in unserer ostafrikanischen Kolonie bis in die neueste Zeit nur von den Eingeborenen und zwar fast stets ohne künstliche Bewässerung in natürlichen Über-

---
[1] Bachmann a. a. O.

166

schwemmungsgebieten betrieben wurde, sind in den letzten Jahren auch von Europäern Anbauversuche unternommen worden. So sind am Pangani ausgedehnte Bewässerungsarbeiten zum Anbau von Reis in Angriff genommen. Bei den hohen Preisen, die in der Kolonie für den Reis bezahlt werden, ist seine Kultur sehr rentabel und deshalb auch für den Großbetrieb unter europäischer Leitung mit Pflug und Bewässerung nach indisch-javanischem Muster sehr zu empfehlen. Einstweilen dürfte aber die Eingeborenenkultur auch selbst ohne Bewässerungsanlagen in den natürlichen Überschwemmungsgebieten[1] der Flüsse und Sümpfe sehr zu fördern sein.

Auch der **Baumwollbau**[2] hat heute schon eine* wesentliche Bedeutung als Volkskultur in Deutsch-Ostafrika gewonnen. Die B a u m - w o l l s t a u d e, Pamba der Eingeborenen, ist in Ostafrika vielfach verwildert anzutreffen, da sie schon von den S c h i r a z i wahrscheinlich zusammen mit der Webekunst vor dem 14. Jahrhundert unserer Zeitrechnung eingeführt wurde. Die massenhaft importierten billigen Zeugstoffe haben jedoch den Anbau der Pflanze wie die primitive Textilindustrie in Ostafrika wieder zum Schwinden gebracht. Erst unter der deutschen Kolonialverwaltung kam halb zwangsweise der Baumwollbau wieder als Eingeborenenkultur in Aufnahme. In dem vom 1. Oktober 1910 bis 30. September 1911 laufenden Baumwoll-Erntejahr sind 3581 Ballen zur Ausfuhr gelangt gegen 2491 im Kalenderjahr 1910. Hiervon entfällt die größte Menge auf die Küstenbezirke und zwar auf:

Tanga	106 213	Ballen,
Sadani	112 548	„
Bagamoyo	137	„
Daressalam	243 895	„
Kilwa	222 957	„
Lindi	65 564	„
Mikindani	5 316	„ .

Die Gesamtausfuhr an Baumwolle im Jahre 1911 betrug: 1 080 446 kg im Werte von 1 331 818 Mark, im Jahre 1912: 1 881 597 kg im Werte von 2 110 236 Mark; davon entfällt der bei weitem größere Teil auf die Eingeborenen-Produktion.

---

[1] Über die Ausdehnung des Gebrauches künstlicher Bewässerungsanlagen bei den Eingeborenen gehen die Angaben sehr auseinander.

[2] Im Jahre 1914 ist vom Reichskolonialamt eine den Baumwollbau in unseren Kolonien behandelnde umfangreiche Schrift erschienen (Der Baumwollbau in den deutschen Schutzgebieten, seine Entwicklung seit dem Jahre 1910. Veröffentlichungen des Reichskolonialamt Nr. 6 Jena 1914), die auch für unser Gebiet über alle hier in Betracht kommenden Fragen eingehende Auskunft gibt.

167

Im Interesse des Baumwollbaues in unseren Kolonien hatte das Kolonial-wirtschaftliche Komitee auch für das Jahr 1913 eine Garantie von Mindest-preisen für Rohbaumwolle übernommen. Und zwar erklärte sich das Komitee bereit, der Eingeborenen-Bevölkerung in den Bezirken Lindi, Kilwa, Rufiji, Daressalam, Bagamoyo, Pangani, Tanga usw. frei Bahnstation bezw. See-hafen für unentkörnte Baumwolle ägyptischen Charakters 8 — 10 Heller, für unentkörnte Baumwolle amerikanischen (Upland) Charakters 5 — 6 Heller je nach Güte pro ¹/2 kg zu garantieren, sobald Aufkäufer fehlen oder solche die angegebenen Preise unterbieten.[1]

Jetzt hat die Baumwollkommission des Kolonialwirtschaftlichen Komitees in einem festen, ausführlichen Arbeitsprogramm für die nächsten drei Jahre auch fernerhin wieder eine Garantie von Mindestpreisen für Rohbaumwolle zum Schutz der Eingeborenen gegen plötzlichen Preissturz gewährt.[2]

Die von Jahr zu Jahr vermehrte Nachfrage nach Saatgut beweist das wachsende Interesse für den Baumwollbau, besonders bei den Ein-geborenen. Während in der Pflanzperiode 1910/11 das Kolonialwirt-schaftliche Komitee etwa 3000 Ztr. Saat der Regierung zur kostenlosen Verteilung an Eingeborene lieferte, forderten die Regierungsstellen zu gleichem Zweck für das Jahr 1911/12 ca. 6000 und für 1912/13 schon bis 10000 Ztr. Zur Aufbereitung von in der Kolonie gewonnener Saat zur Wiederaussaat wurde von genanntem Komitee ein Baumwollsaat-werk in Daressalam errichtet, das Dezember 1911 in Betrieb genommen wurde. Auf der im Jahre 1904 als »Baumwollschule« des Kolonial-Wirtschaftlichen Komitees begründeten jetzigen Regierungsbaumwoll-station Mpanganya am unteren Rufiji wurden Versuche über Boden-bearbeitung, Gründüngung, Pflanzweite und Pflanzzeit angestellt, ferner wurden Saatzuchtversuche durch Massenauslese und Individualauslese bei den bisher meistgebauten Baumwollsorten, Versuche über Baumwoll-krankheiten und deren Bekämpfung, sowie endlich Anbauversuche mit weniger bekannten Baumwollsorten gemacht. Auch Fruchtwechselversuche mit verschiedenen anderen Feldfrüchten gehören u. a. zum Arbeits-programm der Gouvernementsbaumwollstationen.[2] Im übrigen erstreckten sich die Arbeiten der Station Mpanganya auf die Förderung des Einge-borenen-Baumwollbaues im Rufiyi-Bezirk gemeinschaftlich mit dem Bezirks-amt u. a. Es werden auf der Station auch Eingeborene zu Baumwollwander-lehrern ausgebildet, die den Anbau der Eingeborenen überwachen sollen.

---

[1] Deutsch-Koloniale Baumwollunternehmungen, in Verhandlungen der Baumwollbau-Kom-mission des Kol.-Wirtschftl. Komitees, 1913 Nr. 1, S. 10.

[2] F. Wohltmann: Neujahrsgedanken 1913, Der Tropenpflanzer, Jahrgang 17. 1913. S. 1 ff.

168

Sorghumhirse (Mtama)-Feld.
Nach Photographie von C. Vincenti-Daressalam.

Agavenpflanzung mit Allee von Akazien und Kapok auf Kurasini bei Daressalam.
Nach Photographie von C. Vincenti-Daressalam.

Tafel 34

Die Züchtungsversuche der Station lassen bald hochwertiges Saatgut in größeren Mengen erwarten.[1] Auch in Mahiwa (Lindi-Bezirk) ist 1912 eine Baumwollversuchsstation gegründet worden, die nach dem gleichen Programm wie die am Rufiji sich betätigt (Denkschrift 1912/13).

Die ostafrikanischen Baumwollpflanzungen haben ziemlich stark unter einer »Kräuselkrankheit« genannten Seuche zu leiden, die auf eine Zikade zurückgeführt wird, und gegen die Bekämpfungsversuche im Gange sind.[2]

Warburg (a. a. O. S. 13) fordert von der Regierung eine Vermehrung der sich mit der Krankheit beschäftigenden Gelehrten[3] sowie von den Versuchsstationen Versuche zur Züchtung ganz- oder halbimmuner und doch guten Stapel liefernder Sorten, um die sonst so hoffnungsvolle Baumwoll-Großkultur für Ostafrika zu retten. Nach dem letzten amtlichen Bericht über die Kolonien (Die deutschen Schutzgebiete 1912/13) ist die letzte Ernte »nirgends in wirklich bedrohlichem Umfange gefährdet«, und die Preisgarantie des Kolonial-Wirtschaftlichen Komitees brauchte nicht in Anspruch genommen zu werden.

Entkörnungsanlagen für Baumwolle befinden sich zur Zeit in folgenden Orten des Küstenlandes: Sadani, Daressalam, Mohoro, Rufijya und Schuberthof a. Rufiyi, Kilwa, Lindi, Kikwetu bei Lindi, Mikindani.

Von der Baumwollproduktion Deutsch-Ostafrikas fällt etwa ein Drittel auf europäische Plantagen, dagegen zwei Drittel auf die Eingeborenen-Pflanzungen. Es ist dies ein besonders erfreulicher Beweis für die günstige Entwicklung der Eingeborenen-Kultur.[4] Das Interesse der Eingeborenen für die Baumwollkultur wächst zusehends, und das anfängliche Mißtrauen schwindet. Die Kulturen haben auch in den letzten Jahren wieder an Umfang gewonnen, zumal auch in den Küstenbezirken Bagamojo, Mohoro, Kilwa und Lindi. Während in früheren Jahren durch Verteilung verschiedener Baumwollsorten an die Eingeborenen die Erzeugung einer

---

[1] Reichskolonialamt: Der Baumwollbau. S. 52 – 75 (Bericht über die Baumwollstation Panganya).

[2] Vergl.: Die Kräuselkrankheit der Baumwolle in Deutsch-Ostafrika. Der Tropenflanzer. Jahrgang 16, 1912, S. 37 ff. Ferner H. Morstatt: Die Schädlinge der Baumwolle in Deutsch-Ostafrika. Beiheft zum Pflanzer, Jahrgang. X, 1914, Nr. 1. Zimmermann: Anleitung für die Baumwollkultur. Berlin 1910. S. 98 ff. Reichskolonialamt: Der Baumwollbau in den Schutzgebieten. S. 20 – 28.

[3] Inzwischen hat das Reichskolonialamt einen weiteren Entomologen zur Bekämpfung der Baumwollschädlinge nach Ostafrika entsandt (Verhandlungen der Baumwollkommission des Kolonial-Wirtschaftlichen Komitees, 1913, Nr. 1, S. 16).

[4] Verhandlungen der Baumwollbaukommission des Kolonialwirtschaftlichen Komitees E.V., wirtschaftlicher Ausschuß der deutschen Kolonialgesellschaft, vom 25. April 1912. Beiheft zum Tropenpflanzer. Jahrgang XVI, Nr. 6, Juni 1912.

169

einheitlichen Marktware vereitelt wurde und daher nur ein niedriger Preis erzielt werden konnte, ist jetzt durch Gouvernementsbestimmung die Verteilung nur einer Sorte in jedem Bezirk bestimmt worden. Durch weitere Verordnungen ist den Eingeborenen die Möglichkeit gegeben, ihre Baumwolle stets dort zu verkaufen, wo ihnen die höchsten Preise geboten werden. Auch werden den Leuten, um sie vor Übervorteilung von Seiten der Exporteure zu schützen, Handwagen zur Verfügung gestellt, um ihnen die Möglichkeit zu geben, das ihnen sonst unbekannte Gewicht und damit den Mindestpreis ihrer Ware festzustellen, eine Einrichtung, die sich gut bewährt hat. Ferner werden gute Leistungen im Baumwollbau mit Prämien bedacht, wozu die Mittel vom Kolonialwirtschaftlichen Komitee zur Verfügung gestellt werden.

Der Baumwollbau der Eingeborenen ist im wesentlichen an der Küste auf die Bezirke Bagamojo, Rufiji, Kilwa und Lindi beschränkt.[1]

Nach den bisherigen Erfahrungen ist besonders der südliche Teil der Küstenbezirke wegen der regelmäßigen Verteilung der Niederschläge für den Baumwollbau besonders geeignet.[2]

In Bezug auf den Boden ist (nach Wohltmann, a. a. O.) die Baumwollpflanze nicht sehr wählerisch, ein mittlerer sekundärer Boden sagt ihr am meisten zu und liefert die gleichmäßigste Faser, je gleichartiger er ist.[3] Die Hauptsache für die Baumwollkultur sind sicheres Einsetzen der Regenzeit, genügende und gut verteilte Regen während derselben und sicheres Einsetzen der Trockenzeit mit genügendem Tau und fehlenden Regengüssen während derselben. Je nach der Länge der Regenzeit einer Gegend ist daher die dazu passende kurz- oder langlebige Baumwollsorte zum Anbau zu verwenden.

Die Kultur des in der Portugiesenzeit aus Amerika eingeführten Maniok (Manihot utilissima), Mhogo der Neger, ist im Küstengebiete bei den Eingeborenen außerordentlich beliebt und wird in großem Umfange be-

---

[1] Vergl. auch B. Wunder: Erster Jahresbericht der Baumwollstation Mpanganya. Vom 1. IV. 1911 31. III. 1912. Der Pflanzer. VIII, 1912. S. 557.

M. Schanz: Die Neger als Baumwollbauer in Deutsch-Afrika. Kolonial-Rundschau 1909. S. 546—566.

B. Wunder: Untersuchung und Bewertung der Baumwollzuchtpflanzen. Der Pflanzer. Jahrgang VIII. 1912. S. 398—411.

W. Busse: Über das landwirtschaftliche Versuchswesen und den landwirtschaftlichen Dienst in den deutschen Kolonien. Mitt. der deutschen Landwirtschaftsgesellschaft, 1912. S. 288—291.

[2] Deutsch-koloniale Baumwollunternehmungen. In Verhandlungen der Baumwollbau-Kommission des Kolonial-Wirtschaftlichen Komitees E. V. 1913 (Nr. 1) 18. Nov. S. 3—32.

[3] Vergl. auch Zimmermann: Anleitung für die Baumwollkultur in den Deutschen Kolonien. 2. Aufl. Berlin 1910.

170

trieben (Siehe Karte: Verbreitung einiger Kulturformen). Es ist dieses Gewächs eine Hackbaupflanze par excellence, die bei leichtester und bequemster Anbaumethode (vergl. unter Bevölkerung) sichere und reichliche Ernten liefert an nahrhaften und wohlschmeckenden Knollen. Die Pflanze ist außerordentlich anspruchslos, kommt fast in jedem Boden fort, erfordert keine weitere Pflege, leidet kaum jemals unter den Dürreperioden und wird von den Heuschrecken verschont.

Aus den Maniokknollen wird die bekannte »Tapiokastärke« bereitet. Doch ist in Ostafrika die Pflanze hierzu noch kaum in Frage gekommen und wird bisher so gut wie ausschließlich zum örtlichen Bedarf gezogen. Im Küstengebiet wird jedoch soviel Maniok produziert, daß große Quantitäten ausgeführt werden und zwar zumeist zum Bedarf Sansibars. Der Export betrug 1903 608124 Kilo im Werte von 49235 Mark; 1905 macht sich ein erheblicher Rückgang mit 46923 Kilo im Werte von 3733 Mark bemerkbar, der wohl nur auf größeren Konsum im Lande selbst zurückzuführen ist (Stuhlmann a. a. O. S. 263). Nach S a n s i b a r wurden aus Deutsch-Ostafrika 1909 45350 kg im Werte von 3870 Mark und 1910 85050 kg im Werte von 5587 Mark ausgeführt;[1] 1911 betrug die Ausfuhr 98000 kg im Werte von 8451 Mark, wovon 85000 kg auf Bagamojo entfallen, und im Jahre 1912 134000 kg im Werte von 12143 Mark. Es wäre bei der großen Beliebtheit, deren sich der Maniok bei den Küstennegern erfreut, dringend zu wünschen, daß diesen die Möglichkeit gegeben würde, das Produkt in größerer Menge zum Export abzusetzen, damit Deutschland zugleich einen Teil seines Bedarfes an Tapioka aus der eigenen Kolonie beziehen könnte.

Noch weniger als der Maniok spielen die anderen Knollengewächse der Küstenbevölkerung, die **Batate, Yams, Colocasia** und die neuerdings auch hier und da von den Schwarzen angenommene **Kartoffel,** für den Export bisher eine nennenswerte Rolle.

Von Hülsenfrüchten wurden 1910/11 im Ganzen nur etwa 28 t von Deutsch-Ostafrika nach Sansibar und anderen Ländern Afrikas ausgeführt. An der Ausfuhr, die früher schon größer war, sind vornehmlich Daressalam, Kilwa und Mikindani beteiligt. Auch hier fehlt den Eingeborenen noch die Sicherung eines größeren Absatzes, und es wird fast nur für den lokalen Bedarf angebaut. Die Hülsenfrüchte, von denen die Mungobohne (Phaseolus Mungo), die Helmbohne (Dolichos lablab) und die Vignabohne (Vigna sinensis) für das Küstengebiet die wichtigsten sind, bilden unter Umständen einen wichtigen Ersatz der Körnerfrüchte für die

---

[1] Adlung: Die wichtigsten vegetabilischen Nahrungsmittel der in den deutschen Schutzgebieten lebenden Eingeborenen. Tropenpflanzer 16, 1912. S. 547 ff.

171

Eingeborenen. Auch ist es, wie Warburg[1] hervorhebt, um so wichtiger, durch den Anbau von Leguminosen in Wechselkultur mit Getreide für die Instandhaltung des Bodens, speziell inbezug auf Stickstoff Sorge zu tragen, je mehr sich der Getreidebau in unsern tropischen afrikanischen Kolonien entwickelt.

Die verschiedenen Arten der im Küstengebiete und auf den vorgelagerten Inseln so zahlreich kultivierten Fruchtbäume: Zitronen, Orangen, Mango (Taf. 36), Jackfrucht usw. spielen nur im Lokalhandel eine Rolle und kommen für die überseeische Ausfuhr nicht in Betracht.

Selbst die uralte Fruchtpflanze des Bantunegers, die Banane (Taf. 33 und 35 links), wird nur in ganz geringer Menge exportiert. Im Küstengebiet wird sie als Obst und auch zur Herstellung von Mehl benutzt. Von der Küste kamen zur Ausfuhr

    1903: 2748 Kilo im Werte von 115 Mark
    1904: 2758 „ „ „ „ 166 „
    1905: 2912 „ ., „ „ 446 „ (Stuhlmann a. a. O. S. 57).

Im Jahre 1910 betrug die Ausfuhr aus Deutsch-Ostafrika 2068 kg im Werte von 197 Mark.[2] Bei den gegenwärtigen hohen Frachtspesen ist kaum daran zu denken, die Bananenfrucht in frischem Zustande, wie es heute bekanntlich in umfangreichem Maße von Mittelamerika aus geschieht, von Ostafrika nach europäischen Häfen zu versenden.[3] Immerhin könnte aber die Banane als wertvolles Volksnahrungsmittel eine größere Rolle spielen als bisher. Nach A. von Humboldt ist die Banane diejenige Kulturpflanze, welche auf gleicher Fläche die meisten Nährstoffe zu erzeugen vermag. Da die Staude nur in klimatisch bevorzugten Gebieten der Kolonie gezogen werden kann, so könnte durch den Binnenhandel — wenigstens soweit die heutigen Transportverhältnisse (Eisenbahnen) dieses schon gestatten — den in dieser Beziehung minder bevorzugten Völkerschaften die Frucht in frischem oder getrocknetem Zustand zugeführt werden. An der Küste ist ein etwa 20 km breiter Streifen vorhanden, der die Bananenkultur klimatisch gestattet.[4] Die Banane wird hier namentlich im regenreichen nördlichen Teil sowie auf den vorgelagerten Inseln auch fast überall angebaut, sowohl in feuchten Talsenken, wie auch auf tiefgründigerem Boden der Hügelländer, zumal im Schatten von Frucht-

---

[1] O. Warburg: Zum neuen Jahr. Der Tropenpflanzer. Jahrgang 16, 1912, S. 1 ff.
[2] Adlung: a. a. O.
[3] Vergl. u. a. M. Zagorodsky: Die Banane und ihre Verwertung als Futtermittel. Beiheft zum »Tropenpflanzer« Jahrg. XV Nr. 7, Juli 1911.
[4] Vergl. die Karte: Verbreitung einiger wichtiger Kulturformen.

172

bäumen. Die Bananenfrucht wird an der Küste wohl vorwiegend als Obst verwertet, wenn zwar man auch aus den getrockneten unreifen Früchten Mehl bereitet. Es wäre vielleicht für das Küstengebiet daran zu denken, die Bananenkultur nach der bei der Kilimandjaro-Bevölkerung üblichen Art mit der Rindviehzucht bei Stallfütterung zu verbinden, um auch die bei dieser Pflanze im Gegensatz zu anderen Obstkulturen abfallenden ungeheuren Krautmassen nicht der Verwertung zu entziehen und andererseits die Fruchtproduktion durch die dann zur Verfügung stehenden Dungstoffe zu erhöhen. Auf einen weiteren und zwar kolonialpolitischen Wert der Bananenkultur hat namentlich Stuhlmann hingewiesen (a. a. O.). Da die Kulturbanane, wenigstens in Afrika, samenlose Früchte erzeugt, so kann sie nur durch Wurzelschößlinge vermehrt werden; dies hat eine gewisse Seßhaftigkeit der Anbauer zur Folge, die für die Ruhe des Landes und der Bevölkerung von großem Wert ist. Aus diesem Grunde sollte die im übrigen sehr einfache und mühelose Bananenkultur nach jeder Hinsicht unterstützt werden, soweit die klimatischen und Bodenverhältnisse — bei einiger Pflege kommt sie auch auf den sandigen Böden der Küstenterrasse, abseits der Wasserläufe, ganz gut fort — es gestatten.

Unter den von der schwarzen Küstenbevölkerung Deutsch-Ostafrikas angebauten Genußmittelpflanzen steht wohl das Zuckerrohr obenan, das überall an geeigneten Lokalitäten (sumpfige Niederungen usw.) gepflanzt wird. Es spielt aber nur im Lokalhandel eine Rolle und bildet für den Neger lediglich eine Näscherei. Zur wirtschaftlichen Ausnutzung des Rohres sind schon seit Jahrzehnten in Ostafrika viele Versuche unternommen worden, die zu einem großen Teil jedoch fehlgeschlagen sind. Bei Lindi, Mohoro, Daressalam und im Panganitale wird es von Arabern und Indern in größerem Umfange gebaut und verwertet. Am Pangani ist auch eine Zuckerpflanzung unter europäischer Leitung mit gutem Erfolg im Betrieb; sie gab 1910/11 132 t Zucker und Nebenprodukte zur Ausfuhr. Auch im Bezirk Mohoro hat der Rohranbau im Europäerbetrieb gute Ergebnisse geliefert. Im ganzen betrug die Produktion von Rohrzucker im

Panganitale 1910/11: 371 t im Werte von 48 000 Mark
gegen   1909/10: 181 t „   „   „   22 000 „ ,

wovon ein großer Teil im Inlande verbraucht wird.

Bei der starken Konkurrenz, die der billig nach Ostafrika importierte Rübenzucker und die von den Indern eingeführte Zuckermelasse dem dortigen Rohrprodukte macht, ist unter den gegenwärtigen Verhältnissen dem Anbau des Zuckerrohres in größerem Maßstab keine günstige Prognose zu stellen.

173

Tabak wird überall im Küstengebiet und auf den vorgelagerten Inseln in kleinen Quantitäten von den Eingeborenen gebaut, in größerem Umfange zum Beispiel noch im Hinterlande Lindis. Bemerkenswert ist, daß die W a h a d i m u den Tabak ebenso wie B e t e l p f e f f e r und P a p r i k a auch auf dem unfruchtbaren und trockenen, steinigen Korallenkalklande im östlichen Sansibar ziehen. Von der Küste wird der Tabak nur nach Sansibar ausgeführt. Das von den Negern gezogene Produkt wird meist zum Kauen (mit Betel) benutzt, während zum Rauchen — namentlich in Form von Cigaretten — wohl fast ausschließlich eingeführte Ware im Gebrauch ist. Die Versuche, Tabak im Großen unter europäischer Leitung im Küstengebiete (Rufiji-Delta) und auf den Inseln (Sansibar) zu ziehen, mißlangen vollkommen.

Produkte des Plantagengroßbetriebes der Europäer.

Die wichtigsten Pflanzen des Plantagengroßbetriebes sind, wie für ganz Ostafrika, so auch für das Küstengebiet die **Sisalagave** (Agave rigida var. sisalana)[1] und der **Kautschuk-Maniok** (Manihot Glaziovii). Erstere, eine ausgesprochene tropische Trockenpflanze, nimmt mit schlechtem Boden vorlieb und verträgt die Dürreperioden sehr gut. Sie ist daher für die durchlässigen Sandböden der Küstenterrasse sehr geeignet. Die Agave wurde 1893 aus Florida in unsere Kolonie eingeführt und lieferte bereits 1903 422 066 kg daraus gewonnenen Hanfes im Werte von 324 116 Mark für den Export. 1911 waren in unserer Kolonie im ganzen 54 Sisalpflanzungen mit einer bebauten Fläche von 19050 ha und einer ertragfähigen von 7655 ha vorhanden. 1912 betrug das mit Sisal bepflanzte Areal 24 751 ha mit 14 359 ha schnittreifer Pflanzen. Die Gesamtausfuhr an Sisalhanf betrug:

im Jahre 1908 4 000 t im Werte von 2 950 000 Mark
„ „ 1909 5 284 t „ „ „ 2 333 000 „
„ „ 1910 7 228 t „ „ „ 3 012 000 „
„ „ 1911 11 213 t „ „ „ 4 532 249 „
„ „ 1912 17 079 t „ „ „ 7 359 219 „

Es wurden für Sisalhanf (im Jahre 1910/11) gezahlt l. Qualität bis 580, geringste bis 300 Mark, und von einigen Plantagen wurden recht hohe Gewinne erzielt.

---

[1] K. B r a u n : Die Sisalagave, »Der Pflanzer«, Jahrgang X, 1914, S. 95 – 107.

174

Im Küstengebiet wird Sisalkultur hauptsächlich in den Bezirken Tanga, Pangani und Lindi betrieben. Nach Stuhlmann (a. a. O. S. 477) sind im Bezirk Tanga auf 12 Plantagen 5910 Hektar Landes mit zusammen 9662000 Agaven bepflanzt, im Bezirk Pangani auf 4 Pflanzungen 2495 Hektar mit zusammen 5090000 Agaven, im Bezirk Lindi auf 6 Plantagen 872 Hektar mit 1910000 Pflanzen. Ob die Kultur der Pflanze in unserer Kolonie noch einer erheblichen Ausdehnung fähig ist, könnte nach den bisherigen Erfahrungen zweifelhaft erscheinen, da die Absatzmöglichkeit für nicht I. Qualität nur eine geringe ist. Immerhin dürfte der unter den Sisalsorten des Weltmarktes eine bevorzugte Stellung einnehmende ostafrikanische Hanf nach Warburg (a. a. O. S. 13) in einigen Jahren wieder bessere Preise erzielen, da die Überproduktion des Manilahanfes in den Philippinen nicht dauernd anhalten kann. Bisher hat die Vergrößerung der Anbauflächen ungefähr gleichen Schritt gehalten mit dem Wachsen der Absatzmöglichkeiten.[1] Die Kultur der **Fourcroya-Agave** (Fourcroya gigantea, Taf. 34 unten) ist, als weniger rentabel als Sisal, jetzt in Ostafrika wohl überall wieder verlassen worden.

Der Plantagen-**Kautschuk**, Manihot Glaziovii (Taf. 35 rechts) ist gleichfalls eine Pflanze, die an Klima und Boden keine übermäßig großen Ansprüche stellt.[2] Die Kautschukkultur hat sich in Deutsch-Ostafrika in sehr kurzer Zeit entwickelt. Die rapide Abnahme des Wildproduktes der Kolonie durch Raubbau und die gleichzeitige starke Nachfrage des Handels sind die Veranlassung dazu gewesen.

Manihot Glaziovii ist heimisch in den Steinsteppengebieten von Nordost-Brasilien, in der Provinz Clarà. Auf Sansibar wurde der Baum schon 1878 von Sir John Kirk in wenigen Exemplaren versuchsweise angepflanzt. Im Küstengebiet hat zuerst Baron von Saint-Paul-Illaire 1891/92 den Anbau der Pflanze bei Tanga betrieben, dem bald andere Pflanzungen folgten. Diese ersten Versuche hatten jedoch alle keinen Erfolg, bis es auf der Pflanzung der **Deutsch-Ostafrikanischen Plantagengesellschaft** in Lewa (im nördlichen Küstenhinterlande) endlich gelang, einen brauchbaren Kautschuk zu erzielen. Jetzt nahmen viele Pflanzer die Kultur auf, und am 1. Januar 1902 waren nach der amtlichen Zusammenstellung etwa 300000 Manihot-Bäume in der Kolonie vorhanden. Im Küstengebiet wurde der Anbau u. a. betrieben von Perrot in Lindi, von der Kommune Kilwa,

---

[1] Wegen der Erfordernis großer Maschinerien eignet sich die Sisalkultur nicht für den Eingeborenenbetrieb, vielleicht käme aber für diese (nach Warburg a. a. O. S. 9/10) der Manilahanf in Betracht.

[2] Andere Plantagen-Kautschukpflanzen, wie Hevea brasiliensis, Castiloa elastica, kommen für das Küstengebiet aus klimatischen Gründen nicht in Betracht.

175

in Kitopeni bei B a g a m o j o, sowie bei T a n g a in der alten Pflanzung.
Am 1. April 1904 waren in den Küstenbezirken

Tanga 120 Hektar
Pangani 350 „
Bagamojo 10 „
Daressalam 2 „
Kilwa 41 „ und 70 ha des Gouvernements.
Lindi 27 „

mit Manihotbäumen bepflanzt.
Vom Jahre 1905 an nahm die Kultur einen bedeutend größeren Umfang
an. Für Anfang 1907 werden angegeben (Stuhlmann a. a. O. S. 642)

Bezirk Tanga 2 465 000 Bäume
Pangani 451 000 „
Bagamojo 10 000 „
Daressalam 1 100 „
Kilwa 40 000 „
Lindi 216 000 „ ,

denen in verschiedenen Binnenbezirken zusammen 1 924 500 Bäume
gegenüberstehen.

Anfang 1911 waren in der Gesamtkolonie 248 Kautschukpflanzungen
mit einer bebauten Fläche von 25 596 ha und 20 558 965 Bäumen vorhanden, wovon 8 602 717 Ertrag liefern.

An der Küste wird jetzt M a n i h o t G l a z i o v i i vornehmlich in den Bezirken T a n g a, P a n g a n i, K i l w a und L i n d i gezogen. Obwohl wegen
der nach und nach einsetzenden gewaltigen Produktion der asiatischen
Anbaugebiete die Aussichten am Kautschukmarkt für die nächste Zukunft
nicht gerade gute sind, haben sich z. B. im Bezirk Tanga die Kautschukpflanzungen stark vergrößert.

Da es sich auch bei der Kautschukkultur in Ostafrika sehr darum handelt,
eine stets konkurrenzfähige 1. Qualität zu liefern, so ist über die Anzucht-
Arten, Zapfmethoden, Koagulationsmittel, das Waschen des Produktes
sehr viel diskutiert worden.

Es wird aus hier nicht näher zu erörternden zapftechnischen Gründen
empfohlen, hochstämmige Bäume, die einen wenigstens etwa 2 m hohen,
verzweigten Stamm besitzen, zu ziehen. Nach den in den Nordbezirken
der Kolonie gemachten Erfahrungen soll die in der kleinen Regenzeit aus-
gelegte Saat bezw. ausgesetzten Pflanzen wohl infolge der günstigen
Temperaturverhältnisse während und nach der kleinen Regenzeit geradere
und weniger niedrig verzweigte Bäume liefern als die in der großen

176

Kautschuk-Baum,
3½ Jahre alt.

Bananenstauden
(wahrscheinlich älteste Kulturpflanze der Bantu-Neger).
Nach Photographien von C. Vincenti-Daressalam.

Tafel 35

Regenzeit auf das Feld gebrachten Samen oder Pflanzen.[1] E. Marckwald[2] empfiehlt dringend zur Erzielung möglichst erstklassiger Ware die Milchzapfung und die Gewinnung des Kautschuks durch nachherige Koagulation des Latex. Daß dies auch von den Manihot-Bäumen Ostafrikas möglich, ist sicher und bewiesen.[3] Auch ist vor dem frühzeitigen Zapfen der jungen Bäume zu warnen; es soll nicht vor dem dritten oder vierten Jahre geschehen. Ferner ist die größte Vorsicht bei der Trocknung des Kautschuks am Platze, das Trockenhaus soll luftig, kühl und dunkel sein. Aus geraden und unverästelten Bäumen guter Provenienz dürfte sich das tägliche Produktionsquantum vielleicht um 50% pro Mann steigern lassen.

Auch ist nach demselben Autor die Art, wie der Kautschuk heute in der Kolonie gewaschen wird, zu verwerfen; sie ist nicht geeignet, eine konkurrenzfähige Ware zu erzielen.[4] Bei sorgfältiger und gewissenhafter Beachtung aller Kautelen läßt sich dann aber zweifellos auch aus dem Manihot Glaziovii eine durchaus erstklassige Ware erlangen, die für viele Verwendungszwecke gutem Parakautschuk noch überlegen ist und als Standardqualität sicher auch höchste Preise erzielen wird, während andererseits der deutsch-ostafrikanische Kautschuk Gefahr läuft, binnen kurzem vom Markte verdrängt zu werden.

Dagegen wird von anderer Seite wieder die Meinung vertreten, daß auch eine geringere Qualität eine gute Zukunft habe. Die bisherige Qualität des deutsch-ostafrikanischen Manihot-Plantagen-Kautschuks habe sich mehr und mehr eingeführt, die Nachfrage sei gewachsen und die Preise dafür gestiegen. Nach G. Weber kann zwar der ostafrikanische Kautschuk nicht mit dem Para-Kautschuk konkurrieren, doch stellt er immerhin eine bessere Mittelware dar. Da die Kautschukindustrie aber mit Para-Ware allein nicht auskomme, sondern gute Mittelsorten mit verarbeiten müsse, und andererseits die weitgehenden Entwicklungsmöglichkeiten der Kautschukindustrie in absehbarer Zeit eine Überproduktion, namentlich von Mittelsorten nicht so leicht befürchten lasse, so könnte auch noch erheblich größere Manihotzufuhr als gegenwärtig aufgenommen werden. Es ist somit

---

[1] Zur Manihot-Kultur in Deutsch-Ostafrika. Der Tropenpflanzer 16, 1912, S. 206 ff.

[2] E. Marckwald: Über die Gewinnung und Aufbereitung des Manihot-Kautschuks in Deutsch-Ostafrika. Der Tropenpflanzer 16, 1912, S. 225–256. A. Zimmermann: Über die Abhängigkeit der Stammhöhe von der Pflanzweite (bei Manihot Glaziovii). Der Pflanzer VIII. 1912, S. 543.

[3] Vergl. Verhandlungen der Kautschuk-Kommission des Kolonial-Wirtschaftlichen Komitees vom 30. März 1911. Beiheft zum »Tropenpflanzer«, XV, Nr. 5, Mai 1911.

[4] Die Kautschukreinigungsfabrik der 1910 gegründeten deutschen Pflanzungs- und Handelsgesellschaft m. b. H. in Muhesa bei Tanga trägt in dieser Beziehung viel dazu bei, eine gute, einheitliche Marke herzustellen (Warburg a. a. O. S. 12).

12 Werth, Deutsch-Ostafrika. Band II.

177

nach demselben Autor[1] nach menschlicher Voraussicht keine Gefahr, daß
ordentlich geleitete Manihotplantagen in Deutsch-Ostafrika unrentabel
werden können, soweit es nur möglich gemacht wird, den Abnehmern eine
möglichst gleichbleibende Qualität und einen ungefähr gleichbleibenden
Waschverlust zu gewährleisten. Nach den letzten Marktberichten (1912)
wurden für die Manihot-Produkte Ostafrikas befriedigende Preise erzielt.[2]

Da die letzte Preissteigerung für Kautschuk auf dem Weltmarkt wiederum
eine erhöhte Nachfrage nach Grund und Boden zur Anlage neuer
Plantagen in Ostafrika im Gefolge hatte, so dürften die folgenden An-
gaben über Kautschukplantagenböden hier vielleicht Interesse haben.
Professor F. Wohltmann[3] äußert sich über die Beschaffenheit eines guten
Kautschukbodens etwa folgendermaßen: Er muß feinerdig, milde, mehr
leicht als streng und dann tiefgründig sein; die hohe Feinerdigkeit verbunden
mit Tiefgründigkeit hat eine gute wasserhaltende Kraft des Bodens zur
Folge, was für die reichliche Latexbildung erforderlich zu sein scheint.
Lehmige Sand- und sandige Lehmböden mit 95 – 100 % (!⁴) abschlämmbaren
Teilen sind zu bevorzugen. Ein geringer Stickstoffgehalt von 0,1 % genügt,
zumal bei reichlichen Niederschlägen. Ob hoher Kalkgehalt des Bodens
von Nachteil ist, ist noch zweifelhaft. Während die Kautschukpflanzen –
es handelt sich immer nur um Manihot Glaziovii, den Ceara-Kautschuk –
an den Phosphorsäuregehalt des Boden keine besonderen Anforderungen
stellen, scheint ein guter Kaligehalt das Wachstum und die Bildung des
Milchsaftes zu fördern. Wohltmann empfiehlt daher Düngungsversuche
mit Kalisalzen. Von den beigebrachten Analysen bezieht sich auch eine
auf das unmittelbare Küstenland, die hier wiederholt sein mag.

Herkunft: Tanga, unweit des Meeres.
Bezeichnung: bräunlicher, sandiger Lehmboden, in der Ackerkrume
dunkler, Roterde.

Tiefe	0–25 cm	25–50 cm	50–75 cm	75–200 cm
Gehalt an:	%	%	%	%
Feinerde	100	99,90	99,89	99,87
Feuchtigkeit	7,26	7,70	8,46	7,66
Glühverlust	13,78	13,04	12,60	12,68
Stickstoff	0,225	0,124	0,100	0,77

[1] G. Weber: Manihot-Kautschuk. Der Tropenpflanzer 16, 1912, S. 153 ff.
[2] R. Henriques Nachf.: Kautschuk-Marktbericht. III. Quartal 1912. Tropenpflanzer, 16. Jahrgang 1912. S. 619 ff.
[3] F. Wohltmann: Südamerikanische und Ostafrikanische Kautschukböden. Der Tropenpflanzer. 16. Jahrgang, 1912, S. 571–581.
[4] Es sind hier offenbar, wie aus den Analysen hervorgeht, nicht abschlämmbare, sondern durch
das Zweimillimetersieb abtrennbare Teile (= »Feinerde«) gemeint!

178

Kalter Salzsäure Auszug:	%	%	%	%
Eisen und Tonerde	4,521	4,497	4,232	4,148
davon Eisenoxyd	2,214	1,934	2,397	2,271
davon Tonerde	2,307	2,563	1,835	1,877
Kieselsäure	0,094	0,012	0,131	0,259
Kalk	0,360	0,260	0,180	0,193
Magnesia	0,042	0,023	0,033	0,035
Phosphorsäure	0,052	0,043	0,051	0,039
Kali	0,079	0,084	0,076	0,076
Heißer Salzsäure Auszug:	%	%	%	%
Kali	0,254	0,194	0,229	0,151

Bonität (I – VIII):   chemische = IV   (Erträge = mittel).

Dennoch warnt Warburg (»Zum neuen Jahr«, Tropenpflanzer, 1912, S. 13) vor stärkerer Ausdehnung der Kautschukkultur, da ein Fallen der Preise infolge der starken Produktionszunahme der Hevea-Kulturen Südasiens in Kürze zu erwarten steht, und bei schnell steigender Produktion der Arbeitermangel noch zunehmen wird.

Die Ausfuhr an Platagenkautschuk aus Deutsch-Ostafrika betrug

1910   414 Tonnen im Wert von 3 300 000 Mark
1911   684   „   „   „   „ 3 610 000   „   ;

wobei sich schon ein Sinken des Preises infolge der angedeuteten Verhältnisse des Weltmarktes kenntlich macht.

Inzwischen ist nun der zu erwartende enorme Preisfall des Kautschuks eingetreten und hat die Manihot-Kultur in Ostafrika in eine sehr ernste Lage versetzt. Die Verhältnisse liegen augenblicklich so, daß die Zapfkosten bei vielen Pflanzungen so hoch sind, daß ein Verdienst nicht mehr möglich ist. Versuche, die Produktionskosten zu verringern, sind bisher ohne besondere Erfolge geblieben.[1] Es wird zur Aufrechterhaltung der Kultur eine Verlängerung der Arbeitskontrakte angestrebt, damit die Leute angelernt und in längeren Arbeitsperioden besser als bisher ausgenutzt werden können, und damit ferner die ungeheuren Anwerbekosten verringert werden. Auch hat man um Ermäßigung der Frachten auf der Bahn und den Dampfern gebeten. Und von neuem wird wieder energisch auf

---

[1] Vergl. dazu A. Zimmermann: Die Steigerung des Milchsaftergusses bei Manihot Glaziovii infolge des Abschälens und Abkratzens der äußeren Borkenschichten. Der Pflanzer X, 1914, S. 180 – 188.

12*

179

die Schaffung einer Einheitsmarke für ostafrikanischen Kautschuk hingewiesen, um eine glattere Abnahme vonseiten der Fabrikanten zu erwirken. Im übrigen muß an eine Einschränkung der Kautschukproduktion in Ostafrika gedacht werden, es müssen andere Produktionszweige in den Wirtschaftsbetrieb der Kautschukplantagen eingeführt werden, um so die Möglichkeit einer allmählichen Überwindung der Kautschukkrise durch Ersatzkulturen zu bieten.[1]

In Daressalam (und Amani) ist auch Mascarenhasia elastica (siehe unter Wildkautschuk) versuchsweise kultiviert, doch ist die Rentabilität dieser Kultur fraglich.

Der Anbau der **Baumwolle**[2] nimmt auch im Großbetrieb auf europäischen Pflanzungen in Ostafrika zu. Nach der amtlichen Denkschrift für 1910/11 wird Baumwolle in 165 Plantagen auf 8824 ha Boden als Reinkultur und auf 5387 ha als Zwischenkultur (mit Kautschuk oder Sisal) angebaut. Auf vier Pflanzungen wird mit Dampfpflügen gearbeitet; 1912/13 waren ca. 6400 ha Baumwolle in Plantagenkultur in Deutsch-Ostafrika angebaut (gegen 15600 ha in Eingeborenenkultur). Zumeist werden ägyptische Sorten angebaut. Preise und Bewertung des ostafrikanischen Plantagenproduktes ist letzthin meist gut.

Die ersten Versuche mit dem Baumwollbau im Küstengebiete datieren von 1886; seit 1900 ist aber erst, hauptsächlich durch die Initiative des kolonial-wirtschaftlichen Komitees, eine große Rührigkeit im deutsch-ostafrikanischen Baumwollbau zu verzeichnen. Jetzt wird Baumwolle im Großbetrieb an der Küste bei Sadani, Daressalam, am unteren Rufiji, bei Kilwa und Lindi gebaut; Ginanlagen befinden sich in Tanga, Sadani, Daressalam, Mpanganya, Matapatapa, Mohoro, (letztere drei im Rufijigebiet[3]) Kilwa, Lindi und Mikindani.[4] An der

---

[1] Verhandlungen der Kautschuk-Kommission des Kolonial-Wirtschaftlichen Komitees E. V. 1913, Nr. 1, S. 19 – 52 (Die Manihotfrage in Deutsch-Ostafrika). Vergl. auch: Unsere Kolonialwirtschaft in ihrer Bedeutung für Industrie, Handel und Landwirtschaft nach Zusammenstellungen des Kaiserl. Statistik. Amtes aus Anlaß der zweiten Allgemeinen Deutsch-Ostafrikanischen Landesausstellung Daressalam, herausgegeben vom Kolonial-Wirtschaftlichen Komitee. 1914.

[2] Vergl. hierzu vor allem das vom Reichskolonialamt im Jahre 1914 herausgegebene Buch: Der Baumwollbau in den deutschen Schutzgebieten.

[3] Das Rufiji-Gebiet hatte im letzten Berichtsjahr (1912/13) unter Überschwemmungen zu leiden. Die dadurch im Baumwollbau erwachsenen Schäden sind aber durch günstige nachträgliche Gestaltung der Regenzeit z. T. wieder behoben worden (Denkschrift für 1912/13, S. 33).

[4] K. Supf: Deutsch-koloniale Baumwollunternehmungen, Bericht XII. Beihefte zum Tropenpflanzer XI. 1910, Nr. 3.

180

Küste ist es besonders der Bezirk L i n d i, der sich um den Baumwollbau verdient gemacht hat, und von dem Ausbau der Lindi-Baumwoll-Bahn wird eine weitere erhebliche Förderung der Kultur dieser Pflanze erwartet. Im übrigen ist schon weiter vorn (Eingeborenenkulturen) manches gesagt worden,[1] das sich auch auf den Plantagenbau dieser ungemein wichtigen Kolonialpflanze bezieht. Die fernere Entwickelung des Baumwollbaues wird zumeist von der weiteren Erschließung guten Baumwollandes durch künstliche Bewässerung abhängig sein.[2] Aber auch ohnedem wird bei genügender Berücksichtigung der lokalen Klimaverhältnisse und der vorliegenden Regenbeobachtungen der einzelnen Orte eine Ausdehnung noch möglich sein.[3] Und auch die neue Baumwolldenkschrift des Reichskolonialamts (Veröffentlichungen Nr. 6) sagt, daß im allgemeinen für den Baumwollbau in Deutsch-Ostafrika ein zwingendes Bedürfnis zur Schaffung kostspieliger Bewässerungsanlagen noch nicht vorliege.

Im Jahre 1911 hatte die Baumwolle sehr unter tierischen und pflanzlichen Feinden zu leiden, besonders nahm die K r ä u s e l k r a n k h e i t einen großen Umfang an; außerdem vernichteten Dürre und Regen zur Zeit der Kapselreife vielerorts einen erheblichen Anteil der Ernte. Infolgedessen ist in den Bezirken Tanga und Bagamojo der Baumwollbau fast ganz aufgegeben worden. Im Küstengebiet ist er in nennenswertem Umfange nur noch in den Bezirken Mohoro, Kilwa und Lindi im Betrieb (Denkschrift 1911/12. S. 22).

Im Anschluß an die Baumwolle sei auch die Kultur des Kapokbaumes

---

[1] Bei dieser Gelegenheit sei auch kurz auf die Düngungsfrage hingewiesen. Da in unserer ostafrikanischen Kolonie mittlerer Bodenreichtum überwiegt, auf dem eine Raubwirtschaft auf langes Gedeihen nicht rechnen kann, so ist die Frage des Nährstoffersatzes von vornherein ernstlich ins Auge zu fassen. Durch Reichstagsbeschluß vom 5. IV. 1911 wurde aus den beim Etat des Reichsamts des Innern »zur Hebung des Kali-Absatzes« ausgebrachten Mitteln der Kolonialverwaltung im Jahre 1911 ein Betrag überwiesen, der für Ausführung von Düngungsversuchen in den deutschen Schutzgebieten verwendet werden sollte. Dabei war seitens des Reichstages der Wunsch ausgesprochen worden, daß die Förderung der B a u m w o l l k u l t u r bei Verwendung dieser Mittel besondere Berücksichtigung finden sollte (R e i c h s k o l o n i a l - a m t : Düngungsversuche in den deutschen Kolonien, Heft 1, Berlin 1913). Unter der Aufsicht der landwirtschaftlichen Beamten sind diese, auf mindestens fünfjährige Fortsetzung berechneten Versuche mit Kunstdüngung bei verschiedenen Kulturgewächsen in großem Umfange in Angriff genommen (Denkschrift 1911/12. S. 26).

[2] H u p f e l d : Stand der Pflanzungen in Deutsch-Ostafrika und Togo. Jahrbuch der Deutschen Landwirtschaftsgesellschaft, Band 26, 1911. S. 180 – 187. Als ausgezeichnete Baumwollböden haben sich bisher in Deutsch-Ostafrika alle Flußalluvionen erwiesen, soweit sie nicht tonig sind (Vgl. A. Zimmermann: Anleitung für die Baumwollkultur in den Deutschen Kolonien. Berlin 1910, Kolonialw. Komitee).

[3] Wohltmann: Tropenpflanzer 1911. S. 9.

181

(Taf. 34 unten) erwähnt, die neuerlich erheblich an Interesse gewinnt, seitdem es möglich geworden ist, die bisher nur als Polstermaterial begehrten in der Frucht des Baumes (Ceiba pentandra) enthaltenen Haare verspinnbar zu machen. Bei dem geringen Anspruch der Pflanze an Feuchtigkeit und bei ihrem Fortkommen auch auf den leichteren Böden würde ihr Anbau für viele Gebiete von Bedeutung und voraussichtlich auch lohnend sein, zumal auch als Ersatz für den unrentabel gewordenen Plantagenkautschuk.[1]

Von anderer Seite wird es allerdings wieder bezweifelt, daß Kapok je ein selbständig verspinnbares Material liefern wird, aber zugleich darauf hingewiesen, daß der Stoff im Wasser fünfmal tragfähiger ist als Kork (ein Pfund Kapok ist imstande, einen erwachsenen Menschen 24 Stunden schwimmend zu erhalten) und dadurch eine große Bedeutung für allerlei Polstersachen an Bord der Passagierdampfer, für Rettungsgürtel usw. gewonnen hat und nach dieser Richtung hin sich ständig ein größeres Gebiet erobern wird.[2] Nach den furchtbaren Schiffskatastrophen der letzten Jahre kann man dem Kapok in der angedeuteten Verwendung nur eine große Zukunft wünschen.

Prof. Z i m m e r m a n n glaubt allerdings für Deutsch-Ostafrika vor Anlegung ausgedehnter Kapokkulturen warnen zu sollen, es erscheint ihm aber nicht unwahrscheinlich, daß der Baum als Nebenkultur eine Rente abwerfen kann. Für eine Kombination von Kapok und Kautschuk ist nach ihm besonders der Umstand günstig, daß die Haupternte des ersteren in die heiße Zeit fällt, wo das Kautschukzapfen zweckmäßig unterbleibt, sodaß sich dadurch eine günstige Arbeitsverteilung ergibt.[3]

Von geringerer Bedeutung als die genannten drei Großkulturen des Küstengebietes ist der Anbau der folgenden Pflanzen im Plantagenbetrieb. Von der **Kokospalme** (Taf. 33) wurde schon gesagt, daß sie zumeist in Händen der Eingeborenen sich befindet. Nach den neuesten amtlichen Berichten waren 1910/11 607237 Palmen im Besitze von Europäern (darunter 153076 ertragsfähige), 1911/12: 699568 (davon 162172 tragende).

---

[1] Hupfeld a. a. O. S. 184. Ferner E. Ulbrich: Die Kapok liefernden Baumwollbäume der deutschen Kolonien im tropischen Afrika. Notizblatt des Königl. Botanischen Gartens und Museums zu Dahlem. Band VI, 1913, Nr. 51. S. 1–34. G. Tobler-Wolff: Botanische Herkunft und Verwendbarkeit der Kapokfaser. Der Pflanzer X, 1914, S. 171–175. F. Tobler: Marktverhältnisse des Kapok. Ebenda, S. 175–180.

[2] Verhandlungen der Baumwollbau-Kommission des Kolonial-Wirtschaftlichen Komitees E. V. 1913 (Nr. 1) 18. November, S. 52 bis 68 (Die Frage des Anbaues von Kapok als Ersatz für Kautschuk).

[3] A. Zimmermann: Der Kapokbaum (Ceiba pentandra), »Der Pflanzer« X, 1914, S. 123 bis 133.

182

1912/13: 784 458 (davon 178 799 tragende). Zusammen mit den Palmen der Eingeborenen lieferten diese im Jahre 1911 5421 Tonnen Kopra im Werte von 1,8 Mill. Mark.[1] Europäische Kokospflanzungen befinden sich in den Bezirken Daressalam und Tanga sowie auf Mafia, ferner im Hinterlande in Morogoro und im Bezirk Wilhelmstal. Bei dem großen Bedarf an Kopra (das getrocknete Fleisch der Kokosnüsse) — für Deutschland (1906) 799 469 Doppelzentner im Werte von 29 107 240 Mark — ist die Kultur der Kokospalme in Deutsch-Ostafrika — Ausfuhr (1907) für 1 344 581 Mark — noch außerordentlich ausdehnungsfähig. Nach Stuhlmann (a. a. O. S. 24) waren 1909 in Deutsch-Ostafrika ungefähr eine Million fruchtende Palmen vorhanden, während Platz und geeigneter Boden für wenigstens das sechs- bis zehnfache vorhanden sei. Dennoch hat sich die Kokospalme für den Großbetrieb nicht recht rentabel gezeigt, besonders wohl weil sie viel Pflege und Aufsichtspersonal erfordert.[2]

Neben Kokos kommen für den Großbetrieb auch andere Ölfrüchte, wie Sesam, Erdnuß, Mohn usw. in Betracht, sofern erst günstigere Transportgelegenheiten vorhanden sind. In den letzten Jahren wurde von Szopary[3] die Kultur der Sonnenblume auf Grund eigener günstiger Versuche und Erfolge für Deutsch-Ostafrika sehr empfohlen. Es gibt kaum eine in ihren Ansprüchen an Klima, Boden und Pflege bescheidenere Pflanze, die bei sehr billigen Bestellungskosten hohe Erträge abwirft, als die Sonnenblume. Sie gedeiht auf jeder Bodenart, sogar auf nassen Strandböden noch gut, und ihr schnelles Wachstum befähigt sie, nasse Ländereien durch reichliche Wasserverdunstung allmählich trocken zu legen. Nach dem Verfasser ist ein mittlerer Reingewinn von 150 Mark pro Hektar (= 1000 kg ausgeputzter trockener Samen) der Sonnenblume immer zuzusprechen. Von anderer Seite[4] wird allerdings bezweifelt, daß die Pflanze auf sumpfigen Böden gedeiht.

Über den Reis und seine Kultur im Großen mit Bewässerung nach javanischem Muster wurde S. 167 schon das Wichtigste gesagt. Bisher ist noch wenig in dieser Beziehung getan. Immerhin sind die Anfänge gemacht,

---

[1] Verhandlungen der Ölrohstoff-Kommission des Kolonial-Wirtschaftlichen Komitees E. V. 1913, Nr. 1. S. 33/34. (Die Bedeutung der Kokospalme für die Kolonien und für Deutschland).

[2] Neuerdings kommt die Kokospalmenkultur als Ersatz für den unrentabel gewordenen Kautschuk besonders in Betracht.

[3] Der Pflanzer, Mai 1911.

[4] W. Lummert, Die Sonnenblume. Der Pflanzer, X. S. 262–268, wo alles Nötige über die Kultur, Ernte usw. der Pflanze gesagt ist.

183

indem am unteren P a n g a n i und K i n g a n i größere Anlagen unter Europäern entstanden sind, die bei der leichten und umfangreichen Absatzmöglichkeit einen recht guten Erfolg haben. Auch im Lindibezirk waren 1911 212 ha von Eurapäern mit Reis bestellt. Bei der noch immer sehr großen Einfuhrziffer Deutsch-Ostafrikas für indischen Reis (zirka zwei Millionen Mark jährlich) ist die Ausdehnung der europäischen Unternehmungen sehr wünschenswert. Doch wäre in Anbetracht des Umstandes, daß allein der Aufenthalt in den feuchten Talniederungen und in den Bewässerungsanlagen zu den ungesundesten Beschäftigungen für einen Europäer in den Tropen gehört, es ebenso sehr zu wünschen, daß die Reiskultur auch in den Händen der Eingeborenen einen möglichst großen Umfang annehmen möge.[1]

Daß der Anbau des **Rohrzuckers** im europäischen Großbetrieb sich im allgemeinen als unrentabel erwiesen hat und daher zumeist wieder aufgegeben worden ist, wurde schon gesagt. Ebenso hat der **Tabakbau** sich nicht bewährt. Es scheint, daß das Klima des Küstenlandes zur Erzeugung einer guten Qualität nicht geeignet ist. Neuerdings sind Versuche kleineren Umfanges mit türkischem Zigarettentabak eingeleitet worden, die zur Zeit ein Urteil noch nicht gestatten.

Eine sehr wichtige Gewürzpflanze für unser Gebiet ist der **Nelkenbaum** (Jambosa Caryophyllus), von dem sich große, in den Händen der Araber befindliche Plantagen (Taf. 32 rechts) auf den Inseln S a n s i b a r und P e m b a (vergl. Karte: Verbreitung wichtiger Kulturformen) befinden. Angeblich soll der Nelkenbaum zuerst um 1800 von einem Araber von R é u n i o n oder M a u r i t i u s nach Sansibar gebracht worden sein, aber erst etwa in den zwanziger Jahren des vorigen Jahrhunderts wurde die Kultur der Gewürznelke, K a r a f u der Swaheli, im Großen auf den Inseln eingeführt, wo der Baum bald alle anderen Kulturen in den Hintergrund gedrängt hat. Meilenweit dehnen sich die Reihen der duftenden, pyramidenförmigen Pflanzen aus, die auf dem sandig-tonigen Boden der das Hügelland jener Inseln aufbauenden Mikindanischichten vortrefflich gediehen. Die billige Arbeitskraft, welche die Araber in ihren Sklaven besaßen, brachte die Nelkenkultur bald zu hoher Blüte, zumal in den vierziger Jahren durch einen Orkan die Stammkulturen auf Réunion zerstört wurden. Das Sansibarprodukt (auch die Pembanelken werden von Sansibar aus exportiert) beherrschte lange den Markt und machte

---

[1] Vergl. auch P. V a g e l e r : Bemerkungen zur Bewässerungsfrage in Deutsch-Ostafrika. Der Pflanzer, VIII, 1912, S. 307 – 11; ferner F. W o h l t m a n n: Neujahrsgedanken 1911. Der Tropenflanzer 15. Jahrgang, 1911. S. 1 – 22 (S. 9/10 Bewässerungsprojekte).

184

Trocknen der Gewürznelken auf Sansibar.
Im Hintergrunde Pflanzung: Kokos, Bananen, Mango.
Nach Photographie.

Tafel 36

über ⁷/₈ des Weltbedarfes aus. Auch eine umfangreiche Zerstörung der Nelkenpflanzungen auf Sansibar durch einen wütenden Orkan im Jahre 1872 konnte die Entwicklung der Nelkenkultur auf den Inseln nicht dauernd schädigen. Als jedoch die Arbeitskräfte durch die Sklavenbewegung verteuert und seltener wurden, gingen die Plantagen auf den Inseln zurück, auch die andauernde Dürre am Ende der neunziger Jahre des vorigen Jahrhunderts, wenigstens auf dem trockeneren Sansibar, viele Nelkenbäume vernichtete. Immerhin besitzen noch heute die beiden Inseln in den ausgedehnten Nelkenpflanzungen eine lohnende und sichere Großkultur.

Pemba produziert die größere Menge Nelken, die jedoch, wohl infolge der schwierigeren Trocknung bei dem feuchteren Klima dieser Insel und dem Transport auf den schlecht gedichteten Eingeborenenfahrzeugen bis Sansibar, von geringerer Güte als das eigentliche Sansibarprodukt sind und einen geringeren Preis erzielen.

Im Folgenden sei nach Stuhlmann (a. a. O. S. 284) eine Übersicht über die Nelkenproduktion von Sansibar und Pemba in den Jahren 1893 bis 1908 gegeben, wobei die einzelnen Jahre gemäß der mit dem ersten August beginnenden Erntezeit von Anfang August bis Ende Juli gerechnet sind; das Gewicht ist in dem landesüblichen »Frasilah«, = 35 lbs oder 15,867 Kilo, angegeben, der Preis in Rupien und Annas (= ¹/₁₆ Rup.).

Erntejahr	Sansibar	Pemba	Zusammen	Jahresdurchschnittspreis (Pemba)	
1893/94	197 710 frl	402 621 frl	600 331 frl	Rs	unbekannt
1894/95	102 208 „	307 860 „	410 068 „	„	5,2
1895/96	165 901 „	413 124 „	579 025 „	„	4,—
1896/97	84 592 „	224 362 „	308 954 „	„	3,9
1897/98	44 941 „	150 703 „	195 644 „	„	6,5
1898/99	149 417 „	481 565 „	630 982 „	„	6,9
1899/1900	59 741 „	206 640 „	266 381 „	„	6,1
1900/01	37 567 „	201 192 „	238 759 „	„	7,—
1901/02	43 626 „	321 599 „	365 225 „	„	6,6
1902/03	175 420 „	251 780 „	427 200 „	„	6,8
1903/04	28 369 „	96 792 „	125 161 „	„	13,4
1904/05	79 860 „	675 683 „	755 543 „	„	9,5
1905/06	181 536 „	109 931 „	291 467 „	„	11,14
1906/07	56 833 „	202 633 „	259 466 „	„	13,—
1907/08			766 600 „		

(Der Preis gilt nur für die Pemba-Nelken, die Sansibar-Ware ist etwas höher)

185

Fig. 36.
Teilblütenstand von Jambosa caryophyllus; mit zwei Knospen (Nelken) und einer offenen Blüte (in der Mitte).
Originalzeichnung des Verfassers.

Die Durchschnittsernte der 14 Jahre 1893/94 bis 1906/07 betrug nach obiger Zusammenstellung 389 585 Frasilah und der Durchschnittspreis Rs 7,1 (= 7 Rupie 1 Anna).

Nach roher Annahme geht von der ganzen Sansibar-Ernte die Hälfte nach Europa und Amerika, die andere Hälfte nach Indien. Je nach dem Ausfall der Ernte und den noch vorhandenen sichtbaren Vorräten wechselt der Marktpreis außerordentlich.

Neben den Nelken (Blütenknospen, siehe Figur 36) selbst werden auch N e l k e n s t i e l e gehandelt; sie betragen in Sansibar ca. 21 % des Nelkenquantums. Es wurden produziert (nach Stuhlmann a. a. O. S. 289):

Erntejahr	Sansibar und Pemba	Prozentsatz im Vergleich zur Nelken-Ernte desselben Jahres.
1899/1900	72 459 frl.	ca. 27 %
1900/01	41 531 „	„ 18 „
1901/02	71 122 „	„ 19 „
1902/03	73 252 „	„ 17 „
1903/04	26 917 „	„ 22 „
1904/05	134 361 „	„ 18 „
1905/06	67 033 „	„ 27 „

Da in Deutschland bei der Öl-Destillation aus den Nelkenstengeln vorteilhafter gearbeitet wird, so ist Hamburg für die Stiele der bedeutendste Weltmarkt gegenüber London und Rotterdam für die Nelken selbst. Die Stile haben in Hamburg ca. $1/3$ des Wertes der Nelken; sie enthalten nur 5 – 6% Öl (Eugenol), während die Nelken (Sansibarprodukt) 15 – 18% davon führen.

Im Jahre 1909 wurden (nach einem Berichte des Kaiserl. Konsulats in Sansibar) 20 285 001 engl. Pfund im Werte von 4 956 142 Rupie Nelken von Sansibar ausgeführt, gegen 14 974 872 engl. Pfund im Werte von 3 974 398 Rp. im Jahre 1908.

Die Nelkenausfuhr 1909 machte 36,6% der Gesamtausfuhr Sansibars aus. Von der Ausfuhr gingen nach:

186

	1908		1909	
	Menge	Wert	Menge	Wert
	im engl. Pfd.	in Rup.	in engl. Pfd.	in Rup.
Europa	7 197 375	1 894 363	10 638 889	2 596 650
Ver. Staaten v. N. Amerika	651 780	184 578	2 364 940	589 941
Asien	7 051 342	1 876 332	7 183 252	1 746 728
Afrika	74 375	18 725	97 920	22 843

An Nelkenstengeln wurde 1909 4 546 712 engl. Pfund im Werte von
2 94 598 Rupien ausgeführt, wovon der größte Teil wieder nach Hamburg
ging. Mutternelken[1] sind ausgeführt nach Deutschland 1400 engl. Pfund im
Werte von 100 Rupien.

Der Ertrag der N e l k e n e r n t e in Sansibar und Pemba im Erntejahr-
1910/11. (VIII 1910 – VI 1911)war mit 191 303 Frasilah (1 Frasilah = 35 engl.
Pfund) ganz außerordentlich schlecht. Seit 1895/96 ist dies die zweit-
schlechteste Ernte (nur die 1903/04 übertrifft sie an geringem Ertrag).
Seitdem war die Ernte wieder günstiger. (Der Tropenpflanzer XV. Jahrg.
1911. S. 643).

Die Nelkenbäume pflegen in Sansibar im 7. bis 8. Jahre anzufangen zu
tragen und liefern mit 10 Jahren vollen Ertrag. Man rechnet in Sansibar
1 bis 1½ Kilo Nelken pro Baum, in Pemba erheblich mehr. Bei einem
Preise von 7 Rup. pro Frasilah wird ein Nettoertrag von 4 Anna (¼ Rup.)
für Sansibar und 6 Anna für Pemba berechnet. Bei im Durchschnitt 20 Fuß
Entfernung der Bäume voneinander, würden 278 Bäume auf ein Hektar
kommen, letzterer damit ca. 70 Rup. Nettoertrag liefern, in Pemba 104 Rup.
Hiervon gehen noch ab 25 % Regierungsabgabe.

Wegen dieser Abgabe (Ausfuhrzoll) hat die Regierung von Sansibar ein
großes Interesse an dem Gedeihen der Nelkenkultur. Sie sucht daher dem
durch Aufhebung der Sklaverei entstandenen Arbeitermangel durch Einfuhr
von Saisonarbeitern aus Britisch-Ostafrika aufzuhelfen und die Abfuhr
der Ernte durch Wegebauten usw. zu fördern. Hierdurch sind die arabischen
Plantagenbesitzer heute wieder besser gestellt als vor einigen Jahren.

Auf der Insel M a f i a wurden kleinere Anbauversuche mit Nelken auch
von Europäern gemacht.[2] Da der den Nelken auf Sansibar und Pemba
offenbar sehr zusagende Boden der lehmig-sandigen Mikindanischotter

---

[1] = Früchte des Nelkenbaumes.
[2] Ältere Anbauversuche im Süden M a f i a s, bei K i l w a, bei B a g a m o j o, bei P a n g a n i sind
alle offenbar zu keinem dauernden Erfolg gekommen und ihre Spuren heute verschwunden.
Eine kleine, noch nicht ertragfähige Nelkenpflanzung befindet sich auch bei Daressalam
(Denkschrift für 1910/11).

187

auf dieser Insel jedoch nur in geringem Umfange ansteht, so dürfte man daran zweifeln, ob hier der richtige Ort für den Nelkenanbau gewählt wurde. Viel eher möchte man raten, den Gewürzbaum an begünstigten Stellen des Hügellandes der Tangaküste anzubauen, wo die Niederschlagsmengen diejenigen von Sansibar übertreffen, und wo derselbe Boden wie in den Nelkenwäldern Sansibars und Pembas in ziemlicher Ausdehnung vorhanden ist. Es ist aber zu bedenken, daß die Kultur des Baumes sehr mühsam ist und vor allem die Ernte (Vergl. Taf. 36) jährlich für längere Zeit eine große Arbeiterzahl erfordert. Dazu kommt, daß, wie obige Berechnung ergibt und von Stuhlmann hervorgehoben wird, der Nelkenbaum auch auf Sansibar pro Hektar eine viel geringere Rente ergibt als beispielsweise die Kultur von Sisal oder Kautschuk. Ferner dürfte es nicht so leicht sein, den Weltbedarf an Nelken, der heute mit ca. 400 000 Frsl. von Sansibar und Pemba gut gedeckt wird, zu erhöhen.

Die zuerst von der Katholischen Mission der »Schwarzen Väter« von Réumion aus in Deutsch-Ostafrika und zwar in Bagamojo an der Küste eingeführte Vanille-Kultur hat, da sie sehr mühsam ist, sich unter den ungenügenden klimatischen Verhältnissen nicht rentiert. Die neueste amtliche Denkschrift erwähnt die keine größere Ausdehnung besitzende Kultur demgemäß garnicht.

Der Anbau von Kaffee-, Kampfer-, China-, Kakao-Baum und Thee-Strauch kommt für das ostafrikanische Küstenklima nicht in Betracht. Dagegen ist der Anbau von australischen Gerberakazien verschiedener Arten (Acacia decurrens und A. mollissima) auf den Pugubergen am inneren Saume des Küstenlandes bei Daressalam versucht worden. Bei dem großen Bedarf an Gerbstoffen in Deutschland und dem hohen Gehalt (40 – 50%) der genannten Rinden daran ist eine umfangreichere Anzucht der schnell wachsenden Akazienbäume vielleicht nicht aussichtslos. Zunächst liefern allerdings die auf die Küste beschränkten ostafrikanischen Mangrowebäume ziemlich erhebliche Quantitäten an Gerbrinden, die ohne langjährigen Plantagenbetrieb leicht gewonnen werden.

Als Gerbstofflieferanten kommen aus der Mangroweformation unseres Gebietes in Betracht: Rhizophora mucronata, Bruguira gymnorhiza, Ceriops Decandolleana und Xylocarpus obovatus. Der Gehalt an Gerbstoff schwankt bei den beiden erstgenannten Arten etwa von 28 – 42%, während er im Mittel ungefähr 36% beträgt. 30% ca. ist das Mittel bei Xylocarpus, bei einer Schwankung von etwa 27 – 33%; bei einem Mittel von etwa 26% schwankt der Gerbstoffgehalt bei Ceriops zwischen ca. 24 – 32%. Die Rinden von Rhizophora und Bruguiera liefern ein dunkleres

188

Leder von intensiverem Rot als diejenigen der beiden anderen Baumarten.
Ohne Einfluß auf die Lederfarbe ist das Alter der Pflanzen; jedoch ist die
Jahreszeit der Gewinnung nicht gleichgültig, indem besonders bei den beiden
ersten Arten die am Ende des Jahres gewonnenen Rinden ein weniger
dunkles und weniger im Lichte nachdunkelndes Leder liefern als die zu
anderer Zeit geschälten Rinden. Es mag sich daher im Interesse einer zu-
nehmenden Verwendung und eines erhöhten Absatzes der deutsch-
ostafrikanischen Mangrowerinde empfehlen, wenigstens bei Rhizophora
und Bruguiera, die Rindengewinnung nur während der letzten Monate
des Jahres vorzunehmen. Ferner muß Bedacht darauf gelegt werden, die
Trocknung der Rinde so auszuführen, daß der Gerbstoff seine ursprünglichen
Eigenschaften nicht verändert und damit dem Leder eine möglichst helle
Farbe gibt.[1]
Die Deutsche koloniale Gerb- und Farbstoffgesellschaft (Feuerbach bei
Stuttgart) gewinnt in dem vom Gouvernement pachtweise überlassenen,
ca. 200 ha großen Mangrowenwaldgebiete des Distrikts Msalla im Rufiji-
delta hauptsächlich Rinde zur Gerbstoffbereitung. Die Firma Denhardt-
Tanga nutzt in den Verwaltungsbezirken Tanga, Pangani und Kilwa auf
einer Pachtfläche von ca. 18 000 ha Mangrowenwald Holz und Rinde.[2]
Nach Stuhlmann (a. a. O. S. 570) betrug die Ausfuhr an Mangrowerinde
der deutsch-ostafrikanischen Küste:

1903	71 101	Kilo im Werte von	2 270 Mk.
1904	2 114 529	„ „ „	„ 28 494 „
1905	1 414 219	„ „ „	„ 20 134 „
1906	1 504 485	„ „ „	„ 17 868 „

In letzterem Jahre wurden vergleichsweise in Deutschland (Hamburg)
im ganzen Mangrowerinde im Werte von 1 862 120 Mark eingeführt.
Die typischen Mangrowebäume, die im Kapitel Vegetation (S. 142 ff.
des I. Bandes) eingehender beschrieben worden sind, sind bisher auch die
einzigen Baumarten, die im Küstengebiet von Deutsch-Ostafrika eine
forstwirtschaftliche Bedeutung erlangt haben.
Seit undenklichen Zeiten kommen die arabischen Segler von Somaliland,
Arabien, dem Persischen Golf und Vorderindien, um am Rufiji Stangen-
und Feuerholz aus den Mangrowebeständen zu schlagen, und die Gesamtausfuhr von Stangenholz (Boriti der Eingeborenen) war schon in vor-
deutscher Zeit sehr erheblich. Die Fahrzeuge kamen meist im Nordmonsun

---

[1] Päßler: Die Untersuchungsergebnisse der aus Deutsch-Ostafrika eingesandten Mangrowe-
rinden. Der Pflanzer, 1912, 65–75. Mangroverinde als Gerbstoff. Tropenpflanzer, 16, 1912,
S. 155.
[2] Th. Siebenlist: Forstwirtschaft in Deutsch-Ostafrika. Berlin 1914. S. 25.

189

(Januar bis März), um nach Einnahme des Holzes mit dem Südmonsun (April-Mai) in ihre nördliche Heimat zurückzusegeln. Und zwar scheint das Holz fast nur im Rufijidelta (Siehe Tafel 29 oben) geschlagen worden zu sein. 1898 wurde im Rufijidelta eine amtliche Forstwirtschaft eingerichtet.

Über die Waldreservate des Küstenbezirkes[1] ist den amtlichen Berichten das Folgende entnommen: Im Forstbezirk Rufiji[2] waren am 1. IV. 1911 an Waldreservaten vorhanden zehn zusammenhängende Flächen mit insgesamt 34 697,30 ha und daneben 14 080 ha in Vorbereitung befindliche Ländereien. Im Berichtsjahr 1911/12 wurden 5200 ha Küsten- und Trockenwald behufs Reservierung ausgeschieden. Die im genannten Jahre neu hinzugekommenen Waldflächen sind teils immergrüner Küstenwald, teils offener Trockenwald. Sämtliche Reservate sind in 1 : 20 000 kartiert. Im Jahre 1910/11 fand eine Nutzung nur erst bei den Mangrowebäumenbeständen des Forstreviers Salale statt. Die Betriebsart ist eine plenterartige. Der Gesamteinschlag pro 1910/11 betrug:

Stammholz 685 St.	118,95 fm
Sonstiges Nutzholz	1122,62 fm
Brennholz	4134,32 fm
Sa.	5375,89 fm

Der Absatz des Holzes war ein guter, sodaß es oft nicht möglich war, alle Abnehmer sofort zu befriedigen, zumal sich am Rufiji der Arbeitermangel noch unliebsam bemerkbar machte. Es wurden 1910/11 51 Dhaus mit Holzladung abgefertigt. In der Gesamteinnahme (49391,53 1/2 Rup. = 5376 fm) ist eine Steigerung von rund 5000 Rup. gegen das Vorjahr zu verzeichnen. Im Jahre 1911/12 wurden im Rufijidelta im Eigenbetriebe des Fiskus 5728 fm gewonnen. Im Berichtsjahr 1912/13 wurde für die Mangrowegehölze des Kiswere-Gebietes ein Betriebswerk aufgestellt. Im Rowuma-Mündungsgebiet wurden die Mangrowen vermessen (Denkschrift für 1912/13).

Der Forstbezirk Bagamojo umfaßt eine Waldfläche von 28251 ha. Umfangreichere Holznutzungen fanden auch hier nur in den an der Küste gelegenen Waldreservaten statt. Es wurde 1910/11 aus den Mangrowereservaten eine Gesamteinnahme von 890,99 Rup. erzielt.

Im Forstbezirk Daressalam betrug 1911 die Gesamtfläche der reservierten Wälder 13358 ha. Auch hier blieben die ordentlichen Nutzungen

---

[1] Nach dem Handbuch für Deutsch-Ostafrika beträgt die reservierte Fläche des »Küstenwaldes« (Buschwald) nach dem Stande vom 1. IV. 1914 schätzungsweise 190487 ha und die des Mangrowewaldes 48 600 ha.

[2] Vergl. auch Graß: Forststatistik für die Waldungen des Rufiydeltas . ., Ber. über Land- u. Forstwirtschaft . ., Bd. 2. S. 165 ff.

ganz auf die Mangrowen beschränkt (an der Mündung des Shungu-flusses und bei Kissidju). Es wurden 1910/11 insgesamt 119,82 fm Holz und 0,275 t Rinde zu einem Gesamtpreis von 865,32 Rup. abgegeben.[1]

In den verpachteten Mangrowen-Waldungen der zu den Bezirken Pangani und Tanga gehörigen Küstenstrecken sowie denen des Rufiji-Deltas wurden von privaten Unternehmern im Jahre 1912/13 1911 fm Holz und 2499 Tonnen Rinde gewonnen.

In dem 12062 ha umfassenden Mangrowedistrikt bei Kilwa-Kisiwani wurde im Jahre 1911 mit der Aufstellung des Betriebsplanes begonnen, während, wie hier, auch in den Mangrowen bei Samanga und Kiswere im gleichen Jahre die Betriebsregulierungsarbeiten in Angriff genommen worden waren.[2]

Seit im Jahre 1911 die Organisation geändert wurde, gibt es in Deutsch-Ostafrika drei Forstämter mit mehreren Verwaltungsbezirken. Das Forst-amt Wilhelmstal umfaßt u. a. die Bezirke Tanga und Pangani und hat die Beaufsichtigung der Ausnutzung der Mangrowegehölze der Tanga-küste durch deutsche Holz- und Rindenexportfirmen zu führen. Ebenso unterstehen dem Forstamt Morogoro (1912 von Daressalam nach Morogoro verlegt) u. a. die Bezirke Bagamojo und Daressalam. Am wichtigsten für das Küstengebiet ist das Forstamt Rufiji in Mohoro mit den Bezirken Mohoro, Kilwa und Lindi. Seine Hauptaufgabe ist die Be-wirtschaftung der Mangrowewaldungen des Rufiji-Deltas. Im Revier Salale (Forststation) geschieht die Ausnutzung im eigenen Betriebe, während die in den übrigen Revieren pachtweise in Händen der Deutsch-Kolonialen Gerb- und Farbstoff-Gesellschaft liegt.[3]

Die forstlichen Kulturen befassen sich teils mit der Aufforstung der ein-heimischen Nutzhölzer: Mangrowe, Kasuarine usw. teils mit denen anderer tropischer Länder. So sind vor allem von dem wertvollen indischen Teakholz in den Bezirken Tanga, Daressalam und Rufiji große Bestände herangezogen worden, desgleichen vom indischen Eisenholz (Cassia florida) in den Bezirken Tanga, Bagamojo, Daressalam usw.

Eine große Gefahr für die Waldreservate sind die jährlich wieder-kehrenden Grasbrände, durch die der zur Regenzeit sich einstellende Jungwuchs immer wieder vernichtet und der Schluß des Waldes verhindert

---

[1] Jahresberichte der Forstverwaltung für das Wirtschaftsjahr 1910/11. Beiheft Nr. 1 zum Pflanzer, Jahrg. VIII, 1912. Vergl. auch: Sonderberichte der Forstverwaltung von Deutsch-Ostafrika für das Jahr 1909. Berichte über Land- und Forstwirtschaft in Deutsch-Ostafrika. 5. Band, Heft 5, S. 289–320.

[2] Denkschrift 1911/12. S. 30.

[3] Der Forstdienst und das forstliche Versuchswesen in den deutschen Schutzgebieten (Nach dem Stande vom 31. März 1914). Deutsches Kolonialblatt, Jahrgang 25, 1914, S. 552.

191

wird. Die Anlage von Feuerschneisen haben, wie z. B. im Sachsenwald bei Daressalam, in dieser Richtung einen sehr günstigen Erfolg gehabt. ·

Vor nicht langer Zeit ist auch besonders auf den Wert der auch im inneren Teile des Küstengebietes häufigen **Bambus**bestände hingewiesen,[1] die gutes Material zur Papierfabrikation liefern. Da bisher ein nennenswerter Export von Rohstoffen zur Papierfabrikation aus Deutsch-Ostafrika wohl nur von der Rinde des Affenbrotbaumes stattgefunden hat, so dürfte sich auch die Anpflanzung von Bambus lohnen. Die Pflanze läßt sich leicht kultivieren und wächst keineswegs, wie oft behauptet wird, nur an Wasserläufen. Auch ist schon seit längerer Zeit der Anbau besser als die ostafrikanischen verwendbarer Bambussorten (Bambusa vulgaris, Dendrocalamus strictus etc.) bei Daressalam, Mohoro u. a. O. erfolgt.

Produkte von wildlebenden Tieren.

Unter den tierischen Produkten, die von der Eingeborenenbevölkerung zum Export geliefert werden, spielt **Bienenwachs** eine nicht unbedeutende Rolle; die Ausfuhr ist allerdings in den letzten Jahren zurückgegangen. Während im Innern Deutsch-Ostafrikas der Handelswert des Wachses bis vor kurzem noch ganz unbekannt war, bildete an der Küste und in Sansibar der Stoff schon seit langem einen Marktartikel. Schon 1635 wird Wachs aus Pemba als Ausfuhrartikel erwähnt. Durch die Bemühungen des Gouvernements und der europäischen Handelshäuser wurde, besonders seit 1903, dieser Stoff, zumal im südlichen Teil unserer Küste ein wichtiger Ausfuhrartikel.[2] Da die Wachsgewinnung mit einer Ausräucherung und Vernichtung oder Dezimierung der Bienenvölker einhergeht, so wäre die Einbürgerung moderner Zuchtverfahren sehr zu wünschen. Speziell auch im Küstenlande, wo wilde Völker der Honigbiene überall vorhanden sind, ließe sich die Zucht leicht betreiben. Die afrikanische B i e n e ist nur eine Varietät der europäischen. Sie ist enorm fleißig und nicht, wie viel behauptet ist, besonders reizbar und stechlustig. Sie kann daher als eine dem Klima angepaßte Form leicht zu rationeller Zucht in unserer Kolonie benutzt werden; und keinesfalls bedarf es der Einführung fremder Rassen, über deren Eingewöhnungsmöglichkeit wir nichts wissen. Die Güte des Honigs ist natürlich abhängig von der Art der Pflanzen, deren Blüten ausgebeutet werden. Der an dem auch im Küstenlande mit Erfolg angepflanzten Kautschukbaume Manihot glaziovii gesammelte Honig soll

---

[1] A. Zimmermann: Über die Ausnutzung der in Deutsch-Ostafrika einheimischen oder angebauten Bambusarten zur Papierfabrikation. Sonderabdruck aus »Der Papierfabrikant« 1908, Heft 42.

[2] Stuhlmann: Zur Kulturgeschichte. S. 776.

192

bitter und ungenießbar sein. Bienenvölker, die auf diese von ihnen offenbar sehr beliebte Pflanze angewiesen sind, wären daher lediglich auf Wachsgewinnung auszubeuten; der Honig ist dann lediglich als Bienenfutter zu verwenden.[1] Besonders würden sich in dem unmittelbaren Küstenlande die Ränder der Ufergehölze mit ihrem großen Reichtum an Blüten zur Plazierung von Bienenständen eignen. Will man eine Futterpflanze anbauen, so dürfte dazu die Rubiacee Oldenlandia Bojeri (Siehe Kap. Vegetation im 1. Bande, S. 168), die überall als häufige Unkrautpflanze im Küstengebiet auftritt, auf jedem Boden üppig wuchert und so auch spontan weit in die natürlichen Formationen vordringt, zweifellos vorzüglich dazu geeignet sein. Sie ist sehr reich an schnell und leicht auszubeutenden, honigführenden, weißen Blüten. Ihre allgemeine Verbreitung läßt es sicher erscheinen, daß sie sich ohne die geringste Mühe an jeder Stelle leicht ansamen läßt.

Die Ausfuhr von Wachs aus Deutsch-Ostafrika betrug:

1907	627 397 kg zu	1 370 551 Mk.
1908	552 520 „ „	1 168 128 „
1909	299 484 „ „	659 243 „
1910	305 996 „ „	672 840 „
1911	363 942 „ „	816 916 „

Die größte Menge davon stammt jedoch aus dem Inneren. An der Küste sind die Bezirke Pangani, Bagamoyo, Mohoro mit geringen Mengen beteiligt. Es ist zu wünschen, daß auch der Honig, der in guter Qualität von den Eingeborenen gewonnen wird, zu einem Ausfuhrartikel wird.[2]

Von größeren wildlebenden Tieren spielen im Küstengebiete und auf den Inseln die Felle der kleinen Zwergantilopen: Moschusböckchen u. a. eine Rolle als Ausfuhrartikel, zur Herstellung guter Handschuhleder. Die Tiere werden von den Eingeborenen in Schlingen und Netzen gefangen.

Elfenbein und sonstige Nutzprodukte der großen Säuger kommen für das Küstengebiet aus den im zoologischen Teil dieser Arbeit erörterten Gründen nicht in Betracht. Nur einige Flußpferdzähne, die als Ersatz für Elfenbein dienen, gelangen von der Küste, zumeist von Bagamoyo und Daressalam, zur Ausfuhr.

---

[1] F. Stuhlmann: 5. Jahresbericht des kaiserl. Biolog. Instituts Amani. Berichte über Land- und Forstwirtschaft in Deutsch-Ostafrika. Band 3. Heft 5. S. 116.
Vergl. ferner: J. Vasseler: Die ostafrikanische Honigbiene. Berichte über Land- und Forstwirtschaft in Deutsch-Ostafrika. 3. Band, Heft 2. S. 15—29.
[2] Bisher werden nur wenige Hundert Kilo davon und zwar wohl nach Sansibar, zumeist von Tanga, Daresalam und Bagamoyo, verschifft.
13 Werth, Deutsch-Ostafrika. Band II.

193

Ein für das Küstengebiet spezifischer Zweig der tierischen Produktion ist die **Seefischerei**, deren eminente Bedeutung noch keineswegs genügend gewürdigt worden ist. Der außerordentlich große Reichtum an Produkten der Seefischerei wird in Deutsch-Ostafrika noch lange nicht genügend ausgenutzt. Bei der primitiven Art der Fischerei durch die eingeborene Küstenbevölkerung (Kap. Bevölkerung) wird der Bedarf in der Kolonie selbst nur zum geringsten Teile gedeckt, und ein großer Teil getrockneter und gesalzener Fische aus Ländern, deren Bevölkerung rationelleren Fischfang betreibt, namentlich Indien und Arabien, nach Deutsch-Ostafrika eingeführt. Die Einfuhr von Fischen betrug im Jahre 1910: 987244 kg im Werte von 329134 Mark, wogegen nur 6625 kg im Werte von 6349 Mark ausgeführt wurden. Die enorme Ausfuhrsumme könnte bei rationellerem Betriebe der Küsten- und Seefischerei recht gut dem Lande erhalten bleiben. Gelegentliche Fänge mit europäischen Netzen von seiten der Kriegsschiffe haben außerordentlich günstige Resultate gehabt und zeigen, daß sich die in den heimischen Gewässern üblichen Methoden wohl auf die ostafrikanische Küste übertragen lassen. Es ist auch schon früher ein eingehend durchgearbeiteter Vorschlag nach dieser Richtung hin gemacht worden, doch haben für seine Durchführung von seiten des Gouvernements bisher die Mittel gefehlt.[1] Für ein unter europäischer Leitung stehendes Unternehmen dieser Art: Fischerei mit modernen Einrichtungen zum Salzen, Trocknen und Räuchern, käme natürlich zunächst im Wesentlichen nur der Absatz in der Kolonie selbst in Betracht, deren Konsum bei reichlichem Angebot von billiger und guter Ware sich aber zweifellos noch erheblich steigern wird. Für die Inlandbewohner bilden geräucherte Fische eine Delikatesse, weshalb schon jetzt mit diesen ein umfangreicher Binnenhandel besteht (Denkschrift 1911/12. S. 36), sodaß man einem solchen Unternehmen volle Rentabilität wohl prophezeien darf.

Es ist um so wichtiger, die Fischerei zu heben und den Küstenbewohnern, Eingeborenen wie Europäern, damit eine reichliche und gute Fleischnahrung zu anständigen Preisen zu bieten, als die Viehzucht gerade in den Küstenbezirken besonders unter der Tsetsefliege leidet und wohl überhaupt keine große Zukunft hat. Um die rationelle Ausbeutung der Meerestiere anzubahnen und die dazu notwendigen biologischen und anderweiten Vorarbeiten auszuführen, ist vom Reichskolonialamt bereits ein Fischerei-Sachverständiger nach Deutsch-Ostafrika entsandt worden.

[1] A. P e i p e r : Die Küsten- und Seefischerei in Deutsch-Ostafrika. Unter Benutzung amtlichen Materials dargestellt. 10 Abb. und 1 Karte. Siehe Abdruck aus Mitteil. des deutschen Seefischerei-Vereins. Nr. 11. 1911.

194

Da besonders an den größeren Plätzen des Küstenlandes, Daressalam und Sansibar, zweifellos die Aufnahmefähigkeit des Marktes für konservierte (getrocknete) Fische die bisherige Anfuhr bedeutend übersteigt, so gibt es schon unter den Eingeborenen vereinzelt Leute, die dies erkannt und die Fischerei in größerem Umfange aufgenommen haben. Sie rüsten größere Schiffe, »jahazi« mit Proviant für längere Zeit, Beibooten und Netzen aus und gehen oft mehrere Wochen auf Fang aus. Als Stützpunkte und zum Trocknen der Fische benutzen sie kleine unbewohnte Inseln. Ihre Beute geht meist in Form getrockneter Fische in die Hände indischer Händler. O. Peiper gibt (a. a. O. S. 294) die folgende Übersicht über die Aus- und Einfuhr von Meeresprodukten aus dem Bezirk Chole (Mafia), die zwar nicht ganz jetzigen Datums ist, jedoch da neuere Statistiken fehlen, hier angeführt sein mag:

Nachweisung der aus Chole vom April 1900 bis einschließlich Dezember 1902 nach dem Auslande ausgeführten und nach dem Inlande überschifften Meereserzeugnisse.

Gegenstand	1900		1901		April – Dez. 1902	
	Engl. Pfd.	Rupies	Engl. Pfd.	Rupies	Engl. Pfd.	Rupies
Ausfuhr						
Getrocknete Fische	3270	279	13045	1362	11872	1088
Haiflossen	$353^{1/2}$	120	510	221	232	116
Schildpatt	310	2203	$49^{3/4}$	417	$39^{1/4}$	279
Muscheln	11103	3018	2994	266	8361	1027
Summa . . .	$15036^{1/2}$	5620	$16598^{3/4}$	2266	$20504^{1/4}$	2510
Überschiffung						
Getrocknete Fische	53366	4634	48007	4664	41331	3102
Haiflossen	—	—	150	56	141	72
Schildpatt	$64^{1/2}$	454	63	421	$215^{3/4}$	2037
Muscheln	14029	533	14748	426	6191	552
Summa . . .	$67459^{1/2}$	5621	62968	5567	$47878^{3/4}$	5763

Auch europäische Unternehmungen waren bereits ins Leben getreten. Der Fang und die alleinige Ausbeutung der zur Bereitung von Trepang dienenden Seegurken an der Küste von Deutsch-Ostafrika und der Insel Mafia wurde im Jahre 1898 zunächst auf ein Jahr abgabenfrei an ein englisches Syndikat verliehen. Der Fang im großen wurde besonders auf den Inseln Mafia und Ssongo-Ssongo betrieben. Der Trepang wurde

13*

nach China exportiert. Im Jahre 1907 hat die »Trepang Limited« ihre,
inzwischen nicht mehr abgabenfreie Konzession aufgegeben. Die Trepangfischerei lohnt nicht wegen der großen Kosten für Taucher. Auch ein
anderes europäisches Fischereiunternehmen stellte im Jahre 1910 infolge
ungenügenden Verdienstes den Betrieb ein. Trotzdem wird zweifellos
eine auf Kenntnis der von den Monsunen abhängigen Fischzüge beruhende
Hochseefischerei nicht ohne Erfolg sein können.[1]

Ebenso wie die Trepangfischerei ist auch das Sammeln von Muscheln
und Korallen als unrentabel wieder aufgegeben worden. Es dürfte jedoch
die Fischerei von Kaurimuscheln, Perlmutter und anderen Konchylien (zu
Schmuckzwecken), sowie von Schildpatt für Eingeborenenbetrieb wohl
lohnend sein. Es wurden 1907 für 44,810 Mark hiervon ausgeführt. Perlen-
und Schwammfischerei wird im kleinen noch von einzelnen Arabern betrieben.[2]

Produkte der Viehzucht.

Die Rindviehzucht spielt bei der eingeborenen Küstenbevölkerung
die allergeringste Rolle,[3] und auch für europäische Unternehmungen
wird das Küstenland nie ein Idealgebiet der Viehzucht werden. Es wäre
jedoch zu wünschen – und die Anfänge dazu sind auch bereits vorhanden
(Denkschrift 1911/12, S. 25) – daß die Haltung guter Rindviehrassen
wenigstens in der Nähe der größeren Küstenplätze soweit gefördert würde,
daß für den Bedarf der Europäer stets frisches Fleisch und Milch in genügender Menge zur Verfügung stände.

Es ist bekannt, daß, während heute der Süden unserer Küste fast frei
von Rindern ist, in früherer Zeit in der Gegend von Kilwa viele Rinder
existierten, da sie bei Vasco da Gamas zweiter Reise 1502 erwähnt
werden; es dürfte jedoch zu bezweifeln sein, daß dieses Vieh der Eingeborenenbevölkerung zu eigen war, es werden vielmehr vermutlich
die zahlreichen Kolonisten der Schirazi-Periode die Rindvieh haltenden
Leute gewesen sein. (Vergl. auch Hahn: Haustiere, Leipzig 1896, S. 108/09).

Zur Wiederherstellung eines größeren Viehbestandes im Küstengebiete
ist zunächst eine erfolgreiche Bekämpfung der mannigfachen Viehseuchen,
vor allem des Texasfiebers und des sogenannten Küstenfiebers er-

---

[1] Die deutschen Schutzgebiete 1912/13. S. 45.

[2] Die deutschen Schutzgebiete in Afrika und der Südsee 1911/12. Amtliche Jahresberichte,
herausgegeben vom Reichs-Kolonialamt. Berlin 1913. S. 36.

[3] Eine Ausnahme mögen die den metamorphischen Bantu angehörigen Wassegéju an der
Tangaküste machen, von denen Baumann einen eigenartigen Hochzeitsbrauch erzählt, bei
dem ein Rind benutzt wird, was regelmäßigen Besitz eines solchen, also Rindviehhaltung
voraussetzt. Bei den übrigen Küstenbewohnern spielt bei ähnlichen zeremoniellen Handlungen
meines Wissens immer nur die Ziege eine ähnliche Rolle.

196

forderlich. Zur Erforschung und Bekämpfung der Viehseuchen ist vom Gouvernement auf Anregung Robert Kochs eine Organisation geschaffen worden, der man zum Segen der Kolonie eine noch viel weitere Ausdehnung wünschen möchte. Zur Zeit befindet sich an der Küste neben dem Leiter des Veterinärwesens beim Gouvernement in Daressalam eine Veterinärdienststelle in Tanga. 1912/13 wurde, u. a. zum Schutz der Viehzucht in der Kolonie, das ärztliche Laboratorium in Daressalam zu einem Institut für Seuchenbekämpfung erweitert.

Die genannten wie andere Viehkrankheiten werden durch Zecken übertragen. Die als blaue Zecken bezeichneten Arten, Margaropus (Rhipicephalus) annulatus var. decoloratus und M. annulatus var. australis, verschleppen als Larven die Piroplasmose (Texasfieber, Rotwasser) sowie auch das Gallenfieber der Rinder (Anaplasmosis). Die rote Zecke, Rhipicephalus Evertsi, überträgt als geschlechtsreifes Tier die Piroplasmose der Einhufer und das Küstenfieber der Rinder. Die hauptsächlichsten Überträger des Küstenfiebers sind jedoch die braune Zecke (Rhipicephalus appendiculatus), die Kapzecke (Rh. capensis) und weitere Arten (Rh. simus und Rh. nitens). Die Nymphen und Geschlechtstiere, nicht die Larven übertragen das Küstenfieber, sofern sie in ihrem vorhergehenden Entwicklungsstadium von einem kranken Rinde Blut gesogen haben oder vielleicht auch schon vom Ei her den Infektionskeim in sich tragen und wieder auf ein für Küstenfieber empfängliches Rind gelangen. Etwa 20 bis 30 Tage nach dem Abfallen der weiblichen Zecke können die aus ihren Eiern entstandenen Larven sich an neue Rinder anklammern; sie saugen sich voll Blut und fallen nach 3 bis 8 Tagen wieder ab. Am Boden verwandeln sie sich sodann durch Häutung in Nymphen, wozu sie etwa 16 Tage brauchen. Die Nymphen gebrauchen etwa eben so lange Zeit zur Anklammerung, Vollsaugung und Häutung, um damit zum geschlechtsreifen Tiere zu werden. Die braunen Zecken übertragen als erwachsene Tiere auch Texasfieber und Piroplasma mutans.

Erwähnt sei noch die bunte Zecke (Amblyoma hebraeum), die das Herzwasser der Rinder, Ziegen und Schafe überträgt.

Die Entwicklung der Zecken am Boden ist bei höherer Temperatur erheblich schneller als bei niedrigerer. Während und nach der Regenzeit sind die Lebensbedingungen für die Zecken bedeutend günstiger als in der Trockenzeit. Die Larven wie Nymphen und geschlechtsreifen Tiere können 6 bis 12 Monate ohne Nahrung (Blut) am Leben bleiben.

Bei einheimischen Rindern führt die Infektion mit Küstenfieber bei ca. 90%, bei eingeführten bei nahezu 100% zum Tode. In endemisch verseuchten Herden eingeborener Rinder erliegen der Infektion 25 bis 75% der Nachzucht.

197

Zur Bekämpfung der als Krankheitsüberträger der Haustiere der Tropen, vor allem der Rinder, so sehr gefährlichen Zecken sind verschiedene Methoden vorgeschlagen und angewandt. Die am Boden sich aufhaltenden Zecken werden am besten und im weitesten Umfange durch die seit langer Zeit üblichen Grasbrände vernichtet. Es werden so die auf den Grasspitzen sich aufhaltenden Zecken getötet. Diese Entwicklungsstadien werden aber im vollsten Umfange angetroffen werden, wenn die Weiden während oder nach der warmen Jahreszeit gebrannt werden, nachdem einige Wochen lang alles Vieh ferngehalten worden ist. Das auf die abgebrannte Weide zu bringende Vieh muß zur Vermeidung abermaliger Infektion selbst gründlich von den Zecken gesäubert werden. Dies geschieht am zweckmäßigsten durch ein Schwimmbad in einer arsenhaltigen Flüssigkeit. Bei fortgesetztem Baden an jedem dritten Tag gelingt es, sämtliche Zecken, die für die Übertragung des Küstenfiebers in Betracht kommen, zu töten und dadurch eine weitere Verbreitung der Seuche zu verhindern. Ein dem genannten Zweck entsprechendes Rinderbad ist in Daressalam erbaut worden und konnte im Jahre 1912 in Gebrauch genommen werden. Seine Einrichtung ist aus einem Plan zu ersehen, den der Leiter des Veterinärwesens in Deutsch-Ostafrika, Dr. G. Lichtenheld, im »Pflanzer« veröffentlicht hat, als Beigabe zu einem Aufsatze, dem die vorstehenden Notizen entnommen sind.[1]

Ferner ist die gefürchtete Surrah-Krankheit hier zu erwähnen, die durch Trypanosomen hervorgerufen und durch den Stich der Tsetsefliege übertragen wird. Schon vor Jahren wurden von Robert Koch Versuche gemacht, durch Überimpfen des Tsetsebluts auf Ratte, von dieser auf Hund und dann zurück auf das Rind, dieses immun zu machen. Ein Erfolg ist diesen Versuchen nicht abzusprechen, wenn auch die Behandlungsart der trypanosomenkranken Tiere noch der Vervollkommnung bedarf.

Durch den von Jahr zu Jahr sich steigernden Verkehr im Lande haben sich die Viehseuchen immer stärker ausgedehnt. Da in dem vieharmen Küstengebiet Rinder zur Fleischnahrung namentlich der Europäer gebraucht werden, ebenso auch für die Verproviantierung der Ozeandampfer, so wird aus den viehreichen Binnenbezirken, namentlich von Tabora auf dem Bagamojo-Wege, das Schlachtvieh herangetrieben und es werden damit die Krankheitskeime verbreitet. Nach der amtlichen Denkschrift wurden allein von Tabora auf dem Bagamojo-Wege getrieben:

---

[1] G. Lichtenheld: Die Zecken als Überträger von Tierkrankheiten und ihre Bekämpfung. Der Pflanzer, 1912. Nr. 5. S. 262—275.

198

1904/05 2892 ⎫
1905/06 3038 ⎬ Rinder.
1906/07 3957 ⎭

Werden tsetsekranke Tiere in eine Gegend getrieben, wo es Tsetsefliegen gibt, so infizieren sich diese und übertragen die Krankheit auf
andere empfängliche Säugetiere des neuen Gebietes. Leichter noch
werden durch das Viehtreiben die mit Pyrosomen infizierten Zecken
verbreitet, die als Überträger des Texas- und Küstenfiebers fungieren.
Zur Ermöglichung einer einwandfreien Quarantäne der zur Einfuhr ge-
langenden Tiere wurden zu Daressalam und Tanga besondere Ställe
errichtet.

Da die Tsetsefliegen (Glossinen) an der Küste zu fehlen scheinen, so
kommen hier unter Umständen offenbar andere Überträger, wie die
gewöhnlichen Stechfliegen (Stomoxys) als Überträger der Tsetsekrankheit
in Betracht (Vergl. Denkschrift 1911/12. S. 28).

Im Jahre 1912 ist nun auch die Rinderpest von Britisch-Ostafrika
bezw. Uganda aus in Deutsch-Ostafrika eingeschleppt worden.

Wegen dieser gerade in den Küstenbezirken in ausgedehntestem Maße
herrschenden Rinderkrankheiten ist die Viehhaltung daselbst teilweise fast
unmöglich. So beschränkt sich der Viehbestand in den Bezirken Lindi,
Kilwa und Mohoro (Rufiji) u. a. auf wenige 100 Stück Rindvieh, Ziegen
und Schafe.[1] Mit Ausnahme von Pangani sind nach der amtlichen Denkschrift für 1906 alle Küstenbezirke schlechte Viehbezirke. An der Rinder-
ausfuhr aus Deutsch-Ostafrika ist daher auch die direkte Produktion des
Küstenlandes kaum beteiligt. Für unser Gebiet wird sich eine strenge
Stallfütterung, etwa wie oben (vergl. S. 173) in Verbindung mit Bananenkultur angedeutet, wohl als notwendig erweisen, um das jetzt seltene und
teure frische Fleisch in genügender Quantität für den Landeskonsum jederzeit zur Verfügung stellen zu können. Eine Verbesserung der Zufuhr ergibt
sich natürlich auch durch die ständige Erweiterung des Eisenbahnnetzes.
Erst wenn es gelungen ist, die Viehseuchen auf engere Grenzen zu beschränken, wird man daran denken können im Gebiete der Küstensteppe
(Buschsteppe) Rindviehzucht in größerem Maßstabe zu betreiben.

Nach dem amtlichen Jahresbericht für 1912/13 werden auf dem Markte
in Tanga jährlich etwa 1330 Stück Rindvieh und 2050 Stück Kleinvieh
geschlachtet. Im Berichtsjahre 1912/13 kamen auf den Schlachthof in
Daressalam rund 3000 Stück Rindvieh und außerdem 4835 Ziegen,
747 Schafe und 334 Schweine.

An lebendem Rindvieh wurden ausgeführt über die Küste aus Deutsch-
Ostafrika z. B.

---

[1] O. Peiper: a. a. O. S. 293.

199

1905   1953 Stück im Werte von 91 045 Mark
1906   746   „   „   „   „   35 222   „
1907   1416   „   „   „   „   86 271   „
Es ist dies ca. die Hälfte der Gesamtausfuhr. Daß aber die Produktion
der Küste selbst kaum daran beteiligt ist, wurde schon gesagt. Nächst
lebendem Vieh sind es Häute und Felle, die einen wichtigen Ausfuhrartikel
bilden. Es gelangten 1906/07 zur Ausfuhr aus den Küstenbezirken:

Daressalam Häute von 2747 Rindern
Bagamojo   „   „   4859   „
Saadani   „   „   4   „
Kilwa   „   „   269   „
Lindi   „   „   223   „
Mikindani   „   „   11   „
Tanga   „   „   9475   „
Pangani   „   „   3505   „

Diesen stehen die Häute von 41742 Rindern aus den Binnenbezirken
gegenüber.

Ebenso bildet zerlassene Butter (Samli) einen Handelsartikel. Ihre
Ausfuhrmenge ist aus der Zollstatistik, da sie mit anderen Artikeln zu-
sammengezogen wird, nicht zu ersehen.

Die ostafrikanischen Eingebornenkühe produzieren nur geringe Milch-
mengen; nur gewisse Sorten geben größere Quantitäten. So eine der
Frau Baronin von St.-Paul-Illaire gehörende Herde in Tanga (Stuhlmann
a. a. O. S. 702). Während im allgemeinen der Einführung europäischer
Rindviehrassen zur Kreuzung mit dem Eingeborenenvieh viele Mißerfolge
gefolgt sind, hat man z. B. bei der Kreuzung guter ostafrikanischer Tiere
mit Kampagnabullen im Bezirk Bagamojo (Saadani) vorzügliche Ergebnisse
erzielt. Das Produkt findet auch als Arbeitstier erfolgreich Verwendung
(Denkschrift für 1911/12. S. 25).

Ed. Hahn[1] hat schon vor fast zwei Jahrzehnten einen Versuch mit
dem javanischen Büffel, der sich in Ägypten als widerstandsfähiger erwiesen hat, anstelle des jetzt meist üblichen Zeburindes für Ostafrika
vorgeschlagen. Nach den Versuchen, die unter Leitung Stuhlmanns[2]
1896 und 1900 in der Kolonie gemacht wurden, scheint aber gerade der
Büffel gegen die vielen Krankheiten an der Küste besonders empfindlich
zu sein, sodaß jedenfalls von einer Einführung im speziellen Küstengebiet
sich nicht viel versprechen läßt.

In den Händen der schwarzen Küstenleute befinden sich (neben Hühnern)

---

[1] Hahn, Ed.: Die Haustiere und ihre Beziehungen zur Wirtschaft des Menschen. Leipzig 1896.
S. 109.
[2] Stuhlmann: Beiträge zur Kulturgeschichte von Ostafrika. Seite 708 und 709.

200

234

von Haustieren so gut wie ausschließlich **Ziegen** der weiter vorn (Kapitel: Bevölkerung) beschriebenen Rasse. Da die Tiere sehr bescheiden und widerstandsfähig sind, so ließe sich vielleicht durch systematische Zuchtwahl innerhalb der Rasse selbst ein etwas leistungsfähigeres Tier heranziehen. Die Zuchtversuche miteingeführten Ziegenrassen sind auch in Ostafrika bisher fehlgeschlagen.

Die Ziege ist wahrscheinlich schon von den Bantu bei ihrer Einwanderung aus Asien mitgebracht worden; sie ist hart, braucht wenig Pflege und ist dem Wirtschaftssystem des Negers vorzüglich angepaßt. Die Küstenneger besitzen jedoch meist nur wenige Exemplare davon.

Im Küstengebiet und besonders in Sansibar halten Araber und Indier, gelegentlich auch Europäer, zuweilen eine andere Ziegenrasse, die aus Indien oder Maskat kommen soll. Sie ist durch große Schlappohren ausgezeichnet und größer als die Eingeborenenziege. Es ist dies nach Stuhlmann (a. a. O. S. 719) offenbar die o r i e n t a l i s c h e oder M a m b e r z i e g e, eine wahrscheinlich altorientalische Züchtung, die schon Aristoteles kannte. Man hält sie im Gegensatz zu den kaum Milch liefernden afrikanischen Rassen besonders der Milch wegen.

Wie die Rinder, so spielen auch die Ziegenhäute als Ausfuhrartikel keine unbedeutende Rolle, jedoch wird die ostafrikanische Haut — wegen der allgemein geübten Trocknung in voller Sonne — auf dem Weltmarkte niedrig bewertet. Die Ausfuhr an Fellen und Häuten überhaupt aus Deutsch-Ostafrika betrug 1910: 2256 Tonnen im Werte von 2 889 133 Mark, 1911: 2529 Tonnen im Werte von 3035 183 Mark. Wieviel davon auf das Küstengebiet entfallen, ist aus der amtlichen Statistik nicht zu ersehen. Dagegen gibt dieselbe für 1909 folgende Zahlen an:

Tanga	113 684 kg	für	103 477 Mk.
Pangani	72 775 „	„	67 106 „
Bagamojo	59 658 „	„	61 468 „
Daressalam	87 364 „	„	81 227 „
Kilwa	4 639 „	„	3 200 „
Lindi	5 207 „	„	2 599 „

Im Jahre 1906/07 wurden nach dem amtlichen Bericht exportiert:

aus Daressalam	die Felle von			20 128 Ziegen
„ Bagamojo	„	„	„	30 345 „
„ Saadani	„	„	„	102 „
„ Kilwa	„	„	„	1 457 „
„ Lindi	„	„	„	1 566 „
„ Mikindani	„	„	„	305 „
„ Tanga	„	„	„	65 720 „
„ Pangani	„	„	„	59 859 „

201

Dem stehen gegenüber die Felle von 1 136588 Ziegen aus verschiedenen Binnenbezirken.

An lebenden Z i e g e n und S c h a f e n wurde über die deutsch-ostafrikanische Küste ausgeführt:

1905 1977 Stücke im Werte von 18507 Mk.
1906 5100   „   „   „   „ 36124 „ .

Auch das Schaf gehört nicht zum Wirtschaftsbetrieb des ostafrikanischen Küstennegers. Die an der Küste verbreiteten F e t t s c h w a n z s c h a f e werden durch die Araber oder Perser ins Land gekommen sein, und schon zur Portugiesenzeit waren sie überall anzutreffen. Araber wie Bantu bevorzugen jedoch das Fleisch der Ziege gegenüber dem Hammelfleisch. Auch durch größere Empfindlichkeit beweist das Schaf seine geringere Anpassung und sein jüngeres Alter in Ostafrika. Auch das Schaf hat sehr unter der Tsetsekrankheit zu leiden, kann aber gleich der Ziege die Trypanosomen jahrelang im Blute haben, ohne zu Grunde zu gehen, wodurch solche Tiere eine große Gefahr für die Weiterverbreitung der Krankheit bilden (Stuhlmann a. a. O. S. 754).

Das Schwein ist dem Küstenneger wie auch den Binnenvölkern Deutsch-Ostafrikas als Haustier unbekannt, und auch die häufigen Wildschweine werden von den mohamedanisch angehauchten Mrima-Eingeborenen als Nahrung gemieden. In Daressalam besteht schon seit langem eine mit Erfolg betriebene Schweinezucht unter europäischer Leitung. Hier trat neuerdings sehr verheerend die Tsetseseuche auf, die nur durch Absperrung der Schweineställe mit Fliegengaze zum Stillstand gebracht werden konnte.

Noch mehr als Rindvieh leiden die Pferde unter der T s e t s e und der zumal an der Küste auftretenden P f e r d e s t e r b e, die wie alljährlich auch im letzten Berichtsjahre wieder aus den Bezirken Daressalam und Tanga gemeldet wurde. Pferdezucht ist daher hier ganz aussichtslos. Die Verluste an Maultieren sind weit geringer, weshalb man schon seit langem der Maultierzucht zur Erzeugung der für die Schutztruppe nötigen Reittiere sich mit Erfolg gewidmet hat. Es wurden in Daressalam im Jahre 1912/13 99 Stück Maultiere eingeführt. Auch der Esel, von dem an der Küste sowohl der graue (afrikanische) »Massaiesel«, wie der große weiße M a s k a t e s e l häufig ist, ist weniger empfindlich als das Pferd und wird auch an der Küste gezüchtet.

Seit langem sind nach Sansibar durch Inder und Araber, besonders für den Marstall des Sultans, viele P f e r d e aus Maskat und Vorderindien (Bombay) eingeführt; auch vom Somaliland und aus Abessinien, wie

202

auch aus dem Kapland werden öfter Pferde nach Sansibar und Deutsch-
Ostafrika gebracht. Sie erfordern eine sehr sorgsame Pflege.

Da die großen Maskatesel im feuchten Klima unseres Küstengebietes
weit empfindlicher sind, als die grauen Massaiesel, so werden sie gern
mit letzterem gekreuzt. Immerhin sind auch die reinen Maskatesel in
Sansibar wie an den größeren Küstenorten nicht selten. Besonderen Ruf
hatte die Zucht eines Beludschen bei Bagamojo. Die erwähnten Kreuzungen
bilden für Expeditionen ins Innere die gewöhnlichen Reittiere, die sich
gut bewährt haben und den Maultieren fast gleichwertig oder überlegen
sind. Die Esel haben viel unter der »Wurmseuche« zu leiden.

Auch Zebras wurden in Daressalam von der Schutztruppe zum Reiten
und Fahren abgerichtet, und auch Kreuzungen von Zebrahengst und
Pferdestute, sogenannte Zebroïde, gezogen.

Was für die Ziegenzucht gesagt wurde, gilt vielleicht auch für die der
Hühner, die in der einheimischen Rasse ebenso schlechte Eierleger sind
wie die Ziegen dürftige Milchproduzenten. Von Europäern sind jedoch
mehrfach (ob auch an der Küste?) mit gutem Erfolg europäische Hühner
eingeführt, die mehr und größere Eier legen als die einheimischen. Diese
sind meist von recht primitiver, dem asiatischen Wildhuhn ähnlicher Rasse.
Es gibt aber auch weiße und schwarze Sorten. Weiße Hühner brauchen
die Swahili für allerhand Zauber. Die Küstenneger unterscheiden selbst
mehrere Hühnersorten, wie kuku wa kidimu (mit krausen Federn), kuku
mangizi (mit sehr langen Beinen) usw. Die meisten Hühner in Ostafrika
sind auffallend hochbeinig.

Das Huhn ist dem Wirtschaftssystem des ostafrikanischen Hackbauern
vorzüglich angepaßt; es erfordert kaum Pflege und läßt sich in den kleinsten
Betrieben halten. Es ist daher auch allgemein in unserem Gebiete verbreitet und dürfte zusammen mit der Ziege das Haustier der Urbantu sein,
die es bei ihrer Einwanderung aus Asien mitbrachten. Den nomadischen
Volksstämmen Ostafrikas fehlt es naturgemäß.

Von der Küste werden auch einige Hühner, meist von Bagamojo und
Daressalam nach Sansibar und zur Versorgung der Dampfer ausgeführt.[1]
So kamen zur Ausfuhr z. B.

    1905 4285 Stück im Werte von 9788 Mark und
    1906 2805 „   „   „   „ 7305 „ .

Überall trifft man an der Küste die von den Portugiesen aus Amerika
eingeführte Moschusente an und zwar auch wohl bei den Eingeborenen.
Selten ist dagegen die europäische Ente in Sansibar und an der Küste.
Hier ist jedoch die nach dem Volksglauben von den Maskatarabern eingeführte Haustaube vorhanden.

[1] Stuhlmann: a. a. O. S. 770.

203

Mineralische Produkte.

Unter diesen kommt für unser Küstenland nur die Gewinnung von Seesalz in Betracht, die z.B. zwischen dem Rufiji und dem Mantandu von den Eingeborenen in der im Kapitel Bevölkerung (im 1. Bande) geschilderten Weise vorgenommen wird. Das Salz dient jedoch nur dem Lokalhandel und kommt als Exportartikel gegenüber der billigen Salzeinfuhr nicht auf.[1] In der Nähe von Bagamojo hat neuerdings auch ein deutscher Pflanzer die Salzgewinnung durch Verdunstung von Meerwasser begonnen. (Denkschrift über Ostafrika für 1909/10. S. 40).

III. Handel und Verkehr.

Wir haben im kulturgeschichtlichen Abrisse des vorigen Kapitels gesehen, wie in der letzten arabischen Periode Ostafrikas durch Einführung des Gewürznelkenbaumes und anderer Großkulturen auf Sansibar und Pemba vonseiten der Araber mit einem Schlage infolge Bedarfs an billigen Arbeitskräften der bisher ganz auf das Küstenland beschränkte Handel bis tief in das Innere des Kontinents getragen wurde und als Sklaven- und Elfenbeinhandel schnell zu hoher Blüte gelangte. Die Besitzergreifung Ost-Afrikas durch die europäischen Mächte bereitete diesem indisch-arabischen Großhandel mit den Scheußlichkeiten seines Sklavenraubes und -transportes ein baldiges Ende, und es traten allmählich auf neuer wirtschaftlicher Basis die heutigen Handelsverhältnisse ein. Zunächst waren es die europäischen, in Sansibar ansässigen Kaufleute gewesen, die schon unter der indisch-arabischen Herrschaft die Grundlage hierzu geliefert haben. Von ihnen ist eine starke Anregung auf die Sammeltätigkeit der Neger ausgegangen, sie exportierten die Produkte der arabischen Pflanzungen (Kopra, Nelken) wie derjenigen der Küstenneger. Der ganze Handel vollzog sich unter Mithilfe der Inder, die auch auf dem Festlande ihre Häuser hatten und als Zwischenhändler mit den Negern dienten.

Neue Kulturpflanzen europäischerseits wurden aber erst nach dem Beginn der deutschen Kolonisation und der Begründung der ersten Plantagen in Deutsch-Ostafrika dem Handel gegeben.

Seit 1902 ist der Handel Deutsch-Ostafrikas in stetiger Aufwärtsbewegung begriffen. Die auf allen Gebieten gesteigerte Produktion, sowie die vielfach sich bessernden — wenn auch noch nicht voll genügenden — Absatzmöglichkeiten erhöhten die Ausfuhr und bewirkten zugleich infolge der sich hebenden Kaufkraft der Bevölkerung eine Steigerung der Einfuhr.

Im Jahre 1910 erfuhr der gesamte Außenhandel gegenüber dem Vorjahre eine Steigerung von mehr als 12 Millionen Mark und zwar stieg die

---

[1] Vergl. Bornhardt: Zur Geologie und Oberflächengestaltung. S. 380.

204

Einfuhr um 4 717 070 Mark = 13%, während die Ausfuhr sich um
7 685 913 Mark = 58% hob.

An der Ausfuhrzunahme sind vorwiegend beteiligt:
Plantagenkautschuk mit 2 175 203 Mark
Wildkautschuk mit 1 251 031 „
Kopra mit 1 111 383 „
1911/12 erreichte der Außenhandel einen Wert von nahezu 68,3 Millionen
Mark. Für das Jahr 1911 betrug die
Mehreinfuhr 7 233 000 Mark = 18,7%
Mehrausfuhr 1 632 300 „ = 7,8%
Für die Zunahme kommen in erster Linie in Betracht:

Sisal mit 1 520 000 Mark (Gold) mit 180 000 Mark
Baumwolle 580 000 „ Häute und Felle 146 000 „
(Kaffee) 428 000 „ Insektenwachs 144 000 „
Plantagen-Kautschuk 317 000 „

(Die eingeklammerten Artikel spielen für das Küstengebiet keine Rolle).
Die nachfolgenden Zahlen (Tabelle A) gestatten einen Einblick in die
gesamte Handelsbewegung seit 1900, während die nächstfolgende Tabelle
(B) den den Küstenplätzen zukommenden Anteil daran erkennen läßt.

A.

	Einfuhr Mk.	Ausfuhr Mk.	Gesamt- handel Mk.
1900	12 031	4294	16 324
1901	9511	4623	14 134
1902	8858	5283	14 142
1903	11 188	7054	18 242
1904	14 339	8951	23 289
1905	17 655	9950	27 605
1906	25 153	10 995	36 148
1907	23 806	12 500	36 307
1908	25 787	10 874	36 661
1909	33 942	13 119	47 061
1910	38 659	20 805	59 464
1911	45 892	22 438	68 330
1912	50 309	31 418	81 727

B.

	Einfuhr Mk.	Ausfuhr Mk.	Gesamt- handel Mk.
1900	11 430 540	4 293 645	15 724 185
1901	9 510 766	4 623 471	14 134 237
1902	8 858 463	5 283 290	14 141 753
1903	10 688 804	6 738 906	17 427 710
1904	12 890 581	7 666 285	20 556 866
1905	15 703 557	7 722 066	23 425 623
1906	21 180 254	7 810 079	28 990 330
1907	20 019 999	8 976 543	28 996 542
1908	23 070 888	8 808 619	31 879 507
1909	30 317 791	10 097 983	40 415 774
1910	32 594 967	15 818 709	48 413 676
1911	40 356 236	17 122 830	57 479 066
1912	44 691 775	25 079 776	69 771 551

Der Küstenhandel hat im Jahre 1912 um 10,7% in der Einfuhr, um
46,4% in der Ausfuhr zugenommen. Der Anteil, den die einzelnen Küstenplätze (Hauptzollämter und Zollämter II. Klasse) daran haben, ist in der
Beschreibung der Küstenlandschaften im vorigen Kapitel bei den betreffenden Städten zu ersehen.

205

239

Während in den ersten Jahren der Kolonie für den Außenhandel nur die Küste in Frage kam – er betrug im Jahre 1891 nach der Übernahme des Schutzgebietes: 16 483 272 Mark, wovon 9 000 483 auf Einfuhr und 7 482 429 auf Ausfuhr entfallen – spielt seit 1903, nachdem der Einfluß der Ugandabahn sich geltend machte, der Außenhandel auch an den Plätzen am Viktoriasee eine größere Rolle. Dieser Einfluß der Uganda-bahn wird wieder schwinden, nachdem nunmehr die deutsche Zentral-bahn einen geregelten Eisenbahnverkehr bis zum Tanganjikasee möglich gemacht hat.

Den wichtigsten Einfuhrgegenstand bilden nach wie vor die Textilwaren und Bekleidungsgegenstände (zirka 30%).

Einer im »deutschen Kolonialblatt« gegebenen Übersicht sind folgende Zahlen für einen Vergleich der beiden Jahre 1910 und 1911 entnommen:

	1911 M.	1910 M.	Zunahme. M.
Einfuhr über die Küste:	40 356 236	32 594 967	7 232 865
Ausfuhr „ „ „	17 122 830	15 818 709	1 304 121
Gesamthandel „	57 479 066	48 413 676	9 065 390

Hiervon entfallen nach demselben Blatt auf die wichtigsten Ausfuhr-artikel folgende Mengen und Werte:

	1911		1910	
Mais	103 530 kg =	9 878 ℳ	585 710 kg =	33 341 ℳ
Reis	0	0	0	0
Hülsenfrüchte	104 231 kg =	20 700 ℳ	26 668 kg =	2 723 ℳ
Kaffee	622 043 „ =	769 027 ℳ	502 319 „ =	572 194 ℳ
Sirup, Melasse	214 468 „ =	33 580 ℳ	307 060 „ =	36 335 ℳ
Tabak	28 177 „ =	19 477 ℳ	15 007 „ =	12 166 ℳ
Kopra	5 420 915 „ =	1 844 971 ℳ	5 338 426 „ =	1 909 329 ℳ
Erdnüsse	513 792 „ =	150 273 ℳ	710 780 „ =	162 742 ℳ
Sesam	1 514 198 „ =	382 285 ℳ	754 907 „ =	230 608 ℳ
Rohbaumwolle	881 890 „ =	1 109 666 ℳ	557 606 „ =	684 752 ℳ
Sisalagavenhanf	11 210 881 „ =	4 531 259 ℳ	7 228 103 „ =	3 011 364 ℳ
Bau- Nutz- und Edelhölzer	5 916 101 „ =	481 030 ℳ	4 121 400 „ =	369 813 ℳ
Brennholz und Holzkohlen	363 650 „ =	4 125 ℳ	135 917 „ =	1 357 ℳ
Gerbhölzer und Rinden	1 900 006 „ =	95 695 ℳ	2 595 990 „ =	100 561 ℳ

206

	1911	1910
Plantagenkautschuk und Guttapercha	683 753 kg = 3 570 328 $\mathcal{M}$	413 595 kg = 3 291 934 $\mathcal{M}$
Wildwachsender Kautschuk und Guttapercha	152076 „ = 1 058 301 $\mathcal{M}$	257 034 „ = 2 471 821 $\mathcal{M}$
Rindvieh	240 St. = 14 544 $\mathcal{M}$	545 St. = 29 385 $\mathcal{M}$
Milch, Butter, Käse, Eier	27 050 kg = 28 190 $\mathcal{M}$	26 534 „ = 28 602 $\mathcal{M}$
Elfenbein	23 566 „ = 444 611 $\mathcal{M}$	34 124 „ = 703 408 $\mathcal{M}$
Häute und Felle	534 030 „ = 591 240 $\mathcal{M}$	442 788 „ = 510 876 $\mathcal{M}$
Insektenwachs	237 593 „ = 552 950 $\mathcal{M}$	198 960 kg = 449 361 $\mathcal{M}$
Glimmer	98 299 „ = 348 279 $\mathcal{M}$	106 580 „ = 320 720 $\mathcal{M}$
Kopal	95 250 „ = 107 395 $\mathcal{M}$	111 336 „ = 148 923 $\mathcal{M}$

Die beiden Tabellen (C und D) (auf S. 208 und 209) geben für die wichtigsten Handelswaren die Landesmarktpreise vom Mai 1914, wie die Weltmarktpreise vom Januar 1913 bis März 1914. (nach »Pflanzer« 1914, S. 283—285).

Die der Jagd und der Sammeltätigkeit der Eingeborenen entsprießenden Produkte, die »Urprodukte« werden, wie schon angedeutet und aus den vorhergehenden Zeilen hervorgeht, allmählich mehr und mehr durch die Kulturprodukte verdrängt und ersetzt werden. Der Wildkautschuk und der Kopal zeigen bereits eine erhebliche Abnahme; letzterer wird sich nur dann auf der bisherigen Höhe halten können, wenn das Sinken der Produktion durch eine Preissteigerung ausgeglichen wird. Zunehmen wird dagegen der Export der Gerbrinden der Mangrowebäume, da es gelungen ist, den der Verwendung hinderlichen roten Farbstoff bei der Herstellung des Gerbstoffes aus der Rinde zu entfernen.

Daß inbezug auf die weitere Erhöhung der Produktion von Bienenwachs ein Übergang der Urproduktion in eine rationelle Kulturproduktion erwünscht ist, wurde schon hervorgehoben.

Die Gesamteinfuhr über die deutsch-ostafrikanische Küste betrug im Jahre 1911: 107 226 343 kg im Werte von 40 356 236 Mark
die Ausfuhr: 33 287 832 „ „ „ „ 17 122 830 „
zusammen: 140 514 175 „ „ „ „ 57 479 066 „
Dagegen 1910: 113 161 714 „ „ „ „ 48 413 676 „
Zunahme: 27 352 461 „ „ „ „ 9 065 390 „
An der Einfuhr hatten Anteil:
Deutschland mit 67 919 248 kg im Werte von 23 202 990 Mk.
England „ 1 378 013 „ „ „ „ 1 500 399 „

207

C. Landesmarktpreise im Monat Mai 1914 (in Rupie).
(Der Pflanzer, Jahrgang X, S. 285).

		Daressalam	Tanga	Pangani	Sadani	Bagamoyo	Moloro	Kilwa	Lindi	Mikindani
Mais	100 kg	8.25	7	8	8—10	—	6.50	6	6	6
Mtama	100 »	9.75	11	9	9—10	—	8.50	9	9.25	9
Kunde (einh. Bohnen)	100 »	14	21	15.25	—	—	12	11	—	—
Sesam	100 »	26	25—32	20	21	20	25	25	24	28
Reis (indischer)	100 »	16.75	17	18	18—20	22.67	21	18	22	20
Reis (einheimischer)	100 »	20	—	—	20—22	—	22	20	20.22	17
Erdnüsse (geschälte)	100 »	22	25	32	—	20	—	30	18	—
Sesamöl	100 »	74	80	84	77—79	70.87½	84	80	88	87.50
Baumwolle (unentkernt)	100 »	54	—	—	22	20	28	54	29	—
Wachs	100 »	208	175	200	170—172	200	190	210	190	187.50
Sukariguru (einh. Zucker)	100 »	29	22	21.25	—	37.50	21	29	—	—
Kautschuk von Plantagen	100 »	225—250	540	—	200	250	—	200	150—400	150
Kautschuk (wild)	100 »	250—285	280	—	150—200	312.50	—	525	—	225
Kartoffeln (afrik. Urspr.)	100 »	19	16	12.50	—	25	—	—	—	—
Kopra	100 »	31	29	28.12½	52—53	26.54	22	24	28	28
Salz	100 »	6.50	7	8.50	8—9	6.61	7	7.50	7	—
Rinderhäute	kg für 1 R.	0.900	0.700	0.715	0.750—1	0.750—1	2.500	1.500	—	—
Wildhäute	» » 1 »	2.500	1.500	—	1.750—2	2.500	4	5.500	—	—
Ziegenfelle	1 Kr. 20 St.	15	15	12—15	15	16	10—12	10	—	—
Wanjamwesi-Esel	1 Stück	40—50	50	40—60	—	40—45	80—105	—	—	—
Kühe	1 »	100	100	50—150	40—80	100—150	80—100	—	—	—
Ochsen	1 »	40—70	50—60	50—60	25—50	40—50	90—100	—	—	—
Ziegen	1 »	10—15	12—16	10—15	8—18	8—12	10—15	10—12	5—20	—
Schafe	1 »	5—10	10—15	4—10	5—7	5—8	10—15	10—12	—	—

208

Weltmarktpreise (in Mark).
(Der Pflanzer, Jahrgang X, 1914, S. 284/85.)

Produkte			1913												1914		
			Januar	Febr.	März	April	Mai	Juni	Juli	Aug.	Sept.	Okt.	Nov.	Dez.	Januar	Febr.	März
Deutsch-Ostafrik. Sisal-hanf, regulär u. superior	1000 kg	Min.	680	670	700	—	680	—	685	680	675	580	590	550	560	—	—
	»	Max.	690	685	710	—	685	—	690	680	680	600	580	550	565	—	—
Manilahanf, fair current	»	Min.	734.4	703.8	—	—	652.8	—	581.4	617.1	614.4	596	596	596.7	581.4	—	—
	»	Max.	734.4	734.4	703.8	—	652.4	—	652.4	654.3	—	627	—	545.7	591.6	—	—
Ia. Manihot-Bälle, Platten, Crepe	1 kg	Min.	3.60	7	6	5.70	4	3.60	2.80	2.50	2.50	2	2	2	2	2.50	3
	»	Max.	7.70	7.60	8.10	6.80	6.90	5.60	4.80	3.90	3.90	3.30	3.60	3.60	3.60	4.40	4.60
Ostafrikanische Baumwolle	1 kg	Min.	1.54	1.62	1.60	1.54	1.70	1.66	1.62	1.62	1.62	1.74	1.70	1.70	1.60	1.60	1.60
	»	Max.	1.72	1.76	1.90	1.90	1.90	1.86	1.84	1.82	1.82	1.94	1.90	1.90	1.80	1.80	1.80
Kopra, ostafrikanische	100 kg	Min.	53	54	55	58	54	56	56	61	61	60	61	61	64	40	57
	»	Max.	54	57	58	60	57	57	60	63	63	61	62.50	63	60	59	58
Erdnüsse, geschält, ostafrikanische	100 kg	Min.	34	34	—	33	34	34	33.50	33.5	33.5	54	34	34	34.12	33.5	33
	»	Max.	34.5	34.75	34	34	34.5	34.5	34	34.25	34.5	55.50	34.25	34.25	34	34	34
Sesam, ostafrikanischer	100 kg	Min.	36	36	35	36	37	34	36.50	57	57	35	39	39	59	54.5	34
	»	Max.	36.5	36.45	36	37	37.5	34.5	37.50	38	38	52	58	58	56	55	55
Baumwollsaat, ostafri-kanische	100 kg	Min.	12	12	12	12	12	12	12	12	12	12	—	—	—	—	—
	»	Max.	12.5	15	15	15	15	15	15	15	15	15	15	15	15	15	15
Mangrovenrinde, ostafr. gute, gesunde Qualität	100 kg	Min.	10	10.25	10	10.25	10.50	10.50	10.75	11.25	12	12.50	—	12.60	12.75	13.25	13.25
	»	Max.	10.25	10.25	10.50	10.62,5	10.75	11	11	12	12.50	12.75	12.75	12.75	13	13.50	13.50
Wachs, ostafrikanisches	100 kg	Min.	286	300	300	302	298	297	298	300	300	310	313	313	320	350	320
	»	Max.	287	302	302	304	302	300	301	308	308	313	315	315	325	334	325

übriges Europa mit   4 201 211 kg im Werte von   2 933 474 Mk.
Sansibar   „   11 597 347 „   „   „   „   4 255 503 „
übriges Afrika „   1 499 186 „   „   „   „   761 350 „
Indien   „   19 059 308 „   „   „   „   7 073 926 „
übrige Länder „   1 572 030 „   „   „   „   628 594 „
An der Ausfuhr hatten Anteil:
Deutschland mit   19 972 957 kg im Werte von   11 912 190 Mk.
England   „   743 759 „   „   „   „   1 478 519 „
übriges Europa „   3 357 637 „   „   „   „   1 185 937 „
Sansibar   „   8 080 644 „   „   „   „   2 314 940 „
übriges Afrika „   361 194 „   „   „   „   161 439 „
Indien   „   261 289 „   „   „   „   33 744 „
übrige Länder „   510 352 „   „   „   „   36 061 „

Wenig ist bisher über den Umfang des Binnenhandels in unserer ostafrikanischen Kolonie bekannt. Die auf den an allen verkehrsreichen Plätzen abgehaltenen Märkten gehandelten Produkte – hauptsächlich Nahrungsmittel für die farbige Bevölkerung – sind nicht unbedeutend, sowohl der Menge wie den Werten nach. So wurden beispielsweise in Pangani, nach dem amtlichen Jahresbericht für 1911/12 (S. 38) auf den Markt gebracht:

Kokosnüsse   1 500 000 Stück
Betelnüsse   2 500 000 „
Sesam   65 000 kg
ungeschälter Reis 25 000 „
Maniok   90 000 „
Zuckerrohr   50 000 Rohre.

Der durch Schätzung ermittelte Umsatz der Markthalle in Daressalam betrug 1912/13 (Amtliche Jahresberichte, S. 47) im ganzen etwa 500 000 Rupien. Hiervon kommen ca. 180 000 Rupien auf Fleisch, ca. 135 000 auf frische und getrocknete Fische, ca. 35 000 auf Geflügel und Eier, ca. 70 000 auf Kokosnüsse und ca. 80 000 auf verschiedene Feldfrüchte. Von letzteren steht der Maniok (Mhogo) im Vordergrunde, und die auf dem Markte in frischem und getrocknetem Zustande gehandelte Mhogo-Menge mag jährlich 500 000 kg betragen.

In Daressalam und Tanga, den Ausgangspunkten der beiden Bahnen, entstanden wie in den von der Bahn berührten größeren Binnenplätzen zahlreiche neue Läden. Die größeren Geschäfte in den genannten großen Küstenorten gestatten jetzt dem Europäer den Einkauf aller für Hausbau, Wohnung, Kleidung, Nahrung, Pflanzungsbetrieb usw. nötigen Gegen-

210

stände mit Ausnahme von Maschinen unmittelbar an Ort und Stelle (Denk-schrift für 1912/13).

Der auswärtige Handel Sansibars betrug 1909: Einfuhr 13 475 957 Rupien, Ausfuhr 14 327 540 Rupien. Im Jahre 1910 belief sich der Ge-samthandel auf rund 28 Millionen Rupien, wovon 13 445 445 Rupien auf die Einfuhr und 14 669 308 Rupien auf die Ausfuhr entfallen. Asien und Afrika sind an der Einfuhr, Europa und Afrika an der Ausfuhr am stärksten beteiligt. Deutschland führte für 523 527 Rupien ein und erhielt für 1 012 673 Rupien. Die Hauptausfuhrartikel sind. Nelken (Siehe S. 184 ff.) und Kopra. 1909 betrug die Ausfuhr an Nelken 4 956 142 Rupien, 1910: 3 802 048 Rupien; Kopra wurde 1909 für 1 666 852 Rupien und 1910 für 3 290 539 Rupien ausgeführt, die Einfuhr dieses Produktes zwecks Aus-fuhr machte 1909: 415 922 und 1910: 1 059 370 Rupien aus, wovon aus Deutsch-Ostafrika 1909 für 375 954 und 1910 für 976 119 Rupien kamen (nach einem Konsularbericht).

Im allgemeinen ist der Handel Sansibars zurückgegangen.[1] Noch in den ersten Jahren unseres Jahrhunderts hatte an der Gesamtausfuhr Deutsch-Ostafrikas Sansibar einen Anteil von mindestens zwei Dritteln, und mit der Einfuhr stand es ähnlich. Als in den Jahren 1905 und 1906 der Einfluß der englischen Ugandabahn sich geltend machte, und diese mit einem Schlage den Handel im Innern Britisch- wie Deutsch-Ostafrikas gewaltig belebte und nach dem Endpunkt der Bahn am Indischen Ozean und von Sansibar abzog, da erhielt letzteres als alter Umschlagsplatz einen gewaltigen Stoß, der noch durch die in denselben Jahren an der ganzen Küste gegen die auf der Insel ausgebrochene Pest durchgeführten Schutzmaßregeln ver-stärkt wurde. Der Anteil Sansibars an der Einfuhr unserer Kolonie sank in den genannten Jahren auf 28 und 17, dagegen an der Ausfuhr derselben auf 38 und 18 %.[2]

Der Rückgang des Handels Sansibars ist nicht die einzige Verschiebung, die in unseren Gebieten, in bezug auf die wichtigsten Handelszentren, seit der Araberzeit stattgefunden hat. Die damaligen Haupthandelshäfen der Küste: Pangani, Sadani und Bagamojo haben an Bedeutung außerordentlich verloren, zugunsten von Tanga, Daressalam, Lindi usw., die als Ausgangspunkte der modernen Binnenverkehrswege (Eisen-bahnen) oder als Ausfuhrhäfen benachbarter Plantagenbezirke heute fungieren. Damit ist auch die einstige absolute Abhängigkeit des Handels von Sansibar längst dahin, wenngleich dieser Hafen als Sitz der meisten

---

[1] Näheres darüber im vorigen Kapitel, im Abschnitt über die Insel Sansibar.

[2] K. Wiedenfeld: Zanzibar und der ostafrikanische Handel. Deutsche Kolonialzeitung, 1909. S. 330 und 345.

14*

europäischen und indischen Großfirmen und der dadurch festgehaltenen besseren Verbindung mit dem Weltmarkt noch immer eine große Bedeutung hat. Auch für die Ausfuhr von unserer Küste spielen aus dem gleichen Grunde die historisch bedingten Handelsbeziehungen zu Sansibar noch weiter für lange eine nicht geringe Rolle. Wenn einst die Produkte der europäischen Pflanzungen, die direkt, ohne Mittelspersonen exportieren, eine größere Rolle in der Handelsbilanz spielen, wird auch hierdurch der Handel an der Küste sich mehr von Sansibar freimachen (Stuhlmann a. a. O. S. 870).

Letzten Endes waren es geographische Ursachen, welche mit der Gründung einer neuen kulturellen Basis nach europäischem Schnitt eine Verschiebung der Handelswege und Stapelplätze zur Folge hatte. Der arabisch-indische Dhauverkehr benutzt mit Vorteil offene, weithin bei Ebbe trocken fallende, seichte Reeden, auf denen die Segelschiffe während der Ebbe trockenen Fußes gelöscht werden. Solche Reeden besitzen Sansibar wie Pangani, Sadani und Bagamojo. Ja, es ist bezeichnend, daß von den beiden der Küste vorgelagerten Inseln nicht das für den Plantagenbetrieb günstigere und mehrere gute und tiefe Hafenbuchten besitzende Pemba, sondern das einen geschützten Hafen entbehrende Sansibar sich unter der indisch-arabischen Handelsherrsckaft zu der großen Bedeutung entwickelte. Der europäische Dampferverkehr bevorzugte demgegenüber natürlich von vornherein geschützte Buchten mit tiefem Ankergrund, deren es an der deutsch-ostafrikanischen Küste in genügender Zahl gibt. So verschob sich von selbst allmählich, aber stetig die Bedeutung der einzelnen Plätze als Verkehrshäfen an der Küste.

Der überseeische Personen- und Güterverkehr mit der deutschostafrikanischen Kolonie liegt noch immer fast allein der Deutschen Ost-Afrikalinie ob. Sie entsendet monatlich zwei Reichspostdampfer nach den Haupthäfen der Kolonie, wogegen die kleineren Häfen alle drei Wochen durch die Anschlußlinie mit kleinen Dampfern besucht werden. Auch die Dampfer der Bombay-Linie derselben Gesellschaft laufen regelmäßig die Häfen des Schutzgebietes an. Trotz wiederholter Versuche anderer europäischer Dampferlinien, die in den letzten Jahren noch wieder durch die englische Union-Castle-Linie und die italienische Società Nazionale di Servizi Marittimi unternommen wurden, einen Teil des überseeischen Verkehrs Deutschostafrikas an sich zu reißen, hat es die Ostafrikalinie doch fertig gebracht, den direkten Verkehr völlig zu monopolisieren. Nur vereinzelt haben die Dampfer der British India Steamship Navigation Co die Häfen des Schutzgebietes angelaufen, ebenso auch früher die Schiffe der Bombay und Persia Steamship

2I2

Navigation Co Ltd. Gelegentlich kommen auch Dampfer mit indischem Reis oder solche mit Petroleum oder Kohle, sowie Segler mit Holz, alle im Auftrage indischer oder europäischer Großfirmen nach Deutsch-Ostafrika. Für den Güter- und Personenverkehr von und nach Sansibar kommen außer der deutschen Linie die englische genannte Britisch India Steam Navigation Company und die französische Compagnie des Messageries Maritimes in Betracht. Die Insel Pemba wird noch von keiner Linie regelmäßig angelaufen; Mafia dagegen wird von den zwischen Mombasa und Mikindani an der Küste verkehrenden drei kleinen deutschen Gouvernementsdampfern berührt (die auch die Postanschlüsse zu den englischen und französischen Dampfern in Sansibar vermitteln). Diese teilen sich mit den Schiffen der Bombay-Linie und der Küstenlinie der Deutschen Ostafrikalinie in den Küstendienst des Schutzgebietes. Sie laufen auf ihrer Nordtour monatlich einmal Daressalam, Bagamojo, Sansibar, Sadani, Pangani und auf der Südtour Daressalam, Salale, Kilindoni, Kilwa, Lindi, Mikindani an. Die betreffenden Schiffe der Ostafrikalinie kommen, und zwar die der Bombaylinie monatlich ein bis zweimal nach Mombasa, Tanga, Sansibar, Daressalam, Kilwa, Lindi, Mikindani usw. und die der Küstenlinie monatlich zweimal nach Daressalam, Bagamojo, Salale, Kilindoni, Kilwa, Ruvubucht, Lindi, Mikindani.

Der Gesamt-Schiffsverkehr der Seehäfen Deutsch-Ostafrikas seit 1909 ist aus der (S. 215) folgenden dem Handbuch für Ostafrika entnommenen Übersicht zu ersehen.

Recht lebhaft ist an der ostafrikanischen Küste noch immer der Dhau-verkehr, und zwar sind diese indisch-arabischen Segler nicht nur an der Küstenschiffahrt, sondern auch an der überseeischen beteiligt. Sie kommen und gehen in großer Zahl mit den Monsunen: aus Bombay, Cutch, Maskat, Hadramaut, von der Somaliküste, von Madagaskar, den Comoren usw. (Denkschrift 1911/12. S. 42). Es sind hauptsächlich Massengüter, wie Salz, getrocknete Fische, Petroleum, Reis, die auf Dhaus nach Deutsch-Ostafrika gelangen. Die zurückkehrenden Dhaus nehmen vorwiegend Holzladung mit. Der Gesamt-Dhauverkehr in Deutsch-Ostafrika in den letzten 5 Jahren ist aus der (S. 216) folgenden Zusammenstellung zu ersehen (aus Handbuch für Deutsch-Ostafrika).

Das Monopol der Deutsch-Ostafrika-Linie hat manche Mißlichkeiten gezeitigt, die eine deutsche Konkurrenzlinie erwünscht erscheinen lassen. Ihre Frachtsätze sind viel zu hoch, als daß so wichtige Massenprodukte wie Mais, Reis und andere, die in Deutsch-Ostafrika in großen Mengen produziert werden und noch mehr produziert werden könnten, vorläufig nach Deutschland gebracht werden.

213

247

Die Dampfer der Ostafrikalinie besorgen auch als Reichspostdampfer (in jeder Richtung) zweimal monatlich die Postverbindung mit Europa; ferner wird eine Postverbindung des Schutzgebietes mit dem Mutterlande hergestellt durch die monatlich einmal Sansibar anlaufenden französischen und durch die seit Anfang 1914 ebenfalls alle 14 Tage dort eintreffenden englischen Schiffe. Die Gouvernementsdampfer stellen monatlich einmal eine Verbindung sämtlicher Postanstalten an der Küste her. Dann werden die Küstenplätze z. T. auch von den Dampfern der Küstenlinie und Bombaylinie der deutschen Ostafrikalinie angelaufen. Außerdem bestehen Bootenposten zwischen folgenden Küstenplätzen: Daressalam und Bagamojo, Bagamojo und Sadani, Tanga und Pangani, Daressalam und Mohoro, Mohoro und Kilwa, Lindi und Mikindani.[1]

Was die Flußschiffahrt anlangt, so hat auch sie bereits einige Bedeutung für das Küstengebiet erlangt. Der Pangani ist auf seinem Unterlauf bis zu den großen Fällen, mit denen er aus dem Gebirge heraustritt, mit Dampfern befahrbar. Der Wami ist nur einige km von der Mündung aufwärts schiffbar. Der Ruvu ist durch die Vorlagerung von Sandbänken vor seiner Mündung von der See aus für größere Schiffe nicht zu erreichen; auf dem Unterlauf selbst hat zuerst 1913 ein Schiffsverkehr stattgefunden, der möglicherweise einer weiteren Entwicklung fähig ist. Wichtiger ist bis jetzt nur der Rufiji, die beste Wasserstraße der Kolonie. Seit 1899 fährt auf seinem Unterlauf ein Heckraddampfer. Er genügt jedoch den Ansprüchen längst nicht mehr, und es liegt ein Projekt zum Ausbau der etwa 200 km langen Strecke von der See bis zu den Panganischnellen zu einer leistungsfähigen Schiffahrtstraße vor, dessen Verwirklichung von großer Bedeutung für den mittleren Teil unseres Küstengebietes, besonders für das wirtschaftlich wertvolle Rufijidelta sein würde.[2]

Die durch die zahlreichen Tierseuchen fast unmögliche Verwertung von Zugtieren in größerem Umfange in der Kolonie läßt die Anlage eines komplizierten Straßennetzes daselbst fast wertlos erscheinen. Umso größer ist aber dagegen die Bedeutung von Eisenbahnen im Schutzgebiete; sie sind erst imstande, große, wertvolle und produktionsfähige Gebiete desselben dem Weltmarkte zu eröffnen. Bis zum Bau einer Küstenbahn wird es wohl noch gute Weile haben, da vorderhand die regelmäßigen Dampferverbindungen dem Handelsverkehr zwischen den

---

[1] An das internationale Telegraphennetz ist die deutsch-ostafrikanische Küste durch das Kabel Daressalam-Bagamojo-Sansibar angeschlossen. Funkstationen befinden sich im Bereiche des behandelten Gebietes in Daressalam, auf Sansibar und auf Pemba.

[2] Schmick: Entwicklung der Schiffahrt in unseren Kolonien im allgemeinen. Verhandlungen der Kolonial-Technischen Kommission des Kolonialwirtschaftlichen Komitees. 1913 Nr. 1, S. 36/37 und 50.

214

Der Gesamt-Schiffsverkehr der Seehäfen Deutsch-Ostafrikas seit 1909 (aus dem Handbuch für Ostafrika).

	Dampfer				Segelschiffe		Gouvernements-Fahrzeuge		Gesamtzahl	
	unter deutscher Flagge		unter nichtdeutscher Flagge							
1	Ein-laufend	Register-Tonnen	Ein-laufend	Register-Tonnen	Ein-laufend	Register-Tonnen	Ein-laufend	Register-Tonnen	Ein-laufend	Register-Tonnen
	2	3	4	5	6	7	8	9	10	11
1909	488	1 520 569	51	100 084	4	4524	421	126 862	964	1 752 059
darunter Daressalam	113	468 945	28	54 540	3	3415	88	18 405	232	545 305
» Tanga....	160	478 468	19	37 668	1	1109	30	10 410	210	527 655
1910	528	1 575 120	71	518 425	2	2296	332	104 760	953	2 000 000
darunter Daressalam	142	570 905	42	185 194	1	1043	71	14 415	256	771 557
» Tanga....	151	456 009	27	129 909	1	1253	28	10 240	207	597 411
1911	520	1 651 441	29	57 346	4	5903	344	108 330	897	1 801 020
darunter Daressalam	126	551 691	21	17 189	2	1857	—	15 990	149	586 707
» Tanga....	162	501 738	8	20 157	2	2066	35	10 085	207	534 046
1912	558	1 771 997	28	39 110	5	5121	443	97 515	1034	1 913 743
darunter Daressalam	157	615 145	24	28 168	5	2995	105	15 455	267	659 761
» Tanga....	182	590 286	4	10 942	2	2128	48	10 300	236	613 656
1913	560	1 955 116	13	23 651	3	5392	578	114 855	954	2 090 974
darunter Daressalam	142	695 243	11	20 029	1	1153	82	29 010	256	745 415
» Tanga....	195	695 000	2	3 602	2	2259	30	6 755	229	707 616

215

Dhauverkehr in Deutsch-Ostafrika.

Im Jahre	Dhaus unter deutscher Flagge				Dhaus unter englischer Flagge				Dhaus unter französischer Flagge				Dhaus unter Sultans-Flagge				Dhaus unter verschiedenen anderen Flaggen				Im ganzen			
	Ausland		Inland		Ausland		Inland		Ausland		Inland		Ausland		Inland		Ausland		Inland		Ausland		Inland	
	Zahl	Raum-inhalt	Zahl	Raum-inhalt	Zahl	Raum-inhalt	Zahl	Raum-inhalt	Zahl	Raum-inhalt	Zahl	Raum-inhalt	Zahl	Raum-inhalt	Zahl	Raum-inhalt	Zahl	Raum-inhalt	Zahl	Raum-inhalt	Zahl	Raum-inhalt	Zahl	Raum-inhalt
1909 einlaufend	968	23811	2145	29351	448	11685	2386	62319	19	372	6	130	81	2150	30	619	162	7850	125	1515	1678	46206	2542	4121
auslaufend	951	23151	2094	30151	440	11228	2426	62626	20	810	7	189	76	2218	30	524	175	8213	108	3749	1645	46000	2481	4088
1910 einlaufend	1002	24150	2026	30596	497	12129	2887	7858	4	353	2	174	77	2445	21	446	135	6247	85	2414	1775	45522	2420	4146
auslaufend	1059	23478	2019	30982	480	12424	2757	7568	4	353	2	174	72	2224	25	523	126	6060	76	2317	1721	44649	2597	4157
1911 einlaufend	934	19854	1885	28000	57	10024	2417	7270	16	1199	3	245	150	4295	67	2138	133	6771	73	2175	1587	42123	2267	5982
auslaufend	929	19929	1829	27982	585	10185	2537	7501	17	1314	2	130	154	4754	70	2017	128	6566	76	2264	1591	42746	2209	5669
1912 einlaufend	658	14105	2011	30877	266	6971	2366	6784	11	872	9	650	74	2597	22	814	165	5708	74	2511	1105	30523	2552	4145
auslaufend	614	13680	1989	30056	268	7061	2266	6656	15	1002	7	520	77	2677	21	651	113	5456	77	2467	1085	29876	2520	4055
1913 einlaufend	678	16292	1715	30640	201	5569	1965	5278	7	545	8	595	56	1877	17	445	91	4019	87	2507	1036	28100	2025	5926
auslaufend	681	15817	1632	30605	200	5649	1965	5279	8	401	3	155	50	1709	14	576	86	3931	86	2515	1025	27507	1931	5892

216

größeren Plätzen vollauf genügen, während die kleineren durch den Dhauverkehr bedient werden. Sollte jedoch die Bahn einmal gebaut werden, und der natürliche Gang der Dinge wird ganz von selbst dahinführen, so würde ihr der Weg zunächst durch die von Tanga bis nach Mikindani an der Küste entlang gehende Telegraphenlinie vorgezeichnet sein. Dieser Telegraph verläuft auf weite Erstreckung über der ebenen Küstenterrasse, welche einem Bahnbau die denkbar geringsten technischen Schwierigkeiten bieten würde. Dennoch wäre es aber vielleicht richtiger, eine Bahntrace nicht durch das relativ dünn bevölkerte Buschsteppenland dieser Terrassenstufe, sondern durch das menschenreichere und kulturell weit wertvollere Hügelland der Mikindanischichten zu legen und dabei die kleineren Küstenplätze nach wie vor dem Schiffs (Dhau-) Verkehr zu überlassen. Letzteres würde umso eher möglich sein, da die meisten dieser Küstenplätze sofort erheblich an Bedeutung verlieren würden, sobald das Hügelland, dessen Produkten sie vorwiegend als Ausfuhrplätze dienen, selbst mit der Bahn an eine Verkehrslinie angeschlossen würde.

Vorderhand müssen die Küstenplätze den Vorteil wahrnehme, den die Binnenlandbahnen ihnen als Ausgangshäfen gewähren. (Siehe Karte: Verbreitung einiger wichtiger Kulturformen). Die von Tanga ausgehende Nordbahn (Usambarabahn) ist vornehmlich Erschließungsbahn der Pflanzungs- und Siedelungsgebiete des Usambara- wie Kilimandjaro-Merugebirges und für die Zukunft auch des weiteren Hinterlandes (Massaihochland), und als solche hat sie einen wesentlichen Einfluß auf die Entwicklung der Ausgangsstadt und auf deren Handel gehabt.

Februar 1912 wurde die Nordbahn bis Moschi am Kilimandjaro fertiggestellt; die Güter des Kilimandjaro- und Merugebietes können damit nunmehr direkt zur deutschen Küste rollen, statt wie bisher der teureren Beförderung auf der englischen Ugandabahn über Voi zu unterliegen. Entsprechend dem gesteigerten Güterverkehr mußten die Bahnhofsbauten in Tanga neuerdings erweitert und eine neue Laderampe hergestellt werden.

Wird die Bahn einmal den Viktoriasee erreicht haben, wozu der natürliche Gang der Dinge ganz von selbst führen wird, und sich in der Konkurrenz mit der Ugandabahn siegreich behauptet haben, dann wird die Stadt Tanga ohne Zweifel einem gewaltigen Aufschwung entgegengehen.

Noch mehr gilt dies für die Zentralbahn (Mittellandbahn, Tanganjikabahn), die den Haupthafen der Kolonie, Dar es salam mit dem wichtigen Handelszentrum des Binnenlandes, Tabora, verbindet und weiterhin nach Kigoma bei dem alten Udjidji am Tanganjikasee führt. Sie ist berufen, die Eingeborenenproduktion in dem dichtbevölkerten Gebiete von Unjamwesi-Ussukuma wesentlich zu erhöhen und wichtigen Massen-

217

produkten eine Absatzmöglichkeit zu geben. Die Zentralbahn wird nach ihrer jetzigen Vollendung den gesamten Ausfuhrhandel des zentralen Tafellandes wie den Nordwesten Deutsch-Ostafrikas, der jetzt nach der englischen Ugandabahn gerichtet ist, wieder der deutschen Küste zuwenden. Sie wird, da sie in gleichem Maße auch den Import europäischer Waren fördert, den Gesamthandel an der Küste um ein Wesentliches steigern. Sie wird endlich auch die Plantagenwirtschaft im Küstengebiete durch Zufuhr von Arbeitskräften aus dem dichter bevölkerten Innern zu fördern imstande sein. Schon jetzt macht sich eine entsprechende Wirkung der Zentralbahn bemerkbar, indem zum Beispiel, wie der amtliche Bericht angibt, die Bezirke M a h e n g e und I r i n g a, die früher zum Handelsgebiet von Bagamojo gehörten, nur noch nach Daressalam exportieren;[1] und durch Herabsetzung der Frachtsätze für gewisse Güter ist es bereits in mäßigem Umfange gelungen, Frachten, die bisher der U g a n d a b a h n über M u a n s a zuflossen, der Mittellandbahn zuzuführen (Denkschrift 1911/12. S. 40).

Der im Februar 1905 in D a r e s s a l a m begonnene Bahnbau führte Dezember 1907 zur Eröffnung der ersten Teilstrecke bis M o r o g o r o. Juli 1912 wurde die Strecke bis T a b o r a dem allgemeinen Verkehr übergeben und am 15. März 1914 konnte ein beschränkter öffentlicher Verkehr bis Kigoma aufgenommen werden.[2] Es verkehren gegenwärtig wöchentlich mehrere Züge in jeder Richtung auf der Tanganjikabahn. Außerdem findet noch ein Lokalverkehr zwischen Daressalam und Morogoro statt. Die ganze Strecke vom Indischen Ozean bis zum Tanganjikagestade hat eine Länge von 1252 km und wird nach dem jetzigen Fahrplan in knapp 2¹/2 Tagen durchlaufen.

Vor allem aber hat naturgemäß die Ausgangsstadt der Bahn, D a r e s - s a l a m, seit Beginn des Baues, Anfang 1905, bereits einen erheblichen Aufschwung genommen; und schon beginnt die Hauptstadt unserer Kolonie der alten ostafrikanischen Handelsmetropole Sansibar als Stapelplatz und Umschlagshafen für viele Güter den Rang abzulaufen (Meyer: Kolonial-reich S. 108). Die Bahn selbst hatte bereits nach Fertigstellung der Strecke Daressalam – Morogoro im ersten halben Betriebsjahr Juli bis Dezember 1908 einen Betriebsüberschuß von 12010 Mark (Einnahme 322364 Mark und Ausgaben 310354 Mark) zu verzeichnen.

Auch im Berichtsjahre 1911/12 hat wieder die Beförderung wichtiger

---

[1] Amtliche Jahresberichte über die deutschen Schutzgebiete. 1910/11. S. 39.

[2] Am 1. Juli 1914 wurde die Endstrecke der Bahn M a l a g a r a s s i – K i g o m a a. Tanganikasee abgenommen und der ostafrikanischen Eisenbahngesellschaft zum Betrieb übergeben (Deutsches Kolonialblatt, 25. Jahrgang, 1914, S. 659).

218

Artikel durch die Bahn eine beträchtliche Steigerung erfahren. Es wurden verfrachtet Wachs 151 Tonnen, gegen 58 Tonnen des Vorjahres, Elfenbein 29 Tonnen, gegen 15, Kautschuk 143 Tonnen gegen 76 und Häute 289 Tonnen gegen 135 Tonnen des Vorjahres.

Schon wiederholt ist der Vorschlag einer »S ü d b a h n« nach dem Nyassa-see gemacht worden.[1] Von Stuhlmann[2] wird aber demgegenüber betont, daß eine solche wesentlich dem Transitverkehr dienen und dem englischen Rhodesia zugute kommen würde, da sie in unserer Kolonie durch weite Gebiete führe, die der Natur und Bevölkerung nach wenig Aussicht haben, zu selbst produzierenden Landschaften zu werden. In ähnlicher Weise zieht ja heute die deutsche Kolonie große Vorteile aus der englischen Ugandabahn.

Nach H a n s M e y e r würde jedoch eine Südbahn der Kolonie selbst und nicht zum mindesten dem südlichen Küstenlande ganz erhebliche Vorteile bieten. Die von ihm vorgeschlagene Linie K i l w a - D o n d e - W i e d h a f e n würde mit nur 670 km Länge die kürzeste und technisch am wenigsten schwierige zwischen der Meeresküste Ostafrikas und dem besten Hafen des deutschen N y a s s a s e e s werden. Diese Linie würde nur bei dem letzten kurzen Abstieg zum See erheblichere Terrainschwierigkeiten zu überwinden haben. Eine solche das südliche Küstenland mit U n g o n i und weiter durch das R u h u h u t a l mit dem Nyassa verbindende Südbahn würde wirtschaftlich mehr brauchbares Land, in den K i t u r i k a b e r g e n mit der M a w u d j i - N i e d e r u n g, in D o n d e und Nieder-U n g o n i, erschließen als irgend eine andere hier in Betracht kommende Linie, von denen auch keine so günstige Steigungsverhältnisse aufweisen würde. Diese Strecke würde als die kürzeste und daher am schnellsten und billigsten zu erbauende und die geringsten Betriebskosten erheischende unbedingt den weitaus größten Teil des Verkehrs mit dem Nyassa und dem oberen K o n g o zugunsten Deutsch-Ostafrikas und auf Kosten der älteren, längeren Bahn- und Wasserwege (Sambesi-Schire, Katangabahn, Kongolinie usw.) an sich reißen, von ihrer eminenten strategischen Bedeutung für die Beherrschung des Nyassagebietes ganz abgesehen (Hans Meyer: Kolonialreich, S. 142, 374, 405).

Vor allem aber würde die Bahn auch dem südlichen Küstenlande, das durch die schweren Aufstände in seiner wirtschaftlichen Entwickelnng so sehr gelitten hat, eine energische Aufwärtsbewegung in Produktion und Handel ermöglichen, wie sie der Norden und die Mitte der Küste bereits durch die Nord- und die Mittellandbahn gezeitigt haben.

[1] H a n s M e y e r : Das deutsche Kolonialreich. Band I S. 114 u. a.
[2] S t u h l m a n n : Zur Kulturgeschichte, S. 871.

219

Als bester Ausgangshafen für die Südbahn kommt wohl nur der schon von den Schirazi vor mehr als neun Jahrhunderten in seinen großen Vorzügen erkannte Hafen von Kilwa-Kisiwani in Betracht, der der offenen Reede von Kilwa-Kiwindje gegenüber die Vorzüge einer breiten, von den größten Schiffen passierbaren Einfahrtsrinne und eines tiefen, geschützten Ankergrundes gewährt. Ähnlich dem gegenüber der Mombassa-Insel gelegenen Ausgangspunkt der Ugandabahn würde auch hier die Ausgangsstation der Südbahn der auf der Kilwa-Insel in vorteilhafter Lage erbauten Stadt gegenüber auf dem Festlande sein müssen.

Ferner wird von Lindi aus eine 40–50 km lange Bahn ins unmittelbare Hinterland geführt zur Ermöglichung des Transports der Baumwolle und anderer Produkte von den im Lukuleditale angelegten Plantagen. Das kolonialwirtschaftliche Komitee hat zum beschleunigten Bau dieser Baumwollfeldbahn dem kaiserlichen Gouvernement die Summe von 50000 Mark überwiesen. Ende 1913 waren die Arbeiten an der Landungsstelle in Mingoyo beendet, und inzwischen ist bereits eine größere Strecke dieser Kleinbahn befahrbar. Die Bahn kommt neben den Europäer-Plantagen auch der Regierungs-Baumwollstation Mahiva zu gut.[1]

IV. Arbeiter- und Rassenfrage.

Es ist aus den wenigen vorhin gegebenen vergleichenden Zusammenstellungen über den Handel unseres Gebietes ersichtlich, daß die wirtschaftlichen Verhältnisse in erfreulicher Aufwärtsbewegung begriffen sind. Dieser Aufschwung ist ebenso sehr einem Mehrexport an Produkten der Eingeborenenwirtschaft, wie der europäischen Plantagenunternehmungen zu danken. Und es ist auch für die Zukunft zu hoffen, daß diese beiden Zweige der Landesproduktion sich ergänzend nebeneinander weiterentwickeln mögen und daß dabei beiden in gleicher Weise von seiten der maßgebenden behördlichen und anderweiten Körperschaften Berücksichtigung und Schutz zuteil wird. Es ist dabei zwar nicht zu verkennen, daß mit der Ausbreitung und Vergrößerung der Eingeborenenkulturen den europäischen Pflanzungen der Bezug billiger Arbeitskräfte noch mehr als bisher schon erschwert wird. Schon heute ist die Lage der Pflanzungsunternehmungen vielfach infolge Arbeitermangels äußerst schwierig.[2] Dabei genügt heute schon das Angebot der arbeitslustigen Eingeborenen

[1] Verhandlungen der Baumwollbau-Kommission des kolonialwirtschaftlichen Komitees, 1913 Nr. 1, S. 8. Deutsches Kolonialblatt, 25, 1914, S. 109/110.

[2] Lange, C. J.: Die Arbeiterfrage in den Kolonien. Deutsch-Ostafrika. Verhandlungen des Vorstandes des kolonialwirtschaftlichen Komitees. 1912. Nr. 1. S. 6ff. Betreffs der Arbeiterfrage siehe auch Verhandlungen des kolonialwirtschaftlichen Komitees, 1912, Nr. 1.

220

der Nachfrage vielfach nicht mehr.[1] Es fehlt nicht an Befürchtungen, daß eine große Zahl von Plantagenunternehmungen mangels Arbeiter unrentabel werden und damit Millionen von in Pflanzungen investiertem Kapital verloren gehen könnten, wenn nicht durch bald und sicher wirkende Maßnahmen Abhilfe geschaffen wird. Ein Rückgang der Plantagenwirtschaft wäre aber auch deshalb schon zu bedauern, weil in derselben ein großer Kulturträger liegt, der belehrend und fördernd auf die Eingeborenen und ihre Arbeit einwirkt und in wirtschaftlicher Hinsicht durch Geldumsatz und Werterzeugung ein erster Faktor für die Kolonie ist.[2] Während für den Neger der Grund und Boden erst durch die Rodung und Bearbeitung zum Besitztum wird, das mit der Brachlegung wieder verloren geht, wird das an sich wertlose Land durch die europäischen Plantagenanlagen erst zu einem dauernden Wertbegriff.[3]

Die große Ausdehnung, welche die Plantagenwirtschaft im Laufe der Jahre genommen hat, ging schneller vor sich als die normale Zufuhr von Arbeitskräften. Dazu kommt die Anhäufung von Pflanzungen in gewissen bevorzugten Gebieten, die die Arbeiterbeschaffung besonders schwierig machte. In gewisser Beziehung gehören dazu heute nach der günstigen Entwickelung der Sisal- und Maniok-Kautschuk-Plantagen auch große Gebiete des Küstenlandes; dies besonders, da gerade die Küstenbevölkerung selbst als Pflanzungsarbeiter meist kaum in Betracht kommt, und reichlich auf andere Weise als durch regelmäßige Arbeit ihren Unterhalt zu erwerben Gelegenheit hat. Der derart von Jahr zu Jahr sich steigernde Arbeiterbedarf wird von Lange (a. a. O. S. 9) auf 50000 Köpfe für die Plantagenwirtschaft und etwa 15000 für die Eisenbahnbauten geschätzt. Demgegenüber gibt die Denkschrift über Deutsch-Ostafrika für 1911/12 gar 80290 Arbeiter an gegen 58871 des Vorjahres, wovon 57526 Plantagenarbeiter sind. Die größte Zunahme an Arbeitern wies im Berichtsjahre der Bezirk Tanga auf mit 26616 gegen 16647 im Jahre zuvor. Hinzu kommen noch 16400 Arbeiter, die beim Weiterbau der beiden Bahnstrecken und 4355, die im Betriebe der Mittelland- und Nordbahn beschäftigt sind. Mit den erhöhten Anforderungen, die an den Arbeitsmarkt gestellt werden, hat sich jedoch auch die Zahl der Arbeiter erheblich vermehrt, und eine wirkliche Arbeiternot existiert eigentlich nur in den plantagenreichen und dabei dünn bevölkerten Bezirken Tanga und Wilhelmstal (Denkschrift 1911/12, S. 12/13), während die Arbeiterverhältnisse z. B. in den Küsten-

---

[1] Hupfeld: Stand der Pflanzungen in Deutsch-Ostafrika und Togo. Jahrbuch der deutschen landwirtschaftlichen Gesellschaft. Band 26, 1911, S. 180.
[2] C. J. Lange: a. a. O. S. 12.
[3] Hans Meyer: a. a. O. S. 397.

221

bezirken Bagamojo, Daressalam und Rufiji günstiger, in Lindi sogar gute waren.

Die größere Arbeitszufuhr ist wohl im Wesentlichen den im Jahre 1908 zum Schutze der Arbeiter getroffenen gesetzgeberischen Maßnahmen zu verdanken.[1] Für den Neger kommen als Anreiz zur Arbeit zunächst nicht so sehr hohe Löhne als eine gute Versorgung mit Unterkunft und Nahrung, nicht übermäßige Anforderungen und verständnisvolles Eingehen auf die vielen kleinen persönlichen Anliegen in Betracht. Arbeitgeber, die für saubere, gegen die Witterung schützende Unterkunft, reichliches Wasser und den Gewohnheiten des betreffenden Negerstammes angepaßte Beköstigung sowie für menschliche Behandlung Sorge tragen, haben selten oder nie über Arbeitermangel zu klagen.

In Gebieten, wo die Zahl der von Europäern geführten Plantagen- und anderer Betriebe in einem gesunden Verhältnis steht zu der ortsangesessenen Eingeborenzahl, wie beispielsweise in Lindi, rekrutiert sich der größte Teil der Arbeiter aus der Nachbarschaft. In den Nordbezirken übersteigt die Zahl der landfremden »Sachsengänger« seit langem die Zahl der einheimischen Arbeiter. Diese Wanderarbeiter werden zum Teil im Innern angeworben, teils aber kommen sie freiwillig zur Küste, vorwiegend aus U n j a m w e s i, ferner aus U n g o n i, U g o g o, I r a m b a usw. (Denkschrift 1910/11. S. 14 – 16).

Die große Nachfrage nach Arbeitern veranlaßte naturgemäß eine Menge von Leuten gewerbsmäßig aus dem Innern schwarze Arbeiter gegen ein Kopfgeld vonseiten der Arbeitsgeber zu beschaffen. Hierbei hat sich leider eine große Zahl ungeeigneter Elemente eingefunden, die die gesetzlichen Bestimmungen (Anwerbeordnung vom 27. Februar 1909) mißachteten und die sogenannte wilde Anwerberei erzeugten, die durch Mißgriffe, Übergriffe und Treibereien die Eingeborenen kopfscheu machten und dem ganzen System der Anwerbung schweren Schaden zufügten. Infolgedessen verzichten die Eingeborenen vielfach auf die Annahme des Reisegeldes und kommen freiwillig zur Küste zur Arbeit. Dadurch haben sie es auch mehr in der Hand, die Kontraktzeit nach ihrem Wunsche zu regeln. Denn durch eine zu große Kontraktdauer behält der Arbeiter bei dem weiten Hin- und Rückmarsch von der Heimat zur Arbeitsstelle und zurück nicht genügend Zeit für die Bestellung seines Feldes zu Hause. Andererseits kommt es den Arbeitgebern, schon um geschultes Personal zu haben,

---

[1] Besondere Beamte (Distriktskommissare) haben gegebenenfalls für die Interessen der Arbeitnehmer einzutreten, andererseits aber auch den Kontraktbruch der letzteren zu bekämpfen. Dem bisher noch teilweise mangelhaften Zustande in der Arbeiterfürsorge wird die am 1. X. 1913 in Kraft getretene neue Arbeiterverordnung erfolgreich entgegenarbeiten.

222

– was besonders für die Kautschukplantagen, wo die Leute erst zum Zapfen angelernt werden müssen, in Betracht kommt – auf eine längere Kontraktdauer an.

Eine ausgiebige Benutzung der Eisenbahnen für den Transport der Arbeiter wird diesem Notstande abhelfen. Sie wird die sonst Monate verschlingende Reisezeit erheblich abkürzen und die Leute arbeitsfrisch und gesund, nicht wie bisher vielfach reisemüde und krank zur Arbeitsstelle schaffen. Allerdings setzt dieses System erschwingliche Beförderungskosten auf der Bahn, zumal für die freien, nicht in ihrer Heimat angeworbenen Arbeiter voraus.

Vielfach hatte man geglaubt, daß die durch die Eisenbahnen frei werdenden Karawanenträger[1] die für die Plantagenunternehmungen notwendigen Arbeitskräfte wesentlich vermehren würden. Dies ist aber bis jetzt nicht der Fall und wird es auch weiterhin bei Fortsetzung der Bahnlinien nicht sein, da die durch letztere erleichterten Absatzmöglichkeiten die Leute um so mehr bewegen wird, sich der Landesproduktion in ihrer Heimat zu widmen. Und dies ist auch gerade einer der großen Vorteile, die wir von dem Eisenbahnbau in der Kolonie erwarten. Und es wäre falsch und nicht im Interesse der Gesamtkolonie, wenn zur Förderung der europäischen Pflanzungen die Eingeborenenkulturen vernachläßigt und geschädigt würden. Nur in einer gleichmäßig fortschreitenden Entwickelung beiderlei Produktionszweige ist das Gedeihen der Kolonie begründet.

Wir müssen nach einem Mittel suchen, welches geeignet ist, in gleicher Weise der Plantagenwirtschaft dauernd die nötige Arbeiterzahl zuzufügen, wie auch zugleich dem Eingeborenen selbst einen Antrieb zu geben zur Vergrößerung und Vervollkommnung seiner Kulturen oder zu anderweitiger umfangreicherer erwerbsmäßiger Betätigung (Handel, Handwerk usw.) Denn nur wenige Eingeborenenstämme bringen es bisher in ihrer Produktion zu mehr, als ihre Weiber im Anbau der alt gewohnten Hackbaufrüchte erarbeiten, und nur selten werden nach guten Ernten Vorräte für kommende Zeiten angelegt, trotz der so häufigen Hungersnöte. Ohne Antrieb von außen werden sich die Volkskulturen nicht in dem Maße heben und nicht die Arten und Mengen von Produkten hervorbringen, die einer gedeihlichen Fortentwicklung der Kolonie dienlich wären (Hans Meyer a. a. O. S. 397).

Das von europäischen Pflanzern, Kaufleuten und Beamten ausgehende Beispiel wird in mancher Hinsicht ein Ansporn für den Eingeborenen zur

---

[1] 50 bis 80 000 nach Lange a. a. O.

223

Förderung seiner Kulturen sein: einmal direkt, indem letzterer das etwa als Arbeiter auf den Pflanzungen Gelernte in seinen eigenen kleinen Kulturen praktisch zu verwerten sucht; zweitens aber auch indirekt, indem er sich in der Berührung mit der kulturell höher stehenden Rasse neue Kulturbedürfnisse angewöhnt, zu deren Befriedigung er sich durch Arbeit in den Plantagen oder durch Förderung der eigenen Produktion die Mittel zu beschaffen sucht. Gerade an der Küste haben wir hierfür ein charakteristisches Beispiel in der Swahilikultur vor uns, das uns zugleich aber auch zeigt, daß wir auf diesem Wege in kurzer Zeit von dem Eingeborenen bei »dem Beharrungsvermögen seiner ostafrikanischen Negerträgheit«[1] nicht allzuviel zu erwarten haben.

Auch durch direkte Fürsorge für die Volksvermehrung könnte dem Arbeitermangel abgeholfen werden. Durch Erhaltung des Friedens im Lande, durch Besserung der sanitären Verhältnisse, durch Vermehrung der Siedelungsgelegenheit, durch Schaffung von Wasserplätzen, durch Hebung und Erleichterung des Verkehrs, durch Bahnbauten[2] und durch anderes mehr wird die Bevölkerungszahl sich vermehren und damit die Produktion in eigener Wirtschaft oder als Plantagenarbeiter teils unmittelbar und direkt, teils auch indirekt durch die verschärfte Konkurrenz zunehmen.

Am wirksamsten wird sich aber ein geringer allgemeiner, von den Behörden ausgehender Zwang erweisen, um den Eingeborenen über seine Bedürfnislosigkeit und seine Abneigung gegen geregelte, regelmäßige Arbeit[3] zum Nutzen der Weiterentwickelung der Kolonie hinwegzuhelfen. Ein solcher Zwang kann zunächst auch als ein indirekter durch die Konkurrenz einer starken Bevölkerung bewirkt werden. Der Zwang muß nach Hans Meyer[4] »auf Einschränkung der durch die jetzige Wirtschaftsmethode der Eingeborenen ungeheuer ausgedehnten Landnutzung, auf Begrenzung der Freizügigkeit (z. B. durch Paßvorschriften) und auf Vermehrung der Menschen .... (durch Bekämpfung der Seuchen, der Vielweiberei, der weitverbreiteten Abtreibung und enormen Kindersterblichkeit)« abzielen. Schnelleren Erfolg verspricht allerdings eine direkte K o p f s t e u e r, wie sie anstelle oder neben der weniger wirksamen Hüttensteuer in den Kolonien anderer europäischer Länder (Madagaskar, Südafrika) sich schon bewährt hat und welche jetzt auch in Deutsch-Ostafrika durch Verordnung des Gouverneurs vom 23. August 1912 eingeführt worden ist (Denkschrift 1912/13).

---

[1] Hans Meyer a. a. O. S. 596.
[2] Stuhlmann a. a. O. S. 875.
[3] Vielfach arbeiten die Plantagenarbeiter jetzt nur 3 bis 4 Tage in der Woche.
[4] A. a. o. S. 598.

224

Die Hüttensteuer hat zwar, wie Hans Meyer hervorhebt, einen günstigen Einfluß auf die Finanzen der Kolonie nicht vermissen lassen, aber eine Erziehung der Eingeborenen zur Arbeit hat sie nicht zu bewirken vermocht: einmal wegen des zu geringen Steuersatzes überhaupt, dann aber wegen der zu leichten Abwälzbarkeit dieser Steuer durch den Hüttenbesitzer auf die Mitbewohner, besonders auf die Frauen, die, schon ohnedem die meiste Arbeit leisten und nun dazu auch noch den Steuerbetrag zu erarbeiten haben. Schließlich führt die Hüttensteuer auch leicht zur Verminderung des Hüttenbaus und damit zur Verschlechterung der Wohngelegenheit.

Es ist klar, daß die durch die deutsche Schutzherrschaft in den vergangenen 20 Jahren bewirkte völlige Umgestaltung der Verhältnisse, die durch Aufhebung des Sklavenhandels und -raubes,[1] durch Unterwerfung des Räubervolkes der Massai u. a. allgemeine Ruhe und Sicherheit im Lande hergestellt hat und damit der alteingesessenen Kulturbevölkerung die größten Segnungen und die Möglichkeit einer gedeihlichen Fortentwickelung in materiell- und geistigkultureller Richtung hat zuteil werden lassen, auch vom rein menschlichen und moralischen Standpunkte aus der Regierung das Recht verleiht, den geforderten geringen Zwang auf die Eingeborenen auszuüben.

Selbstverständlich sollen wir sie dabei unter steter Berücksichtigung ihrer Eigenart schonen und in jeder Beziehung menschenwürdig behandeln. Wir sollen dem Eingeborenen helfen, zum Wohle der Kolonie seine eigene Wirtschaft auszubilden und zu vervollkommen, nicht aber mit Gewalt eine ihm neue, unter gänzlich fremden Bedingungen entstandene aufpfropfen wollen; »in seinem Kulturkreis wird er dann hoch kommen und Gutes leisten.«[2]

Wir müssen uns jederzeit erinnern, daß der Bantuneger, wie wir in dem kulturgeschichtlichen Abriß gesehen, in weit zurückliegender Zeit unter günstigeren klimatischen Verhältnissen (Pluvialzeit) sein ganzes Wirtschaftssystem ausgebildet und definitiv abgeschlossen hat, daß er später unter den durch die Konfiguration und Bodenbewachsung seines Heimatlandes bedingten zahlreichen Völkerverschiebungen sein halbnomadisches Wirtschaftssystem des Hackbaues mit Feldwechsel hat beibehalten müssen und eine an absolute Seßhaftigkeit gebundene höhere Stufe daher niemals erreicht hat, und daß er dann ferner in dieser »jahr-

[1] G. Hartmann: Die Arbeiterfrage in den Kolonien. Der Tropenpflanzer. 16. Jahrgang 1912 S. 285–308.

[2] Stuhlmann: A. a. O. S. 876.

15 Werth, Deutsch-Ostafrika. Band II.

225

tausendlangen Anpassung an die Landesnatur«[1] verharrend dem Jahrhunderte lang auf ihn einwirkenden höheren Rasseeinflüssen fast unberührt standgehalten hat. Der ostafrikanische Neger ist ein Produkt seines Landes und dessen Geschichte, und für seine Weiterentwickelung in der Zukunft sind uns durch seine Vergangenheit die Leitlinien vorgeschrieben.

Das gleiche gilt auch für die »geistige Erziehung« der Eingeborenen. Bei voller Anerkennung der nach dieser Richtung hin wirkenden hingebenden Arbeit der verschiedenen Missionen und der von dieser wie von amtlichen Instituten (Schulen) usw. erzielten Erfolge müssen wir uns doch bewußt sein, daß der schwarze Eingeborene Ostafrikas, wie wir aus seiner Geschichte wissen, sich mit seiner materiellen wie geistigen »Halbkultur« bisher siegreich gegen alle anderen Kultureinflüsse, ob höherer oder niederer Art, auf die Dauer durchgesetzt und behauptet hat.«[2] Auch der Islam des Küstennegers ist, wie wir gesehen haben, nicht in sein Inneres eingedrungen, sondern eine reine Äußerlichkeit geblieben. Angesichts dieser Tatsachen müssen wir uns bei unseren Bestrebungen um die geistige Hebung der Eingeborenen die Gefahr nicht verhehlen, daß wir ihm dadurch zu leicht den Glauben an eine Gleichstellung mit dem Europäer einimpfen können, der für die wirtschaftliche und politische Entwickelung unserer Kolonie sicher nicht von Nutzen sein wird. Nicht neben, sondern unter dem Deutsch-Europäer als der kulturell und sittlich überlegenen Herrenrasse wird der ostafrikanische Neger zu einem schätzenswerten wirtschaftlichen Faktor für die Kolonie zum Nutzen seiner selbst und des deutschen Mutterlandes sich heranbilden lassen, immer nach Maßgabe seiner uns in den großen Zügen wenigstens bekannten kulturellen Entwickelung. Eine Gleichstellung des schwarzen mit dem kolonisierenden Europäer würde erst dann, rein politisch, keine Gefahr mehr in sich bergen, wenn letztere nummerisch in Ostafrika den Eingeborenen gleich wären, woran jedoch bei den klimatischen Verhältnissen einer Tropenkolonie nie gedacht werden kann. Andernfalls führt die Gleichstellung zur Aufhebung und zu Aufständen, die in letzter Instanz, wie die Geschichte gezeigt, bei weitem am meisten der Negerbevölkerung selbst schaden.[3]

Für eine dichtere Besiedelung der Kolonie durch europäische Einwanderer kommen nur bestimmte Bergländer in Betracht, weshalb wir für unser Küstengebiet die ganze Frage der europäischen Besiedelung hier übergeben können. In solchen Gebieten wird natürlich auch das Verhältnis

---

[1] Hans Meyer: a. a. O. S. 596.
[2] G. Hartmann: a. a. O. S. 288
[3] Stuhlmann a. a. O.

226

des Europäers zum Schwarzen sich etwas verschieben. Hier wird z. B. auch der Europäer recht gut die Vermittlerstelle im Handel einnehmen können, die an der Küste heute fast noch ganz dem I n d e r als Zwischenhändler zufällt.

Im Küstengebiet bildet der Inder daher auch keine direkte Konkurrenz des Europäers oder vielmehr des Deutschen, denn die Südosteuropäer: Griechen, Rumänen u. a. sowie Syrer, betreiben ebenso wie die Inder an der Küste das Kleingeschäft. Dieses von den Negern als »europäische Wilde« markierte Proletariat zeigt indessen nur zu deutlich, daß das Ansehen des Europäers durch diese Art der Lebensführung in den tiefen, von Europäern stets dünn besiedelten Landstrichen, wie besonders an der Küste, schwer zu schädigen imstande ist. Wollen wir daher den Inder, der zwar als Kleinhändler, Handwerker, Verkehrsagent und Vermittler zwischen Eingeborenen und Europäer zunächst noch nicht zu entbehren ist, über dessen wenig segensreiche Tätigkeit in der Kolonie aber wohl nur e i n e Meinung existiert, eine wirksame Konkurrenz schaffen, die seinen betrügerischen Geschäftspraktiken und seiner Bewucherung der Eingeborenen einen wirksamen Riegel vorzuschieben imstande ist, so müssen wir auch hierzu den schwarzen Eingeborenen selbst heranziehen. Dieser besitzt Handelstalent und -Befähigung genug, die gegen weitere Ausbildung und Vervollkommnung sich vielleicht weniger sträuben werden als sein der Bodenbewirtschaftung abholder Sinn gegen die Heranziehung zum Plantagenarbeiter. In dem Bestreben des Küstennegers, dem Inder den Kleinhandel zu entreißen, müßte er die volle Unterstützung der Landesregierung finden. Die besonders im Küstengebiet in den letzten Jahren ungeheuer an Zahl gewachsenen Inder, die mehr oder weniger alle zu den indischen Großfirmen im britischen Sansibar im geschäftlichen Abhängigkeitsverhältnis stehen und darum um so gefährlichere, auch in ihrem politischen Einfluß − wie die verschiedenen Aufstände an der Küste gezeigt haben − nicht zu unterschätzende Faktoren in unserer Kolonie sind, sollten mit allen gesetzlichen Mitteln an ihrer weiteren Ausbreitung behindert werden. Einschränkung der Zuwanderung des indischen Händlers durch hohe Gewerbesteuer und scharfe Geschäftskontrolle wird es den schwarzen Küstenleuten ermöglichen, allmählich den Kleinhandel in immer größerem Umfange an sich zu reißen, und es würde dadurch zugleich der Vorherrschaft des indischen Großhandels zugunsten der deutschen Kaufleute Abbruch getan.[1] Wir dürfen hoffen, daß es auf diesem Wege möglich sein wird, das indische Schmarotzertum in absehbarer Zeit mehr und mehr

---

[1] Hans Meyer: a. a. O. S. 402.

15*

aus dem Schutzgebiete zu entfernen und damit die Früchte unserer Kolonisationsbestrebungen allein dem deutschen Elemente wie der Eingeborenenbevölkerung zu reservieren. Deutsch-Ostafrika den Deutschen und den Ostafrikanern, d. h. den seit der Urzeit eingesessenen Negervölkern!

228

BEGLEITWORTE ZU DEN KARTEN.

Als topographische Grundlage der beiliegenden Karten dienten:
Die Küstenblätter der Karte von Deutsch-Ostafrika in 1:300000 von
P. Sprigade und M. Moisel;

die Blätter 6 und 9 der Karte von Deutsch-Ostafrika in 9 Blättern (Großer
Deutscher Kolonialatlas, Nr. 21) in 1:1000000, herausgegeben vom Reichs-
Kolonialamt;

die Karten von Mafia (1:150000), Sansibar (1:200000) und Pemba
(1:320000) in O. Baumann: Der Sansibar-Archipel;

die Karte von Sansibar in E. Werth: Die Vegetation der Insel Sansibar
(1:300000);

die Map of Zanzibar Island from Imam Sherif Khan Bahadur (London
1904) in 10 Blättern (1:31680);

die Karte von Pemba in Bornhardt: Zur Geologie und Oberflächengestaltung Deutsch-Ostafrikas;

schließlich die betreffenden Deutschen Admiralitätskarten.

Für die nähere Umgebung von Daressalam bot die Karte der Umgebung von D. vom Vermessungsbüro Daressalam (1913) in 1:25000
einige Ergänzungen. Weitere wurden (in Usaramo) nach eigenen noch
unveröffentlichten Routenaufnahmen hinzugefügt; sie treten aber bei
dem kleinen Maßstabe der Karte nicht besonders hervor. Der südliche
Küstenstrich – vom Matandu bis Kap Delgado – konnte schließlich noch
nach der Morphologischen Karte des südlichen Küstenlandes von Deutsch-
Ostafrika von E. Hennig und H. v. Staff in 1:300000 (Berlin 1912) sowie
die Tanga-Küste – vom Umba bis zum Pangani – nach der Karte von
Usambara und Küstengebiet in 4 Blättern, 1:100000, herausgegeben vom
Kaiserl. Gouvernement (Berlin 1912), umgearbeitet werden.

Wenn die ganze Fülle der topographischen Einzelheiten, soweit sie im
Text des vorliegenden Werkes erwähnt wird, auf den beigegebenen Karten
nicht eingetragen ist, so geschah es vom Verfasser in der Absicht, das
geologisch-morphologische bezw. pflanzengeographische Bild möglichst
klar hervortreten zu lassen. Für manche Einzelheiten wird der Leser auf
die genannten Kartenwerke zurückgreifen müssen.

Die »geologisch-morphologische Übersichtskarte« stellt keine geologische Karte auf orographischer Grundlage dar. Sie faßt vielmehr die

229

geologischen Formationen als formbildende Faktoren auf. Es ergibt sich so ein quartäres Stufenland, das von älteren Bildungen (Tertiär, Jura-Kreide, Karoo, Urgneis) als »Inselbergen« durch- und überragt, von marinen Alluvionen umsäumt wird und in welches rezente Flußtäler sich einsenken. Dieses Stufenland zerfällt wiederum in die älteren Mikindani-schotter (und gleichalten Landoberflächen) und die jüngeren Terrassen-bildungen. Wegen der großen morphologischen Bedeutung sind die aus Korallenkalken aufgebauten oder in solchen ausgearbeiteten Terrassen-bildungen noch durch besondere Farbe ausgeschieden. Daß derart die Karte sich nicht mit einer geologischen Karte desselben Gebietes decken kann, ist verständlich. Daß sie gegenüber einer solchen schematisierend viel Theoretisches und Unsicheres darzustellen gezwungen ist, mag ihr in gewisser Beziehung zum Nachteil gereichen, dürfte aber das Verständnis der betreffenden Textabschnitte, zu denen die Karte als Ergänzung gedacht ist, nicht unwesentlich erleichtern. Die für die Karte benutzte geologische Literatur ergibt sich aus den Literaturangaben des ersten Kapitels des 1. Bandes.

Die »Vegetations- und Bodenkarte« soll vor allem den Einfluß der Bodenunterlage auf die Vegetationsgliederung innerhalb eines klimatisch relativ einheitlichen Gebietes widerspiegeln. Die in dieser Hinsicht vom Verfasser auf Grund eingehenderer Untersuchungen auf Sansibar und in Usaramo gewonnene Auffassung wurde an Hand der Literatur und mit Benutzung zahlreicher auf den Routenkarten enthaltener Angaben über die Bodenbewachsung – selbstverständlich auch hier vielfach schematisierend – für das ganze behandelte Gebiet in die Form einer Karte zu bringen versucht. Auch diese Karte enthält zweifellos noch sehr viele Unrichtig-keiten, dürfte aber nach Ansicht des Verfassers immerhin einen nicht unerheblichen Fortschritt gegenüber bisherigen ähnlichen Vegetations-darstellungen aus unseren Kolonien bedeuten.

Sachliche Berichtigungen und Ergänzungen an beiden Karten wird der Verfasser im Interesse einer Neuauflage des Werkes jederzeit dankbar entgegennehmen.

230

REGISTER.

231

265

232

233

234

236

238

239

240

Handschuhleder II 195
Handwerk I 279 ff., 310, 313, II 223
Handwerker I 258, II 227
Hanefiten I 507
Hanf II 174; -fabrik II 24
Hansing & Co., Exportfirma II 47
Harems II 108; -damen I 305, 306, -gebäude II 132
Harrisonia abyssinica I 166
Hartlaubgewächse II 122
Harz, fossiles II 159
Hassan, Sultan II 82
Hassan bin Omar II 75, 81
Hatajwa-Hügel I 52, 53, 59, 62, 74, II 55, 138, 141
Haubenperlhuhn I 205
Hauptpluvial Blanckenhorns I 28
Haus und Siedelung I 252 ff.; -bau II 64, 72, -industrie II 130, -maus I 200, -ratte I 200, -sklaven I 500, -taube II 205, -tiere I 251, II 107, 198, 202, 205, -türen I 281, 304, II 56, 81, 152, 139
Hautflügler I 219, -geschwüre I 101, -krankheiten I 101
Hebungsküste I 59, 86
Hecken II 122, 129
Heckraddampfer II 57, 64, 214
Heherkuckuck I 206
Heirat I 306; Heiratstäge I 288
Heliconia I 136
Helmbohne I 258, 317, II 171
Hemd, Inder I 308; Parsi I 312; Swahili I 291; Wahadimu II 124. S. a. Kansu
Hemidactylus mabuia I 212
Hemipteren II 147
Herbstregenzeit I 115
Herd I 236
Herdentiere II 28
Heringsmöve I 197
Hermelin-Manguste I 201, 202
Herse convolvuli I 218
Hessel II 74
Heuschrecken I 221, II 105, 124, 161, 166, 171

16 Werth, Deutsch-Ostafrika. Band II.

Hevea-Kultur II 179
Hewittia sublobata I 168
Hibiscus cannabinus I 177, 179; H. esculentus I 327; H. surratensis I 162, 164, 172; H. tiliaceus I 146, 150, 160, 161
Himmel I 293
Hindi I 307
Hindu I 307, II 148
Hinsuani II 152
Hinterland I 1, II 15, 19, 27, 116, 152, 220
Hippocratea Volkensii I 180
Hippotion celerio I 218
Hirse (Durrha u. Mtama) I 237, 250, 278, II 56, 60, 86, 88, 92, 93, 134, 136, 163; Kolbenhirse I 256, 317, II 129, 164; Mohrenhirse I 317; Negerhirse I 176, 253, 256, 309; s. auch unter Sorghum; -bier I 256, 270, II 163
Hochflut II 64, 103
Hochgrasflur I 129, 182 ff., II 28, 63, 123
Hochwald II 6
Hochwasser I 9, 10, 13; -zeit I 7
Hochseefischerei II 196
Hochzeitsbrauch I 288, 289, -kleider I 289, -mahl I 289, -tag I 287 ff.
Höhlen I 33, 40, 51 ff., II 80, 91, 119, 121, 155, 138, 152, Entstehung der I 58 ff., 73 ff.
Hölle I 293
Hörige II 124
Hörner, als Amulett I 297
Hof I 237
Hohlkehle I 55
Hohlnasen I 199
Holophila ovalis I 141
Holothurien I 71, 195
Holz II 17, 32, 47, 60, 61, 131, 189 ff., 109, 191, 206, 213; -bienen I 219, -böcke I 223, -exportfirmen II 191, -feuer I 250, -kohle II 206, -mull I 39, -nägel I 277, -röhren

I 281, -sandalen I 242, 281, -scheide I 244, -schlag II 95, -schnitzerei I 281, 304, II 132, 134, 139, -stiel I 252
Homa I 297, 298
Honig II 73, 104, 114, 192, 193; -biene s. Bienen
Hornkoralle I 195
Hornrabe I 207
Hosen I 243, 291, 306, 308, 312
Hoslundia I 134; H. verticillata I 166, 173
Hospital in Bagamojo II 38, Chaki-Chaki II 150, Daressalam II 44, Kilwa-Kirwindye II 78, Pangani II 23, Sansibar II 154, Tanga II 16
Hotels II 38, 154
Hottentotten I 318
Hovas I 320, 322
Hüfttuch I 241, 304, 308, 312
Hügelland I 2, II 52, 54, 67, 71, 81, 85, 88, 93, 118, 119, 120, 122, 128, 139, 144, 145, 146, 150, 172, 184, 188, 217
Hühner I 251, II 107, 130, 149, 200, 203; -artige Vögel I 205
Hülsen der Bohne I 258; -früchte I 253, 258, II 8, 87, 107, 110, 112, 130, 171, 206
Hürden I 245, 248
Hütten I 232 ff., 326, II 11, 38, 42, 51, 52, 95, 109, 110, 112, 155; rechteckige I 228, 252, 275, 315, 316, II 10; runde I 228, 279, 295, 316, 318; -bau I 232 ff., II 33, -steuer II 75, 224, 225
Hufeisennase I 199
Huftiere I 202
Hummeln I 219
Humusbildung I 152
Hund I 202, 251, 317, II 198
Hundertfuß I 222
Hungersnot II 77, 223
Hut mit Wulstrand I 312
Hyäne I 187
Hydrocharitaceen I 141

241

242

243

244

278

246

Makalla II 106
Makamadi I 226, 227, II 10
Makameuma II 7
Makatombe (Makatumbi) I 15, 17, 41, 69; -Gruppe II 50
Makawa I 280
Makdischu I 229
Makonde I 169, II 90; -plateau I 62, 175, II 88, 92, 93, 96, -schichten I 15, II 70, 85
Makondeni II 69
Makongwe II 142, 152
Makran I 307, II 127
Makua I 318
Makumbi I 280
Makunduchi II 124, 125, 127, 128, 137; Ras I 15, 87
Makurumula-Sumpf I 47
Makuti-Wände I 252, II 11
Malaria I 98, 298, II 84, 93, 98; -gebiet II 63, -mücken II 24, 28, -parasiten I 219
Malayen I 302, 322; ihre Kultureinflüsse I 319 ff., 327
Malayischer Archipel I 137, 149
Malerei auf Töpfen I 280
Malesien I 159
Malindi I 13, 29, 227, 325, 329, II 7, 15, 105, 125, 133
Mallotus brevipes I 181
Malvengewächse I 135, 146
Mampala I 328
Mamberziege II 201
Mambi I 44, II 92, 93
Mana-Hawandja II 95
Mandarine I 264, 331, II 128
Mandawa I 43, II 86
Mandera II 14, II 27, 36
Mandoline, Swahili- II 147
Maneromango I 117
Mangapoani I 55, 61, 74, 85, II 124, 135
Mango I 261, II 8, 12, 30, 51, 87, 93, 96, 97, 107, 128, 129, 134, 137, 138, 139, 140, 146, 151; Beschreibung I 264, 328; ihre Kultur II 172, bei Bagamojo II 42, bei Daressalam

II 49, bei Kilwa-Kiwindye II 77, 79, Lindi II 91, am Lukuledi II 92, auf Mafia 107, bei den Matumbibergen II 67, Sansibar II 128, 137, bei den Wajongo II 54, Warufiji II 60; ihre Verbreitung I 327; -beulen I 101, -holz I 242, 281
Mangrowe I 38, 39, 129, 137, 142 ff., II 9, 36, 55, 84, 96, 102, 110, 111, 132, 140, 152, 188, 190, 191, 207; -gebüsch I 148, II 103, 155, -gehölz I 128, 141, II 5, 6, 57, 99, 141, 189, -holz II 57, 61, -inseln II 85, 90, -keimlinge I 144, -küste I 31, 38 ff., -rinde I 277, II 188, 189, -sumpf II 11, 17, 23, 25, 33, 57
Manihot Glaziovii II 155, 175 ff., 192. S. a. unter Kautschuk
Manilahanf II 175
Maniok (Mhogo) I 253, II 8, 12; Ausfuhr II 171; Beschreibung I 254 ff.; Handel I 278, II 210; seine Kultur II 54, 170 ff., bei Bagamojo II 42, Boma II 11, im Bondeiland II 163, bei Daressalam II 51, auf Jibondo II 110, bei Kilwa-Kiwindye II 77, am Kingani II 37, bei Kionga II 98, an d. südl. Küste II 72, 95, auf Mafia II 107, bei Makunduchi II 137, in Mihambue II 87, auf Mnemba II 140, Pemba II 149, Sansibar II 129, 138, 139, bei Sisini II 152, am Ssudi-Kriek II 93, der Warufiji II 60, auf Yambe II 19; seineVerbreitung I 330; -kautschuk II 17, 221, 174, 221, -laub I 255
Mansa (Manza) I 226, 254, II 7, 10; -bucht I 42, 146, II 5, 11, -kriek I 146, II 10, 11
Mansi-Sumpfgebiet I 48, II 54
Mantandu II 30, 31, 204
Mantis I 221
Manufakturwarengeschäfte I 309

Manyema I 299
Maote II 124
Mapanya II 152
Mapascha I 291
Margareten-Fälle II 25
Margaropus annulatus var. decoloratus II 197
Marhubi II 135
Marimbani II 110
Marine, britische II 152; deutsche II 22, 76
Maringo-Arm II 58
Markhamia sansibarica I 171, 173; M. tomentosa I 166, 171
Markt I 130, 210; -halle in Daressalam II 210, Lindi II 88, Pangani II 23, -preise II 207, 208, 209
Marschlandküsten I 145
Marstall d. Sultans I 306, II 202
Mascarenhasia elastica I 171/172, 175, II 158, 180
Masháiri I 273
Masika I 299
Masingini (Mazingini-) Hügelkette I 60, 63, II 119, 134, 135, 138, 159
Masiva-ngombe I 55, II 152
Masivi I 155, II 33
Maskarenen I 170
Maskat I 302, II 14, 83, 100, 115, 116, 133, 143, 201, 202, 213; -araber s. unter Araber, -esel I 306, 331, II 202, 203
Maskater II 148
Masken I 306, 316; -tänze I 316
Maskenpirol I 209
Maskiti ya Jumah II 133
Maschinen II 211
Massai I 318; -esel II 202, 203; -hochland II 217; -land II 15, 22; -steppe I 169, II 121
Massassi II 90
Massaua II 77
Massieren I 287, 297
Massuretti I 296
Mast I 277

248

249

Oxytenanthera macrothyrsus I 172, 175

Pachytilus migratoriodes I 221
Paddel I 245, 277
Padina Parvonia I 141
Padye II 137
Paji II 152
Pakascha I 267, 280
Paläozoische Schichten I 16
Palästina I 28, 29
Palast in Daressalam II 44, Sansibar II 117, 152, 159
Palau-Inseln I 51
Palmen I 134, 265 ff.; Palmblätter I 277, -blattfiedern II 108, -blatthütten II 150, -kerne II 162, -wedel I 511, -wedeldächer I 526, II 53, 109, -wein I 257, 267, 269, 270, II 128. S. a. unter Kokospalmen
Palmyrapalme I 183, II 52
Pamba II 167
Panani II 152
Pandanus I 133, 135, 136, 152; P. Kirkii I 151, 153, 160
Pandende II 59
Panga II 152
Pangani, Bezirk II 168, 175, 176, 189, 191, 195
–, Dorf (Sansibar) II 124
–, Fluß I 46, 146, 169, II 15, 21, 165, 167, 184, 214; auf Mafia I 61, II 101; -fälle II 65, 214, -graben I 16, -mündung I 41, 50, 68, II 22, 25, -schnellen II 65, 214, -tal II 173
–, Ort I 101, II 3, 8, 22, 30, 34, 154; Ausfuhr II 200, 201; Beschreibung II 23 ff.; Handel II 210, 211; Klima I 117, 119; Schiffsverkehr II 212, 214
Pangani-Bucht I 9, II 21
Pangavini II 45
Panicum crus galli I 176; P. curvatum I 176; P. maximum I 182, 183; P. pubivaginatum I 181

Papagei I 206, II 104
Papageifisch I 191
Papaya s. Melonenbaum
Papazi I 223
Papierfabrikation II 192, -röllchen als Ohrschmuck I 238
Papilio demodocus I 218
Papio ochracus I 198
Pappusfrüchte I 170
Paprika I 250, II 174
Papua I 314
Papyrus I 129, II 54
Parakautschuk II 177
Parinarium mobola I 173, 175
Parklandschaft II 37
Parokanja II 36
Parsi I 231, 312, II 127
Paspalus scrobiculatus I 176
Passat, Südost- I 6, 92, 95, 110; -Klimatypus I 93, -strömung I 6
Patta I 325, II 7, 143, 277
Paullinia pinnata I 172, 180, 182
Pavian I 186, 198, II 63, 123
Pawi-Krick II 85
Pecten pleuronectes I 27; P. porphyreus I 27; P. Vasseli Fuchs I 28, 29; P. Werthii I 27
Pedaliaceen I 134, 150
Pellona indica I 191
Pemba, Insel II 3, 157; -Beschreibung II 141 ff.; Geologisches I 1, 2, 5, 15, 16, 27, 28, 55, 57, 69, 155, II 2; Geschichtliches I 329; Gewürznelkenbau II 116, 127, 184, 185, 204; Klima I 89, 114, II 103, 185; Meeresströmungen I 11; Ölpalmenbau II 162; Reisbau II 164; Schiffahrtsverkehr II 212, 215; Wachs II 192
Pemba-Graben I 13, 29, -Kanal I 8, 10, 11, 15, 29, 156, II 4, 141
Pembamnasi, Ras I 154, II 29, 30, 31, 52, 53, 55
Pembe II 152
Pembe-juu II 56
Pembeni II 69

Pemphis I 155; P. acidula I 145, 149, 151, 152, 155, 156, 158, 159
Pennisetum I 155; P. Benthamii I 176, 182, 185; P. setosum I 167, 173
Pentas zanzibarica I 168, 170
Pentodon pentander I 177, 183
Pepo I 277
Peponi I 293
Pereira Pestana, Francisco II 82
Periplus I 323, 324, 326, II 113, 327
Perlen II 131; -fischerei II 196, -schnur I 238
Perlhühner I 205, II 65, 104, 110, 125
Perlmuscheln I 195, 250
Perlmutter I 323, II 108, 196
Perrot II 175
Perser I 507, II 202
Persien I 228, II 82
Persischer Golf I 94, 323, 324, 329, II 60, 189
Personenverkehr II 212
Pesa I 297
Pest I 101, II 211
Pete I 258
Petroleum I 309, II 131, 134, 215; -blech I 271
Petuguza II 12
Pfade I 275
Pfahlbauten I 233, II 64
Pfannkuchen I 257
Pfeffer II 8, 17, 157, 140; roter I 253, 269, II 130, 149; spanischer I 309, 330
Pfeife, Tabaks- I 270
Pfeile I 244, 314
Pferde I 331, II 48, 150; -sterbe II 202, -zucht II 202 ff.
Pflanzenfaser II 17, 25, 36, 79, 89, -öl II 47, 79, 94, -wachs II 47, 79, 94
Pflanzungen s. u. Plantagen
Pflug I 319, II 167
Phallussäulen I 293
Philippinen II 175

253

254

255

256

17 Werth, Deutsch-Ostafrika. Band II.

258

17*

259

262

263

264

·

265

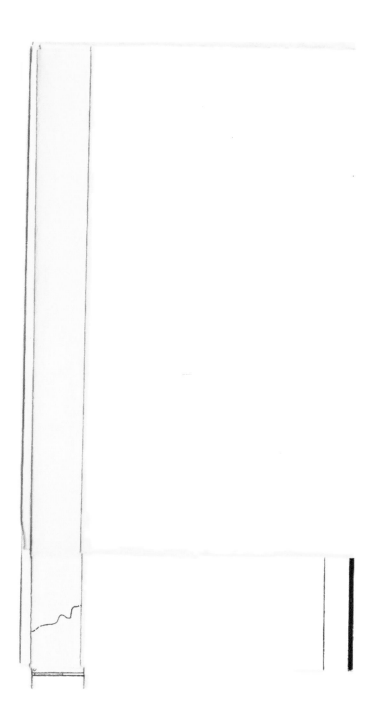

Geologisch-morphologische Übersichtskarte des
Deutsch-Ostafrikanischen Küstengebietes und der vorgelagerten Inseln

von Dr. E. Werth.

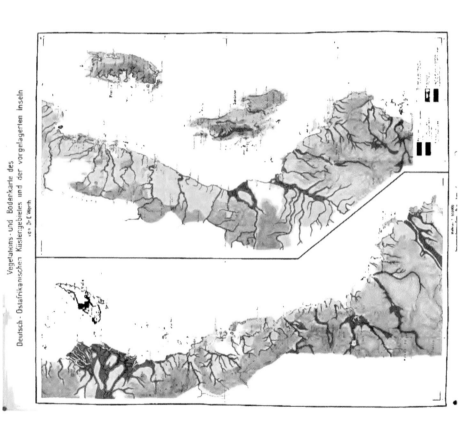

Vegetations- und Bodenkarte des
Deutsch-Ostafrikanischen Küstengebietes und der vorgelagerten Inseln
von Dr. E. Werth

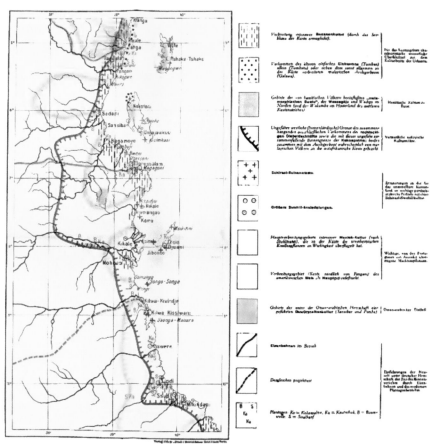

**Verbreitung einiger wichtiger Kulturformen
im deutsch-ostafrikanischen Küstengebiete**

(Zur Kulturgeschichte und Kolonialwirtschaft)

Maßstab der Karte 1 : 2000000

University of California
SOUTHERN REGIONAL LIBRARY FACILITY
405 Hilgard Avenue, Los Angeles, CA 90024-1388
Return this material to the library
from which it was borrowed.

308

FSC

www.fsc.org

MIX

Papier aus ver-
antwortungsvollen
Quellen
Paper from
responsible sources

FSC® C141904

Druck:
Customized Business Services GmbH
im Auftrag der KNV-Gruppe
Ferdinand-Jühlke-Str. 7
99095 Erfurt